改訂第8版にあたって

　生理学は，生体のメカニズム（仕組み）を探求する科学である。

　生まれ，成長・成熟し，子孫を残すまでの間に，体内でどのようなことが起きているのだろうか。外界を観察し，物事を認識・判断し行動するとき，どのようなメカニズムによるのだろうか。脳と筋肉，心臓，呼吸はどのように連携して動いているのだろうか。効率の良いトレーニング法はないのだろうか。このようなことを考えながら，私の理解しているところを著した。

　症状や疾患の理解には，生理学の知識が不可欠である。生理学的現象の断片は，インターネットで簡単に知ることができる。しかし，現象を知ることと，仕組みを理解することとは全く異なる。臓器レベルや細胞レベルの仕組みを少しでも知っていれば，病態の理解を深め，備えを考えることもできよう。

　本書の特徴は，（1）生理学的現象を理解するためのイラスト，（2）生理学的事象のまとめ，（3）臓器レベルや細胞レベルの仕組みの説明，にある。イラストには，その現象とメカニズムの理解を助けるために，概念的ではあるが，統合的な図が描かれている。仕組みの説明は，一段深い解説であり，初めは難しく感じるかもしれない。興味のある項目から，少しずつ理解を深めていって欲しい。岩を積み上げて城壁を作るように，理解した項目を組み上げていけば，一生ものの知識を身に付けることができる。

　第8版では，新たな知見を追加・改訂するとともに，臨床医学へ発展しうるようにいくつかの項目を拡充した。読者の理解を助け，生理学をより身近なものとして活用していただければ幸いである。

　出版にあたって，様々な御助言を頂いた先輩諸氏や，イラスト作成のサポートと情熱をかけて頂いた日本医事新報社の編集スタッフに深く感謝する。

2023年3月

著者

1 細胞の構造と機能

Q1	細胞の基本構造	1
Q2	細胞内小器官の機能	3
Q3	蛋白質の構造	4
Q4	蛋白質の合成	5
Q5	細胞内外の物質移動	7
Q6	膜輸送蛋白による輸送	9
Q7	受容体と細胞内シグナル伝達系	11
Q8	ミトコンドリアにおける ATP 産生	13

2 細胞の興奮と伝導

Q9	膜電位（静止膜電位）	14
Q10	活動電位	17
Q11	不応期	18
Q12	興奮伝導の法則	20
Q13	神経線維の種類と伝導速度	22

3 神経と筋

Q14	筋の分類と特徴	23
Q15	骨格筋の微細構造	24
Q16	骨格筋の収縮機序	25
Q17	興奮収縮連関	26
Q18	筋収縮のエネルギー源	27
Q19	筋の収縮様式	28
Q20	筋長と発生張力	28
Q21	平滑筋の特徴	29
Q22	シナプスの種類	29
Q23	化学シナプスの構造	30
Q24	神経伝達物質と受容体	30
Q25	神経筋接合部における興奮の伝達	33
Q26	心筋・平滑筋における神経終末	34
Q27	末梢神経の切断と再生	34
Q28	興奮性・抑制性シナプス後電位	35

Q29	EPSP に及ぼす反復刺激の影響	35
Q30	シナプス前抑制	36
Q31	α運動ニューロン	36
Q32	γ運動ニューロンとγループ	37
Q33	筋紡錘と腱器官	37
Q34	反射と反射中枢	38
Q35	脊髄反射	38
Q36	脊髄における抑制	39
Q37	随意運動の伝導路	41
Q38	筋電図と神経伝導検査	42

4 末梢自律神経系

Q39	末梢神経の区分	45
Q40	自律神経系の特徴	47
Q41	交感神経と副交感神経	48
Q42	排尿・排便の神経支配	50

5 感覚

Q43	感覚の尺度	51
Q44	感覚の受容器	52
Q45	痛覚	54
Q46	痛覚抑制系	55
Q47	体性感覚の伝導路	56
Q48	視床の中継核	56
Q49	聴覚器の構造	58
Q50	有毛細胞における音の受容	59
Q51	平衡覚	61
Q52	視覚器の構造	63
Q53	光の受容過程	65
Q54	網膜における情報処理	66
Q55	視覚の伝導路	67
Q56	瞳孔と眼球運動	68
Q57	味覚	69
Q58	嗅覚	70

6 中枢神経系

Q 59	大脳皮質の機能局在	71
Q 60	大脳基底核の構成と機能	72
Q 61	小脳による姿勢と運動の制御	74
Q 62	大脳辺縁系と情動	78
Q 63	視床下部と本能行動	79
Q 64	脳幹の生命維持中枢	80
Q 65	脳波	80
Q 66	覚醒・睡眠	82
Q 67	中枢神経系の伝達物質と受容体	84
Q 68	ドーパミン神経と報酬系	86
Q 69	前頭前野の機能	88
Q 70	ストレスに対する反応	88
Q 71	記憶と学習	90
Q 72	血液脳関門, 髄液循環	93

7 血液

Q 73	体液と血液の組成	94
Q 74	アルブミンと膠質浸透圧	96
Q 75	血液の酸・塩基平衡	98
Q 76	赤血球の構造	100
Q 77	赤血球の分化・成熟	101
Q 78	ヘモグロビンの合成	102
Q 79	赤血球の寿命とヘモグロビンの分解	103
Q 80	止血機序	104
Q 81	血小板血栓の形成機序	105
Q 82	凝固系と線溶系	106
Q 83	血小板の活性化とアラキドン酸代謝	108
Q 84	顆粒球および単球の分化・成熟	110
Q 85	リンパ球の分化・成熟	112
Q 86	抗体と補体	114
Q 87	細胞性免疫と液性免疫	116
Q 88	血液型	118

8 呼吸

Q 89	呼吸に関する物理法則	119
Q 90	呼吸器の構造	120
Q 91	肺気量の区分	121
Q 92	換気運動と仕事	123
Q 93	肺胞表面活性物質	124
Q 94	換気血流比と肺循環	125
Q 95	肺におけるガス交換	126
Q 96	血液による酸素の運搬	127
Q 97	ヘモグロビンの酸素解離曲線	128
Q 98	血液による CO_2 の運搬	129
Q 99	呼吸の調節	130
Q 100	高山病と潜水病	131

9 循環

Q 101	循環に関する物理法則	132
Q 102	血流量の測定法	133
Q 103	心筋線維の活動電位	134
Q 104	洞房結節の自動能	136
Q 105	心臓の活動電位の伝播	137
Q 106	心電図	138
Q 107	心筋の興奮収縮連関	141
Q 108	心筋線維の等尺性収縮と等張性収縮	142
Q 109	心室の圧 – 容量曲線	142
Q 110	心拍出量曲線	143
Q 111	心周期	144
Q 112	心臓の神経性調節	145
Q 113	血圧とは	146
Q 114	血液の分布	147
Q 115	循環の調節	148
Q 116	血管の神経支配	148
Q 117	血管の収縮・弛緩	151
Q 118	血管の局所性調節	153
Q 119	全身の血圧調節	153
Q 120	急速血圧調節	154
Q 121	毛細血管・組織間液・リンパ	156

目次　iii

Q 122　冠循環の特徴.....................................157
Q 123　腹腔循環と皮膚循環.............................157
Q 124　妊娠・出生に伴う呼吸・循環の変化..........158

10　腎

Q 125　水・電解質の出納.............................159
Q 126　ネフロンの構造と機能.......................161
Q 127　糸球体における濾過.........................162
Q 128　糸球体濾過量とクリアランス...............163
Q 129　尿細管再吸収率.............................164
Q 130　水の再吸収.................................165
Q 131　電解質その他の再吸収.......................166
Q 132　尿の緩衝作用（酸の排泄）..................168
Q 133　体液量と体液浸透圧の調節..................169
Q 134　エリスロポエチン...........................171
Q 135　排尿.......................................171

11　消化・吸収と代謝

Q 136　消化管の機能...............................172
Q 137　咀嚼と嚥下，胃の運動.......................174
Q 138　胃液の成分と分泌調節.......................174
Q 139　胃酸の分泌.................................175
Q 140　糖質の消化・吸収...........................177
Q 141　蛋白質の消化・吸収.........................179
Q 142　脂質の消化・吸収...........................180
Q 143　水・電解質・ビタミンの吸収................180
Q 144　大腸の機能と排便...........................181
Q 145　肝臓の機能.................................181
Q 146　肝臓における代謝...........................183
Q 147　脂質の輸送.................................185
Q 148　胆汁の分泌.................................186
Q 149　膵液の分泌.................................186
Q 150　インスリンの作用...........................187
Q 151　インスリンの合成・分泌.....................189
Q 152　インスリン受容体と糖輸送体................190
Q 153　糖尿病の病態...............................191

12　エネルギー代謝と体温

Q 154　生体のエネルギー...........................192
Q 155　酸素消費量の測定...........................193
Q 156　呼吸商の意味...............................193
Q 157　尿中窒素排泄量から燃焼した蛋白質量を
　　　　求める方法.................................194
Q 158　代謝率と基礎代謝量.........................194
Q 159　エネルギー代謝率...........................195
Q 160　最大酸素消費量（最大酸素摂取量）..........195
Q 161　体温と発熱.................................196
Q 162　不感蒸散と発汗.............................196
Q 163　熱中症，低体温症...........................197
Q 164　脂肪組織とレプチン.........................197

13　内分泌

Q 165　ホルモンの種類.............................198
Q 166　視床下部と下垂体...........................199
Q 167　ホルモンの作用機序.........................200
Q 168　成長ホルモン...............................201
Q 169　甲状腺刺激ホルモン.........................202
Q 170　甲状腺ホルモンの合成.......................202
Q 171　甲状腺ホルモンの作用.......................203
Q 172　カルシウムと骨.............................204
Q 173　パラソルモンとカルシトニン................205
Q 174　ビタミン D.................................206
Q 175　副腎皮質ホルモンの分泌.....................207
Q 176　糖質コルチコイド...........................208
Q 177　電解質コルチコイド（アルドステロン）......208
Q 178　抗利尿ホルモン（バゾプレッシン）..........209
Q 179　女性ホルモンと性周期.......................210
Q 180　妊娠・分娩に関わるホルモン................212
Q 181　プロラクチン...............................213
Q 182　男性ホルモン（アンドロゲン）..............214
Q 183　アドレナリン...............................215

1 細胞の構造と機能

Q1 細胞の基本構造

- ● 光学顕微鏡で見ると，細胞膜，細胞質，核を区別できる。
- ● 細胞膜を構成する脂質二重層は，物質の移動を制限している。
- ● 膜蛋白質はイオンなどの低分子を透過させたり，細胞外からのシグナルを受け取る機能がある。

細胞膜

◆ 細胞膜は脂質二重層で構成されている。その主成分はリン脂質である。リン脂質は1つの分子内に，水になじむ親水基と油になじむ疎水基を持っている。そのため水中（体液中）では，親水基を外側に向け，疎水基を内部に向けて配列し，二重の層を形成する。

◆ 細胞膜の脂質二重層を通過できるのは，ごく小さな分子や脂溶性物質だけである。O_2 や CO_2 は自由に通過するが，水やイオンは通過しにくい。

◆ 細胞膜のところどころに蛋白質が埋め込まれ，その多くは脂質二重層を貫通している。チャネルはイオンを，輸送体は水溶性物質をそれぞれ選択的に通過させる。受容体は，細胞外のシグナルを受け取って細胞内に伝える。これらの膜蛋白質は，細胞がその機能を発揮するために重要な役割を果たしている。

◆ 細胞膜は電気的絶縁体であり，膜の内外で電位差が生じる。

◆ 細胞膜は流動性があり，膜を構成する脂質や蛋白質は動くことができる。コレステロール含量が多くなると，細胞膜の流動性は低下する。

◆ 細胞膜の外側には，酸性ムコ多糖類からなる糖鎖が結合し細胞表面を覆っている。これを糖衣と呼ぶ。通常，強い陰性荷電を持ち，細胞どうしの認識や結合に関わっている。

細胞質

◆ 細胞質には，ゴルジ装置，小胞体，リボソーム，ミトコンドリアなどの小器官がある。これらは蛋白質の合成やエネルギーの産生に関わっている。☞ **Q2**

◆ 微小管，ミクロフィラメントは細胞骨格と呼ばれる。細胞の形態の維持，運動に関わっている。

核

◆ 核は核膜で包まれ，内部に染色質（クロマチン）を持つ。クロマチンは DNA が核蛋白質（ヒストン）に巻き付いたものであり，細胞分裂時に凝縮し染色体として識別できるようになる。一連の遺伝子情報は DNA の塩基配列によってコーディングされている。核内では RNA が合成され，核小体ではリボソームの原料が作られる。核膜には小孔が開いており，核酸などの高分子も通過する。

両親媒性

親水基と疎水基の両方を持つこと。両親媒性分子は水中で凝集して二重層膜やミセルを形成する。

細胞膜脂質二重層に対する透過係数

水	10^{-2}
尿素	10^{-4}
グルコース	10^{-7}
Cl^-	10^{-10}
Na^+, K^+	10^{-12}

リン脂質

ホスファチジルコリン（レシチン），ホスファチジルセリン，スフィンゴミエリン，ホスファチジルエタノールアミンなどがある。

DNA ; deoxyribonucleic acid
デオキシリボ核酸

RNA ; ribonucleic acid リボ核酸

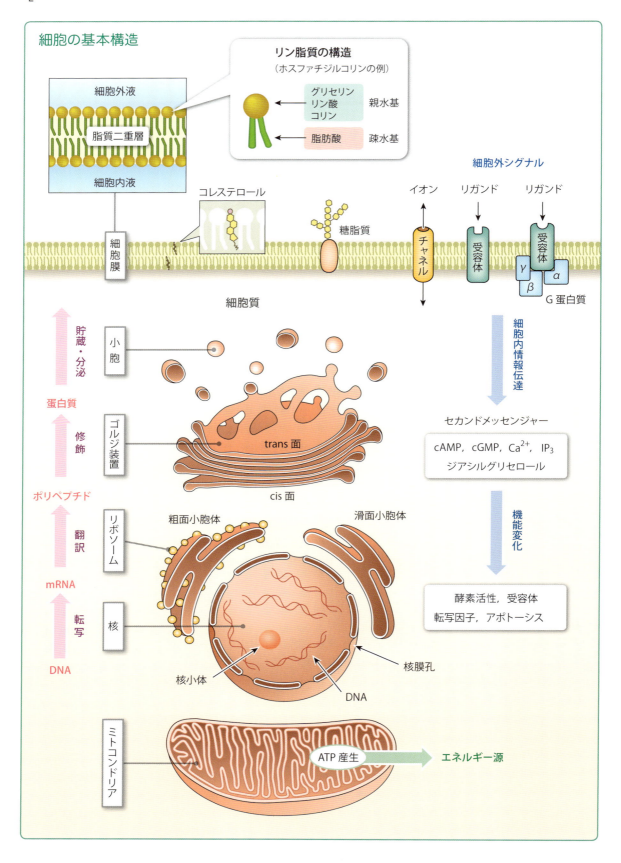

Q2　細胞内小器官の機能

● リボソームという顆粒の上で蛋白質が合成される。
● 小胞体とゴルジ装置は，蛋白質の修飾と輸送に関わる。
● ミトコンドリアは酸素を消費して ATP を産生する。

蛋白質の合成と輸送に関わるもの

◆ 蛋白質は，mRNA の情報をもとにリボソームで合成され，小胞体からゴルジ装置へと送られる。ゴルジ装置で濃縮された蛋白質は，小胞に蓄えられ，細胞内外へ輸送される。

◆ リボソームは小胞体表面に結合した小さな顆粒として観察される。ここで mRNA からアミノ酸への翻訳が行われ，蛋白質合成が進行する。リボソームを持つ小胞体，すなわち粗面小胞体は，腺細胞，分泌細胞，形質細胞，神経細胞などで発達している。☞ Q4

◆ 小胞体は管状の膜構造であり，リボソームの有無により粗面小胞体と滑面小胞体に区別される。滑面小胞体はグリコーゲン，ステロイドホルモン，コレステロールなどの合成を行う。骨格筋や心筋では筋小胞体と呼ばれ，Ca^{2+} を貯蔵し細胞内 Ca^{2+} 濃度の調節を行う。

◆ ゴルジ装置は核周辺にあり，扁平な袋状の膜構造を持つ。蛋白質の濃縮と修飾（たとえば糖鎖の付加）を行う。ゴルジ装置で形成された小胞はゴルジ小胞，分泌顆粒などと呼ばれる。分泌細胞や神経細胞で発達している。

細胞内消化に関わるもの

◆ リソソーム（ライソソーム）は多種類の加水分解酵素を含む小胞で，ゴルジ装置で形成される。細胞内に取り込んだ物質や老廃物を，酵素により分解処理する。白血球，腎尿細管，破骨細胞，甲状腺に多く存在する。

エネルギー産生に関わるもの

◆ ミトコンドリアはソーセージ形の小器官で，1 つの細胞に数千個ある。ATP 合成酵素を備えており，エネルギー供給源である ATP を産生する。エネルギーを必要とする細胞（心筋，骨格筋，腎近位尿細管，胃粘膜の壁細胞，視細胞など）に多く存在する。☞ Q8

細胞を形づくるもの

◆ ミクロフィラメントは 2 本のアクチン鎖がよりあわさった線維状の蛋白質で，細胞膜直下に集中し，細胞の形を保っている（細胞骨格）。収縮運動には ATP のエネルギーを必要とする。神経細胞の軸索内にあるものはニューロフィラメントと呼ばれ，軸索輸送に関与する。

◆ 微小管は，チュブリンと呼ばれる球状蛋白質がつらなってできた直径 25 nm の管である。微小管に沿って，ATP のエネルギーを使ってモーター蛋白（キネシン，ダイニン）が物質を移動させている。細胞内の物質移動，軸索輸送，線毛運動などに関わる。

リボソーム RNA（rRNA）

リボソームの実体は，rRNA と呼ばれる小さな RNA である。rRNA は核小体で転写され，いくつかの蛋白質と複合体を形成し，細胞質に運ばれる。

ペルオキシソーム

H_2O_2 産生酵素（オキシダーゼ）・分解酵素（カタラーゼ）を持つ小胞。プリン体の代謝産物である尿酸，プリン塩基，過酸化脂質の代謝に関わり，胆汁酸の生成を行っている。

ミトコンドリア DNA

核内の DNA とは別に，ミトコンドリアは内部に独自の DNA を持つ。精子のミトコンドリアは受精時に消失するため，ミトコンドリア DNA は母親から遺伝したものである。

オートファジー（autophagy）

細胞が自分の細胞質を分解する現象。損傷した細胞内小器官，変性蛋白質，活性酸素を過剰に産生するミトコンドリアなどがオートファゴソームに隔離され，これをリソソームが分解する。

アポトーシス（apoptosis）

遺伝的制御によって予めプログラムされた細胞の死。腸上皮細胞の剥脱，子宮粘膜の脱落，不適切なリンパ球の除去，胎児期の生殖器の退化などがある。語源はギリシャ語の apo（離れて），ptosis（落ちる）。

1 細胞の構造と機能

Q3 蛋白質の構造

- 蛋白質はアミノ酸で構成され，それぞれに特徴ある立体構造を形づくり，機能する。
- 蛋白質の構造・機能上の基本単位をドメインという。

一次構造

- 蛋白質は，アミノ酸が**ペプチド結合**によりつらなったもの（**ポリペプチド**）である。ペプチド結合は，アミノ酸どうしが脱水縮合して形成される強固な結合であり，胃酸や消化酵素にさらされない限り，生体内で分解することはない。
- アミノ酸の配列は遺伝子によって決定されている。遺伝性疾患の多くはアミノ酸配列の異常によるものである。

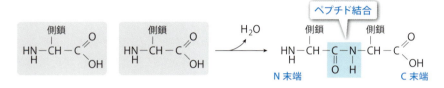

蛋白質のアミノ酸配列を記載するときは，ペプチド鎖のN末端（アミノ基 NH_3, NH_2 がある側）を左に，C末端（カルボキシル基 COO^-, COOH がある側）を右に書く。

二次構造

- ペプチド鎖は，アミノ酸間の弱い結合により一定の立体構造をとる。円筒構造を**αヘリックス**，板状の構造を**βシート**という。
- アミノ酸間の結合には，分子間の水素結合，イオン結合，ファン・デル・ワールス力，側鎖の極性（＋－）が関係する。非極性の側鎖を持つアミノ酸（バリン，ロイシン，フェニルアラニン，トリプトファンなど）は疎水性であり，蛋白分子の内側に集まる傾向がある。
- αヘリックスは，C=O基が4つ目のペプチド結合のN-H基と水素結合し，3.6アミノ酸残基ごとに1回転する規則的ならせん構造である。細胞膜蛋白の膜貫通部は非極性側鎖のアミノ酸が多く，αヘリックスが多く存在する。

αヘリックス

βシート

三次構造

- 1本のペプチド鎖が折りたたまれた密な塊を**ドメイン**という。多くの蛋白質は，複数のドメインが組み合わさってできている。各ドメインはそれぞれ独自の立体構造をもち（他のドメインの折りたたみと無関係），固有の機能を担っている。
- 蛋白質の合成過程で**分子シャペロン**と呼ばれる蛋白質が，ペプチド鎖の折りたたみを助けている。

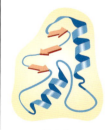

ドメイン

四次構造

- 複数の蛋白質が結合して大型の分子を形成する場合には，各蛋白質を**サブユニット**と呼ぶ。2量体，4量体，あるいは結合して長い分子を形成する（例；アクチンフィラメント，コラーゲン線維）。
- 蛋白質には他の分子と結合する部位（結合部位）があり，そこに結合する物質を一括して**リガンド**という。酵素蛋白質のリガンドは**基質**と呼ばれ，すばやく化学的変化を受ける。

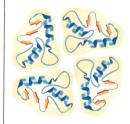

4量体

Q4 蛋白質の合成

- ● DNA の塩基配列を mRNA に写し取ることを転写という。
- ● mRNA 上の 3 つの塩基配列が 1 つのアミノ酸に対応する。
- ● 遺伝子発現の調節の大部分は，転写開始の段階で行われる。

遺伝子から mRNA への転写

- ◆ 蛋白質は遺伝子の情報をもとに，リボソーム上で合成される。**遺伝子とは，1 つのペプチドの合成に必要な DNA 鎖をいう**。DNA 鎖には 4 種類の塩基（アデニン A，チミン T，シトシン C，グアニン G）が配列しており，遺伝情報を保存している。
- ◆ 各遺伝子には，実質的な遺伝情報を持つ**転写領域**と，その転写を調節している**プロモーター領域**がある。プロモーター領域は転写開始部位より数十塩基上流にある。
- ◆ ホルモンと受容体の複合体が**基本転写因子**，**RNA ポリメラーゼ**とともにプロモーター領域に結合することにより，RNA ポリメラーゼが活性化される。RNA ポリメラーゼは DNA 鎖上を移動しつつ，DNA の塩基配列に相対する塩基配列を作成し **mRNA** を合成する。この過程を**転写**という。
- ◆ RNA の構造は DNA と同様であるが，DNA のチミンの部位は RNA ではウラシル U という塩基に置き換わる。
- ◆ 転写直後の mRNA は，蛋白質の合成に不必要な部分（イントロン）を含んでいる。これを削除（**スプライシング**）したのち，核外へ移される。

mRNA ; messenger RNA
蛋白質をコードする塩基配列情報を持つ RNA。

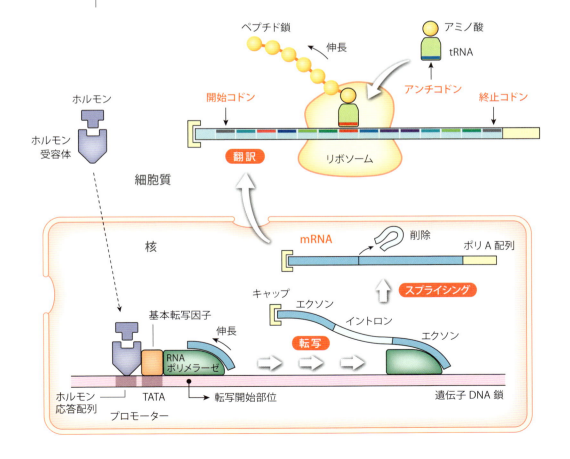

mRNA からペプチドへの翻訳

◆ mRNA 上の塩基配列のうち，3 個の塩基の並びが 1 つのアミノ酸に対応する。この 3 個 1 セットの塩基配列を**コドン**と呼ぶ。

◆ mRNA が結合したリボソーム上では，各コドンに対応するアミノ酸が **tRNA** によって順次運搬・結合され，蛋白質が合成される。この過程を**翻訳**という。tRNA は，コドンと対になる塩基配列（**アンチコドン**）をもち，それぞれ運搬するアミノ酸が決まっている。

◆ 合成された蛋白質は貯蔵または分泌されるが，多くの場合，プロテアーゼによる修飾を受け，作用を発揮するようになる。

tRNA ; transfer RNA
アミノ酸を結合してリボソームへ運ぶ RNA。

コドンによる遺伝暗号

コドンの塩基配列を記載するときは，5' 端を左に，3' 端を右に書く。

	2 文字目			
	U	**C**	**A**	**G**
U	UUU UUC **Phe** / UUA UUG **Leu**	UCU UCC UCA UCG **Ser**	UAU UAC **Tyr** / UAA 終止 UAG 終止	UGU UGC **Cys** / UGA 終止 / UGG **Trp**	U C A G
C	CUU CUC CUA CUG **Leu**	CCU CCC CCA CCG **Pro**	CAU CAC **His** / CAA CAG **Gln**	CGU CGC CGA CGG **Arg**	U C A G
A	AUU AUC **Ile** AUA / AUG **Met**	ACU ACC ACA ACG **Thr**	AAU AAC **Asn** / AAA AAG **Lys**	AGU AGC **Ser** / AGA AGG **Arg**	U C A G
G	GUU GUC GUA GUG **Val**	GCU GCC GCA GCG **Ala**	GAU GAC **Asp** / GAA GAG **Glu**	GGU GGC GGA GGG **Gly**	U C A G

（左：1 文字目（5' 端）　右：3 文字目（3' 端））

アミノ酸の略号 ☞ **Q141**

4 種類の塩基（U, C, A, G）のうち 3 個の組み合わせは $4^3 = 64$ 通りあり，これで 20 種類のアミノ酸を規定している。

真核生物では AUG（メチオニン）から翻訳が開始される。UAA, UAG, UGA は翻訳の終了を指示する終止コドンである。

蛋白質合成の調節

◆ 蛋白質合成の調節の大部分は，転写開始の段階で行われる。転写の開始には，プロモーター領域にある特定の塩基配列（TATA 配列）に複数の**基本転写因子**が結合し，**転写開始複合体**が形成される必要がある。基本転写因子の作用がなければ，RNA ポリメラーゼは DNA に結合できず，転写は始まらない。

◆ **遺伝子調節蛋白質**は，プロモーター領域から数千塩基も離れたところに結合し，転写を促進（アクチベーター）したり抑制（リプレッサー）する。

◆ プロモーター領域の DNA 鎖が，ヌクレオソームやクロマチンといった凝集した立体構造をとっていると，基本転写因子や RNA ポリメラーゼの結合が阻害されると考えられる。

◆ RNA ポリメラーゼには Ⅰ，Ⅱ，Ⅲの種類があり，それぞれ転写する遺伝子群が異なる。Ⅱは，アミノ酸をコードする遺伝子すなわち mRNA を転写する。ⅠとⅢは，tRNA や **rRNA** などの低分子 RNA を転写する。

亜鉛
亜鉛は，DNA ポリメラーゼや RNA ポリメラーゼ活性に影響し，DNA 合成や蛋白質合成に必要である。

rRNA ; ribosomal RNA
リボソームを構成する RNA。リボソームは rRNA と蛋白質の複合体である。

Q5 細胞内外の物質移動

● 細胞膜を通って溶質分子や水を移動させる力には，拡散，濾過，浸透，担体輸送がある。

- **拡散** diffusion：物質粒子が熱運動によって拡がってゆく現象。高濃度の領域から低濃度の領域へ拡がり，その程度は濃度勾配による。イオンのように電荷を持つ分子では，電位勾配の影響も受ける。
- **濾過** filtration：孔を持つ膜で区分された2つの液相間で，静水力学的圧力差に従って液体が移動する現象。
- **浸透** osmosis：溶質を通さない膜を，溶媒分子（水）が溶質濃度の低いほうから高いほうへ移動する現象。溶質濃度が高い溶液ほど浸透圧が高く，より多くの水を引きつける。☞ Q74

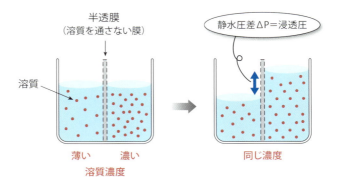

- **担体輸送**：特定の物質のみを通過させる担体（キャリア）によって運ばれる。疎水性分子は単純拡散で細胞膜を通過するが，親水性分子の移動は膜輸送蛋白により手助けされる。☞ Q6

- **エクソサイトーシス**：細胞内で作られた小胞が細胞膜と融合し，内容物が外に放出される。蛋白質や多くのホルモンは開口分泌の形式で細胞外に放出される。

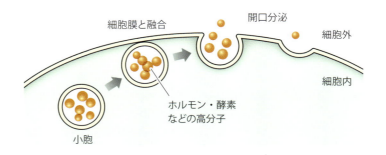

- **エンドサイトーシス**：エクソサイトーシスとは逆に細胞膜の一部が内側に凹み，小胞を形成し細胞内に取り込む。液体や微粒子の取り込みを飲作用，異物や死細胞の取り込み・分解を食作用という。特定の物質（インスリン，神経成長因子，表皮成長因子など）は細胞膜の受容体に結合することにより，細胞内に取り込まれる（受容体介在性エンドサイトーシス）。

膜輸送蛋白

チャネルによる促通拡散

チャネル内部は，特定の大きさと電荷を持つイオンを選択的に通すフィルターになっている。イオンが流れる方向は，濃度勾配（イオン濃度の高い方から低い方へ）と，電位勾配（陽イオンの場合では電位が負の方向へ）の釣り合いによって決まる。

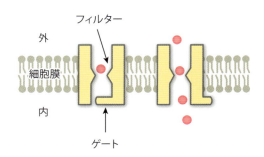

担体（キャリア）による促通拡散

糖・Na^+共輸送では，細胞外の1個のNa^+がグルコース1個とともに細胞内へ取り込まれる（共輸送；シンポート）。Na^+/Ca^{2+}交換輸送では，3個のNa^+を汲み入れ，Ca^{2+}1個を放出する（対向輸送；アンチポート）。いずれもNa^+の濃度勾配に依存した促通拡散である。

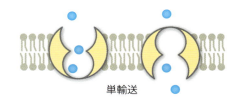

Na^+/K^+ポンプによる能動輸送

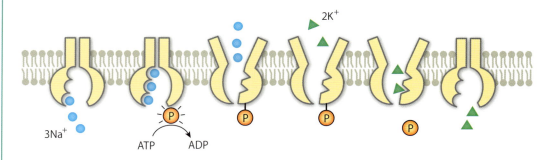

Na^+/K^+ポンプは，αサブユニットとβサブユニットのヘテロ2量体からなる大型の蛋白分子であり，細胞内にATPの結合部位を持つ。
① 細胞内のNa^+が3個結合すると，ATPaseが活性化され，蛋白質がリン酸化される（ATPをADPへ分解することでエネルギーを得る）。
② リン酸化により蛋白質の立体構造が変化し，細胞外へNa^+が放出される。
③ 細胞外のK^+が結合すると，脱リン酸化が起こる。
④ 蛋白質は元の構造に戻り，K^+が細胞内に取り込まれる。
　上記のサイクルは約10ミリ秒である。

Q6 膜輸送蛋白による輸送

- 脂質二重層を単純拡散で通過できるのは，疎水性の分子か，ごく小さな分子に限られる。
- 親水性の分子が細胞膜を通過するには，膜輸送蛋白を必要とする。

◆ O_2 や CO_2 は極性を持たないため，細胞膜の脂質二重層を容易に通過する。水や尿素は分子のサイズがきわめて小さいため，通過しうる。ところが，電荷を持つイオンや，グルコースなどの親水性分子は脂質二重層を通過できない。これらの分子は，膜輸送蛋白によって輸送される。

◆ 膜輸送蛋白とは，細胞膜を貫通し，膜を通して物質の輸送を行う蛋白質の総称である。チャネル，担体（キャリア），ポンプに大別される。

チャネル

◆ チャネルは，物質選択性を持つ孔（ポア）と，開閉状態があるゲートからなる蛋白質であり，ゲートが開いたときに特定のイオンを通過させる。ゲートの開閉の仕組みはチャネルによって異なり，膜電位の上昇（電位依存性チャネル），リガンドの結合（リガンド依存性チャネル），力学的刺激などによって開閉する。

◆ 通過するイオンの種類によって，K^+ チャネル，Na^+ チャネル，Ca^{2+} チャネル，陽イオンチャネルなどがある。イオンの通過する方向は，電気化学ポテンシャルに従う。すなわち，膜内外の濃度勾配と電位勾配との釣り合いによって，拡散方向（外向き・内向き）が決まる。

担体（キャリア）

◆ 特定の物質によって蛋白質の立体構造が変化し，溶質分子を選択的に輸送するものを担体（キャリア）という。輸送速度はチャネルよりも遅い。単一の物質を運ぶものを単輸送，複数の物質を運ぶものを共輸送という。

◆ 促通拡散とは，単純拡散では細胞膜を通過できないイオンや分子を，チャネルや担体によって受動的に輸送することをいう。この場合，ATPのエネルギーは必要としない。

ポンプ

◆ 能動輸送とは，ATPの加水分解により放出されるエネルギーを必要とする輸送をいい，輸送蛋白質をポンプという。能動輸送の代表である Na^+/K^+ ポンプの実体はATPase（酵素）であり，Na^+/K^+ ATPase とも呼ばれる。ATP 1分子を消費し，Na^+ 3個を細胞外へ汲み出し，K^+ 2個を細胞内へ取り入れる。電価の違いを生じるので，起電性 Na^+ ポンプとも呼ばれる。

◆ Na^+/K^+ ATPase，H^+/K^+ ATPase，Ca^{2+} ATPase などはエネルギーを直接的に利用し一次能動輸送と呼ばれる。これらのポンプによって細胞内外にイオンの濃度勾配が生じ，これを利用した輸送を二次輸送という。二次輸送はキャリアによる。

リガンド依存性チャネル

チャネルの細胞外の一部が受容体になっており，特定の分子が結合することによってゲートが開く。つまりイオンチャネル共役型受容体である。ニコチン性アセチルコリン受容体など。

ATPアーゼ

ATPの加水分解反応を触媒する酵素の総称。

ATP → ADP + Pi（リン酸）

このときリン酸結合のエネルギーが放出される。

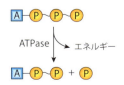

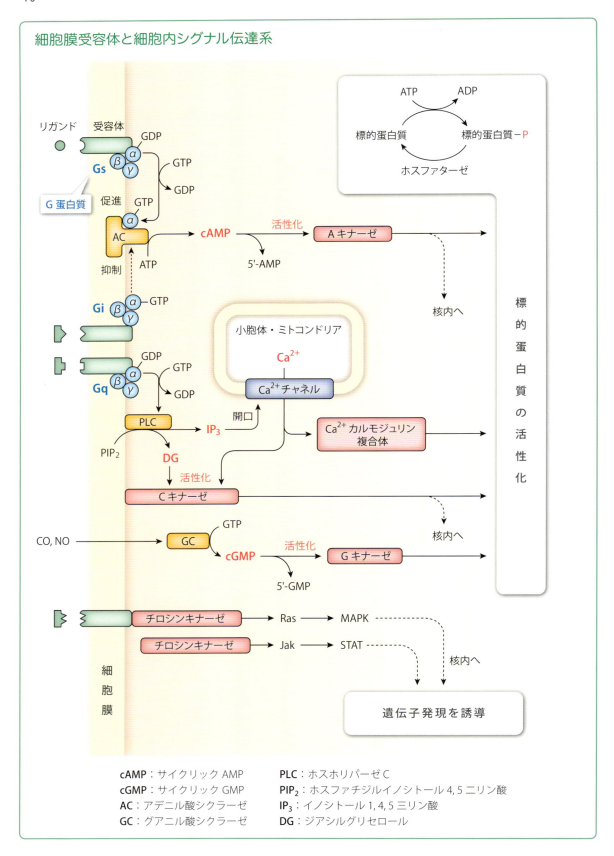

Q7 受容体と細胞内シグナル伝達系

◉ 細胞膜受容体にリガンドが結合すると，それぞれの細胞内シグナル伝達系が始動し，固有の機能が生じる。
◉ ステロイドホルモン受容体は，核に入り転写調節因子として作用する。

◆ ホルモンや神経伝達物質などのリガンドが受容体に結合すると，機能性蛋白質が活性化されたり，核に作用して遺伝子の転写が調節される。

受容体の種類

◆ **細胞膜受容体**は，細胞内の G 蛋白質やセカンドメッセンジャー（cAMP，IP_3，Ca^{2+} など）を介してシグナル伝達系を活性化させる。ペプチドホルモンやカテコールアミンは水溶性であり，細胞膜膜受容体に結合する。

◆ **細胞質受容体**に結合するリガンドには，ステロイドホルモンがある。ステロイドホルモンは脂溶性であり，細胞膜を拡散により通過し，受容体と結合する。受容体は DNA と結合できるような立体構造に変化し，核内では 2 量体となり DNA のホルモン応答配列に結合して，特定の遺伝子の転写を促進する。

◆ **核内受容体**と結合するリガンドには甲状腺ホルモンがあり，やはり遺伝子の転写を促進する。

cAMP を介するシグナル伝達系

◆ **G 蛋白質**（GTP 結合蛋白）は，GTPase 活性を持つ α サブユニットと，β・γ サブユニットが結合したものである。リガンドが細胞膜受容体に結合すると，α サブユニット（GTP- α 結合体）は解離し，**アデニル酸シクラーゼ**（AC）へ作用する。

◆ **促進性 G 蛋白質**（Gs）から解離した α サブユニットは **AC を活性化**させ，ATP から cAMP が産生される。cAMP は **A キナーゼ**（プロテインキナーゼ A）を活性化する。A キナーゼは標的蛋白質をリン酸化（活性化）し，その機能を発揮させる。例；アドレナリンは Gs を介して作用する。

◆ **抑制性 G 蛋白質**（Gi）から解離した α サブユニットは **AC を抑制**し，cAMP の産生が抑制される。例；アセチルコリン（ムスカリン性アセチルコリン受容体）は Gi を介して作用する。

イノシトール代謝を介するシグナル伝達系

◆ **ホスホリパーゼ C**（PLC）は細胞膜に存在し，G 蛋白質（Gq）の活性化により，イノシトール代謝を亢進させる。ホスファチジルイノシトール二リン酸（PIP_2）を加水分解し，イノシトール三リン酸（IP_3）とジアシルグリセロール（DG）を生成する。

◆ IP_3 は細胞内を拡散し，小胞体やミトコンドリアから Ca^{2+} を放出させる。Ca^{2+} は単独あるいは**カルモジュリン**複合体となり，標的蛋白質を活性化する。DG は膜に結合している **C キナーゼ**（プロテインキナーゼ C）を活性化する。

チロシンキナーゼを介するシグナル伝達系

◆ チロシンキナーゼは，細胞の分化・増殖や接着，免疫反応に関わるシグナル伝達を行う。インスリン，インスリン様成長因子（IGF），血管内皮細胞増殖因子（VEGF），

受容体の数

一般に，リガンドが過剰にあると受容体は減少し（down regulation），リガンドが欠乏すると受容体は増加する（up reguration）。

cAMP ; cyclic AMP

環状アデノシン 1 リン酸。アデノシン 3 リン酸（ATP）から合成され，リボースの 3',5' とリン酸が環状になっている。

A キナーゼ

cAMP により活性化され，糖，グリコーゲン，脂質代謝などを調節する。

C キナーゼ

ジアシルグリセロールや Ca^{2+} によって活性化され，標的蛋白質（MAP キナーゼ，MARCKS，ビタミン D_3 受容体，上皮成長因子受容体など）をリン酸化する。

血小板由来増殖因子（PDGF），幹細胞因子などの受容体は，細胞内ドメインにチロシンキナーゼ活性を持つ．リガンドが結合するとチロシンキナーゼが活性化し，**Ras-MAPK系**を活性化する．活性化MAPKは核内に移行し，転写調節因子に作用して遺伝子の転写を促進し，細胞の分化・増殖などを引き起こす．

◆ 非受容体型のチロシンキナーゼも存在する．これは免疫グロブリンやサイトカインによって活性化され，**Jak-STAT系**をリン酸化する．リン酸化されたSTATは核内に移行し，遺伝子の転写を促進する．

MAPK ; mitogen-activated protein Kinase

Jak ; Janus kinase
STAT ; signal transducers and activators of transcription

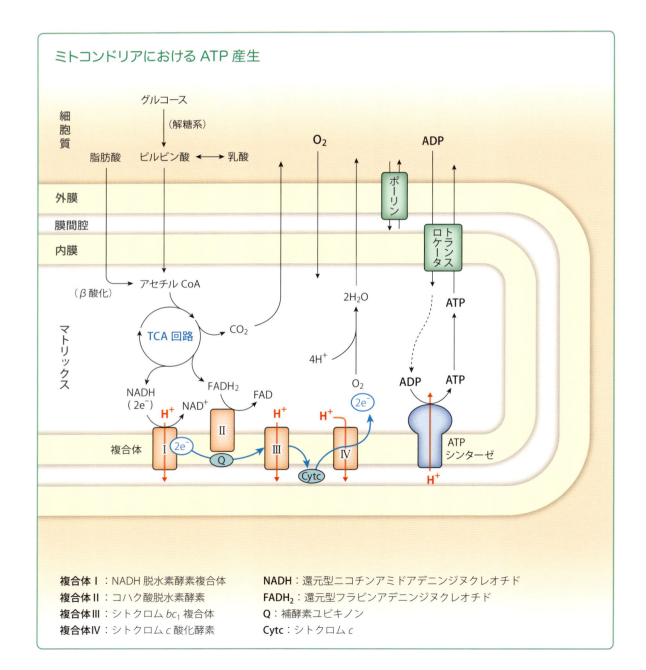

Q8 ミトコンドリアにおけるATP産生

- 解糖系で生じたピルビン酸はマトリックスへ送られTCA回路に入る。
- TCA回路は高エネルギー電子を持つNADHを放出し、内膜の電子伝達系へ渡す。
- 電子伝達系は電子の流れに共役してH⁺をくみ出し、濃度勾配を形成する。この濃度勾配を利用してATPシンターゼがATPを合成する。

ミトコンドリアの構造と機能

- ミトコンドリアは**外膜**と**内膜**を持つ。外膜と内膜の間を**膜間腔**といい、内膜で包まれた内部を**マトリックス**という。それぞれの膜は、細胞膜と同じ脂質二重層で構成されている。
- マトリックスでは**TCA回路**、尿素回路（肝臓）、脂肪酸のβ酸化などの代謝が行われる。細胞質の解糖系により産生された**ピルビン酸は、マトリックス内でアセチルCoAに変換された後、TCA回路で代謝され、NADH、FADH₂、CO₂が生じる。NADHは、高エネルギー電子2個を電子伝達系へ渡し、NAD⁺となり再びTCA回路で利用される。
- 外膜には**ポーリン**と呼ばれる大型の蛋白質による孔があり、ある程度大きな分子も通過するため、膜間腔は細胞質と同様の組成となる。外膜ではアドレナリンの酸化、トリプトファンの分解、脂肪酸の合成が行われる。内膜はマトリックス内へ突出したクリステと呼ばれる形を作り、電子伝達系とATP合成酵素を持つ。

電子伝達系とATP合成

- **電子伝達系**は好気的代謝の最終段階における一連の反応であり、**呼吸鎖**とも呼ばれる。電子伝達系は4つの複合体で構成される。NADHから渡された電子は、複合体ⅠからⅢ、Ⅳへと次々に受け渡される。この電子の流れに共役して、**各複合体はH⁺（水素イオン、プロトン）をマトリックスから膜間腔へ輸送する**。その結果、マトリックス内は－180 mV、pH 8となり、膜間腔はpH 7となり、10倍のプロトンの濃度差が形成される。
- このH⁺の濃度勾配を利用して、**ATP合成酵素**はADPからATPを産生する。H⁺は、膜間腔からマトリックス内に流入する際にATP合成酵素を通り抜け、水力発電のタービンのようにATP合成酵素を回転させる。この回転ごとに、①ADPの結合、②ADPとリン酸の結合、③ATPの放出が生じる。マトリックス内のATPは、内膜に存在するADP/ATP**トランスロケータ**によって直ちに細胞質へ輸送され、交換輸送によりADPがマトリックス内へ取り込まれる。
- 複合体Ⅳは電子をO₂に渡し、O₂はH⁺と結合して水が作られる（4電子＋O₂＋4H⁺→2H₂O）。つまり、**酸素が消費されATPが産生される**ことから、**酸化的リン酸化**と呼ばれる。
- **FADH₂**は電子を複合体Ⅱに渡しFADとなり、TCA回路で利用される。複合体Ⅱは還元型ユビキノンを生じる。ユビキノンとシトクロムcも電子の移動に関与している。

TCA回路
トリカルボン酸回路＝クエン酸回路。発見者の名前をとってクレブス回路ともいう。回路が1巡すると、アセチルCoA 1分子につき3分子のNADHが放出される。

電子伝達系の遺伝子
電子伝達系を構成する蛋白質の76%は核DNAから作られ、24%がミトコンドリアDNAによる。

ATP合成酵素
水素イオン濃度勾配により分子モーターF₀が回転し、連結しているF₁も回転してATPが合成される。

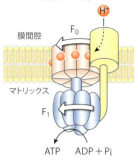

シアン化合物
シアン化合物（青酸カリが有名）は3価の鉄との親和性が高く、電子伝達系のシトクロムc酸化酵素に結合し活性を阻害する。

2 細胞の興奮と伝導

Q9 膜電位（静止膜電位）

◉ 通常，細胞内は細胞外に対して負の電位にある。

◉ 静止膜電位は，細胞内外の K^+ 濃度による平衡電位に近い。

◆ 細胞外液に一方の電極をつけ，他方の電極をガラス電極として細胞内へ刺すと，2極間の電位差が測定できる。細胞内電位は，細胞外液（0 mV，基準）に対して一定の負の電位にある。これを**静止膜電位**という。神経線維の静止膜電位は $-70 \sim -80$ mV である。

◆ 静止膜電位は主に細胞内外の K^+ 濃度差により，ある一定の値をとる。その平衡状態は，細胞内外の濃度勾配による力（細胞内から流出しようとする力）と，イオンの電荷の移動による電気的力（細胞内から＋が流出し細胞内が−になり，＋を引き戻そうとする力）がつりあった点である。そのときの膜電位（平衡電位）は**ネルンストの式**で算出される。

$$E = \frac{RT}{F} \log \frac{[細胞外イオン]}{[細胞内イオン]}$$

37℃では，次式のように表される。

$$E = 61 \log_{10} \frac{[細胞外イオン]}{[細胞内イオン]}$$

たとえば，細胞外 K^+ 5 mEq/L，細胞内 K^+ 150 mEq/L のとき，K^+ の平衡電位は $61 \log_{10} (5/150) = -90$ mV と算出される。

◆ 複数の種類のイオンが出入りしている膜電位は，各イオンの透過性を考慮した**ゴールドマンの式**で表される。

$$E = \frac{RT}{F} \log \frac{P_K [K^+]_o + P_{Na} [Na^+]_o + P_{Cl} [Cl^-]_i}{P_K [K^+]_i + P_{Na} [Na^+]_i + P_{Cl} [Cl^-]_o}$$

P は透過性を意味し，静止状態では $K^+ : Na^+ : Cl^- = 1 : 0.04 : 0.45$ である。これをゴールドマンの式に代入すると -73 mV の値が得られる。

◆ この理論上の値と実測値には差がある。静止膜電位の実測値が -80 mV の場合，理論値との差 -7 mV は，Na^+/K^+ ポンプにより生じると考えられる。Na^+/K^+ ポンプは能動的に（エネルギーを使って）常に動き，細胞内に流入した Na^+ 3 個を汲み出し，細胞外に流出した K^+ を 2 個を取り入れ，交換している。その結果，Na^+/K^+ ポンプが駆動するごとに細胞内電位は負になる。

膜電位の大きさ

細胞膜（厚さ5 nm）における 100 mV の電位差は，1cm では 10 万 V となり，非常に大きな電界がかかっている。

R：ガス定数
　$(8.315 \, J \cdot mol^{-1} \cdot K^{-1})$

T：絶対温度

F：ファラデー定数（9.649×10^4 クーロン・mol^{-1}）

静止膜電位の形成とイオンチャネル

- 細胞膜にはイオンを透過させるチャネルやポンプがあり，イオンが出入りしている。各イオンは細胞内外の濃度勾配と細胞膜の透過性に従って常に移動している。HodgkinとKatzは実験的に細胞膜の各イオンに対する透過性を求めた。静止状態では$K^+ : Na^+ : Cl^- = 1 : 0.04 : 0.45$であり，$K^+$の透過性が高い。活動電位発生時には$K^+ : Na^+ : Cl^- = 1 : 20 : 0.23$となり，$Na^+$が流入する。

- K^+は，K$^+$リークチャネルを通り細胞外へ流出する。リークチャネルは常に開いておりNa^+をも透過させるが，K^+をNa^+の100倍透過させ，実質的にK^+チャネルとして作用する（1秒あたり10^8個のK^+が通過する）。流出したK^+は，Na$^+$/K$^+$ポンプによって取り込まれる。1個のNa$^+$/K$^+$ポンプは，ATPがある限り，1秒あたり数百のイオンを輸送する。心筋や骨格筋には，内向き整流性K$^+$チャネル（膜電位が深くなるとK^+を細胞内に取り込む特性がある）があり，静止膜電位の形成に関与する。

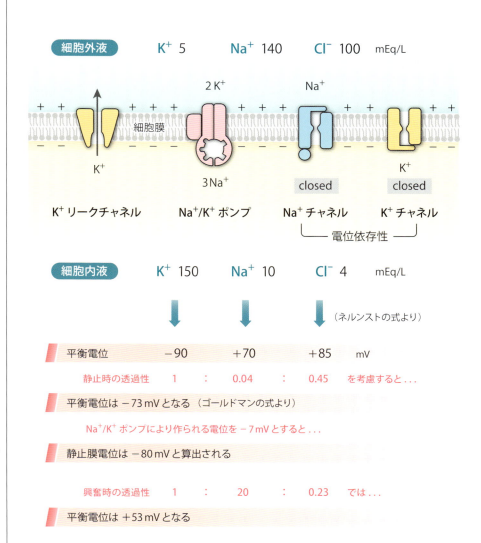

サイエンストピックス60
チャネル分子のねじれがイオンの通り道を開閉する

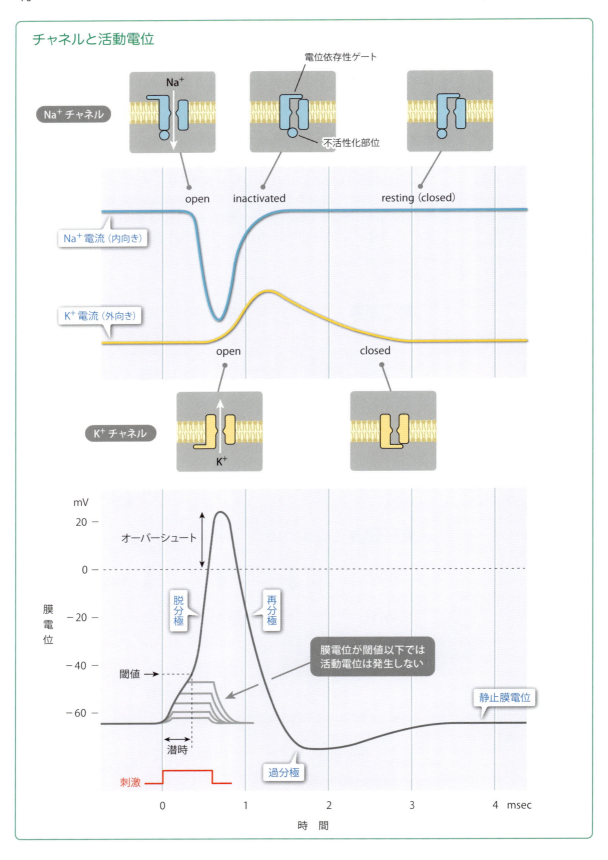

Q10 **活動電位**

◉ 活動電位は，電位依存性チャネルの開閉により生じる。

◉ 活動電位の大きさは，刺激の強さとは関係なく一定である。

◆ 膜電位を測定しながら，追加の電極を細胞内に刺し細胞内に向かう電流を流すと，膜電位はより深くなる（より負になる）。この状態を過分極という。逆の方向に通電すると電位は浅くなる（0 mVに近づく）。この状態を脱分極という。脱分極する方向に通電を徐々に強くすると，局所電位と呼ばれる反応が生じる。局所電位が閾値を越えると，活動電位が生じる。

◆ 活動電位とは，細胞内電位が一時的に負から正になり，その後静止膜電位に戻る一連の変化をいう。活動電位は，膜電位が閾値を越えたときだけ発生し，その大きさは刺激の強さとは関係なく一定である。これを全か無の法則という。

◆ 刺激を加えてから活動電位が生じるまでには若干の遅れがあり，この期間を潜時という。活動電位の急激な電位変化はNa$^+$の流入によるものであり，Naスパイクとも呼ぶ。活動電位が0 mVを越えて正になる部分をオーバーシュートという。

活動電位の発生とイオンチャネル

◆ Na$^+$，K$^+$，Ca^{2+}チャネルは1つの細胞に数千〜数万個あり，これらは膜電位の変化に応じて開閉する。

◆ 膜電位が閾膜電位を越えると，まず電位依存性Na$^+$チャネルが開く。Na$^+$が細胞内に流入し（内向き電流という），膜電位が上昇する。膜電位が上昇すると，隣接するNa$^+$チャネルが次々に開き，さらに膜電位が上昇する（正のフィードバック）。Na$^+$チャネルは膜電位の変化に鋭敏であり，開口するとすぐに不活性化される。そのためNa$^+$流入による脱分極はごく短時間である。

◆ Na$^+$チャネルに遅れて，電位依存性K$^+$チャネルが開く。静止時のK$^+$リークチャネルよりもはるかに多くのK$^+$が細胞外に流出し（外向き電流，遅延整流性K$^+$電流），膜電位は逆転して再分極を引き起こす。K$^+$チャネルは膜電位の変化に遅れて応答し，一定期間開口し続けたのち不活性化される。そのため再分極後もK$^+$の流出が続き，膜電位は一時的に静止膜電位より低くなり過分極を引き起こす。この過分極はK$^+$の平衡電位を越えて深くなることはない。

閾値

閾（しきい）とは，興奮を引き起こすのに必要な最小の刺激のことをいう。

オーバーシュート

太い線維ではオーバーシュートがみられるが，中枢神経系の細い線維ではオーバーシュートはみられず，0 mVにまで達しないものが多い。

活動電位によって流入・流出するイオンはごくわずかであり，細胞内のイオン濃度には影響しない。

2

細胞の興奮と伝導

NOTE チャネルの分布と特性

• Na$^+$チャネルは無髄線維では5〜500個/μm^2，ランビエ絞輪では12,000個/μm^2存在する。活動電位発生時にはNa$^+$チャネルあたり100〜500個のNa$^+$が流入する。

• テトロドトキシン（フグ毒）は神経細胞や骨格筋のNa$^+$チャネルを阻害する。心臓のNa$^+$チャネルは感受性が低く，阻害されない。テトラエチルアンモニウムはK$^+$チャネルを阻害する。

• Ca^{2+}チャネルの活性化はNa$^+$チャネルよりも閾値が高く，かつチャネルの分布密度が低いので，Ca^{2+}電流は小さく，Na$^+$よりも遅れて生じる。Naスパイクに対して，Ca^{2+}による活動電位をCaスパイクと呼ぶ。

• Caスパイクの特徴は，①全か無の法則に従う，②細胞外Ca^{2+}およびK$^+$濃度により活動電位が変化する，③細胞外Na$^+$濃度の影響を受けず，テトロドトキシンによって阻害されない。

Q11 不応期

● 興奮直後の細胞は，刺激に対する反応性が低下している。
● 不応期は Na⁺ チャネルが不活性状態となっているために生じる。

◆ 刺激の間隔が短くなると，活動電位は小さくなり，ついには刺激に反応しなくなる。この期間を不応期という。絶対不応期は Na スパイクの時期にあたり，刺激を強くしても活動電位は発生しない。相対不応期では活動電位の振幅が小さくなるが，刺激を強くすると正常な活動電位を発生し得る。
◆ 不応期は，刺激に対する反応性が低下（閾値が上昇）している状態である。不応期があるので，軸索が1秒間に伝導できるパルス数には上限がある。

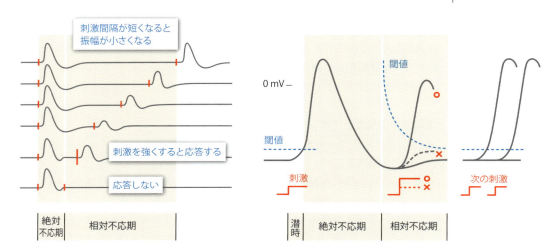

活動電位と電流電圧関係

◆ 活動電位は，チャネルを通過するイオンの総和を経時的にみたものである。Na⁺，K⁺，Ca²⁺ チャネルの特性は，右図に示すような電流電圧関係でみることができる。
◆ Na⁺ チャネルは静止膜電位では電流 0 であり（①），脱分極に至ると一気に細胞内に流入する（③）。膜電位に応じて Na⁺ が流入し（④），Na⁺ の流入により膜電位が浅くなると流入量も減少する（⑤）。一方，K⁺ チャネルでは電位に応じて K⁺ が流出する。K⁺ の流出と Na⁺ の流入のバランス（点線）により膜電位が決まり，⑤以上にはなりえない。また，活動電位が生じるか否かの閾値は，②の電位での Na⁺ 電流と K⁺ 電流のバランスにより決まる。

チャネルの活性化と不活性化

◆ チャネルは1細胞あたり数千〜数万個あり，それらのチャネルを流れるイオンの総和が電流である。各時点の電流は，［細胞膜にあるチャネル数×1個のチャネルを流れる単位電流の大きさ×開口確率］で算出される。個々のチャネルは開か閉の状態にあり，全チャネルの状態は確率で表現される。
◆ 活性化確率：Na⁺ チャネルは3つの状態（静止，開口，不活性化）がある。Na⁺ チャネルの開口確率は，静止膜電位ではほぼ 0 である（①）。脱分極付近の電位（②③）では1〜2割が開口し，④では8割，⑤ではほぼ全部が開口する。

電流電圧関係

膜電位を一定に制御し，そのときに流れる電流をプロットしたもの。

テタニー

低カルシウム血症では末梢神経の興奮性が高まり，筋の過剰な収縮をきたす。細胞外 Ca^{2+} の低下により，Na^+ チャネルの開口確率および Na^+ の透過性が高まるためと考えられる。

◆ **不活性化確率**：Na^+ チャネルはいったん開口すると，不活性化を経ないと静止状態に戻ることができない。不活性化の確率は主に電位に依存する。⑤⑥の電位で不活性化されるチャネルは 0 である。静止膜電位付近（⑦）まで下がると不活性化の割合が進み，⑧で 7 割程度である。⑨でも全部が不活性化されているわけではない。不活性状態から静止状態へ回復するには，さらに数ミリ秒を要する。

◆ **相対不応期では，静止状態のチャネル数が少ないので，刺激を受けて開口しても** Na^+ 電流は小さく，活動電位を発生しえない。また，閾値に達するためには，まだ不活性化されていない K^+ チャネルの K^+ 電流を打ち消す方向の電流も必要となる（大きな刺激が必要となる）。

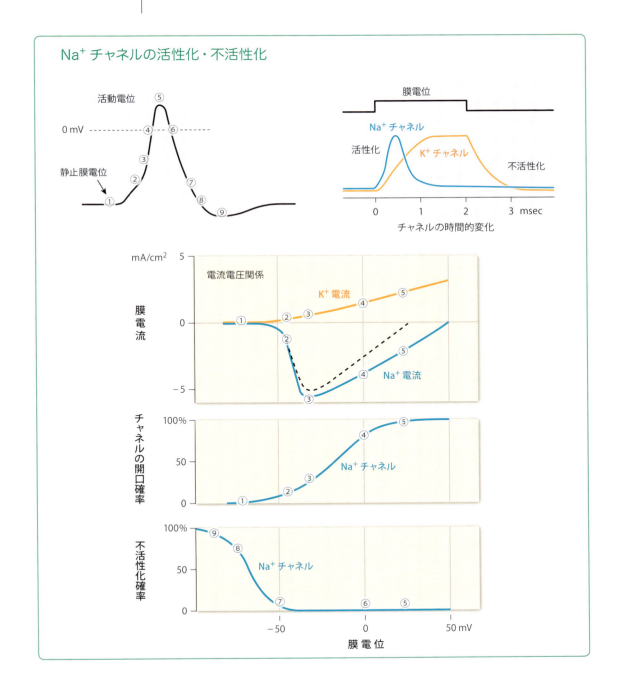

Q12 興奮伝導の法則

◉ 髄鞘は絶縁体として働く。

◉ 有髄線維では跳躍伝導のために細い軸索でも伝導速度は十分に速い。

◆ 神経細胞（ニューロン）は，細胞体，樹状突起，軸索で構成されている。軸索の長さは様々であり，長いものでは 1 m を超える。活動電位は軸索の根元で発生し，軸索を終末方向に伝わる。

◆ 軸索に髄鞘を持つか否かにより有髄線維と無髄線維を区別する。髄鞘は，中枢神経ではオリゴデンドログリアが，末梢神経ではシュワン細胞が軸索に幾重にも巻きついたものである。髄鞘は電気抵抗が高く，軸索を電気的に周囲から絶縁している。髄鞘のないくびれた部分をランビエ絞輪といい，電気抵抗が低く，この部分の細胞膜には Na^+ チャネルが高密度に存在する。有髄線維の活動電位は絞輪で生じ，次の絞輪へと伝導する（跳躍伝導）。髄鞘があるために，無髄神経に比べて伝導速度はとても速くなる。

◆ 軸索はニューロンや効果器とシナプスを作り，活動電位を伝達する。伝導性の活動電位をインパルスという。逆に，ニューロンには 1,000 ～ 10,000 のシナプスがあり，多くの情報を受け取っている。

興奮伝導の法則

①隔絶伝導：ある神経線維の興奮は，隣を走行する神経線維には伝わらない。

②両方向性伝導：軸索の途中に生じた興奮は，中枢側（細胞体側）および末梢側へと伝わる。

③不減衰伝導：活動電位の大きさは一定であり，減衰しない。

④等速伝導：軸索の径が一定であれば，伝導速度は一定である。

極興奮の法則

◆ 神経線維に 1 対の電極を置いて電気刺激を与えると，陽極側では過分極し興奮性は低下する。陰極側では細胞内から細胞外へ電流が流れ，脱分極が起こる。電気刺激を切断すると，逆に陽極側に興奮が生じる。

局所電位の空間的広がり

◆ 神経細胞や筋細胞では，強制的あるいは受動的に膜電位を変化させる（局所電位や活動電位）と，その電位による電気緊張電位が周辺に生じる。この電位の空間的広がりは膜電位と刺激部位からの距離に依存し，ケーブル理論で表される。

$$V = V_0 \times \exp\left(-x\sqrt{rm/ri}\right)$$

V_0：刺激部位の膜電位，x：刺激部位からの距離，
rm, ri：単位長さ当たりの膜抵抗，細胞内抵抗

◆ 有髄線維では，活動電位の電気緊張電位により興奮を生じさせ得る範囲は，髄鞘の 2 つ分を越える。

ギラン・バレー症候群

急速に進行する末梢神経障害。軸索の構成成分であるガングリオシド（GM1 など）に対する自己抗体が，ランビエ絞輪部のイオンチャネルを阻害し，伝導を障害すると考えられる。

活動電位の波形

単極導出（1 電極を測定部位に置き，他の電極を興奮しない遠くの部位に置く）では，単相性の波形が得られる。双極導出（測定部位に 2 電極を置く）では，二相性の波形が得られる。

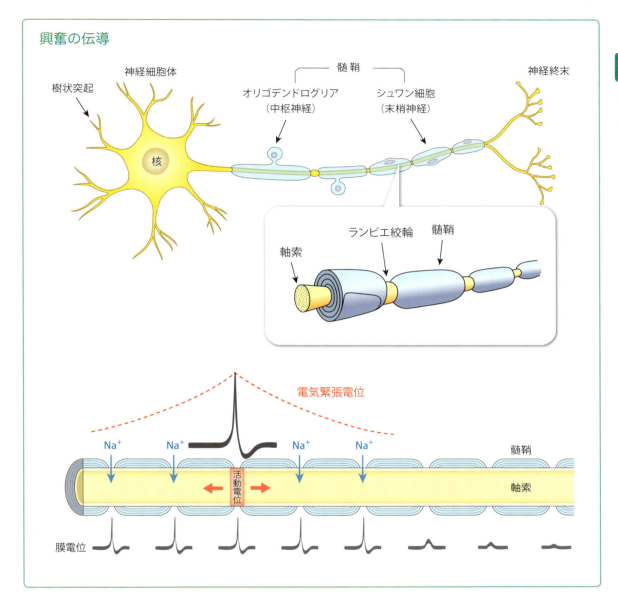

NOTE 軸索輸送

- 軸索内には，蛋白質合成を行う細胞内小器官が存在しない。そのため細胞骨格や神経伝達物質などは細胞体で合成され，軸索内を神経終末に向かって輸送される（**順行性輸送**）。
- 神経終末で必要とされる酵素，脂質，神経伝達物質は速い速度で順行性に輸送される。細胞骨格のニューロフィラメント（中間径フィラメントの一種）は遅い速度で運搬され拡散する。
- 一方，神経終末から細胞体に向かって輸送されるものもある（**逆行性輸送**）。神経終末で取り込まれた物質や再利用される蛋白質などは，細胞体に向かって輸送される。ミトコンドリアは反復して輸送される。
- **モーター蛋白**は，ATPのエネルギーを使って軸索内の微小管に沿って移動し，物質輸送を行っている。**キネシン**は順行性，**ダイニン**は逆行性の輸送に関与する。

Q13 神経線維の種類と伝導速度

◉ 伝導速度は髄鞘の有無や線維の直径によって異なる。

◉ 直径が太いほど電気抵抗が小さく，伝導速度は速くなる。

◆ 神経線維は，その直径，髄鞘の有無により，表のように分類される。アルファベットによる分類は運動神経と感覚神経の両者について用いられ，数字による分類は感覚神経についてのみ用いられる。

◆ A，B群は有髄神経であり，その伝導速度は無髄神経よりも速い。有髄神経の伝導速度は線維の直径の約6倍であり，無髄神経では線維の直径の平方根に比例する。

◆ 運動神経はα線維とγ線維の2種類がある。いわゆる骨格筋を支配しているのはα運動線維である。γ運動線維は，骨格筋の伸展受容器である筋紡錘に分布し，その感度を調整している。☞ Q32

◆ 感覚神経は受容器の種類によって分けることができる。筋紡錘や腱器官からの深部感覚を伝えるIa線維，Ib線維は伝導速度が速い。これに比べ，自由神経終末からの温・痛覚線維は伝導速度が遅い。

◆ 運動神経や感覚神経に比べ，自律神経の伝導速度はかなり遅い。

神経伝導速度

運動神経 60 m/sec
感覚神経 55 m/sec
（尺骨神経，肘～手首で測定）

錘内筋と錘外筋

筋紡錘の内部にある筋線維を錘内筋線維という。これに対比して，一般の骨格筋線維を錘外筋線維と呼ぶことがある。

神経線維の分類

名称		直径（µm）	伝導速度（m/sec）	機能
A α	有髄	12～20	70～120	運動神経（錘外筋線維），感覚神経（筋紡錘，腱器官）
A β		5～12	30～70	感覚神経（触覚，固有知覚）
A γ		3～6	15～30	運動神経（錘内筋線維）
A δ		2～5	12～30	感覚神経（温度覚，痛覚；fast pain）
B	有髄	1～3	3～15	自律神経節前線維
C	無髄	0.5～2	0.2～2	自律神経節後線維，感覚神経（痛覚；slow pain）

感覚神経線維の分類

名称	受容器	上の表との対応
Ia	筋紡錘（一次終末）	A α
Ib	腱器官	A α
II	筋紡錘（二次終末），触圧覚受容器	A β，A γ
III	自由神経終末（温・痛覚）	A δ
IV	自由神経終末（痛覚）	C

NOTE 単純ヘルペスウイルスと水痘・帯状疱疹ウイルス

• 単純ヘルペスウイルス（HSV）と水痘・帯状疱疹ウイルス（VZV）はヘルペスウイルス科に属し，初感染後，神経に潜伏する性質がある。皮膚や粘膜で増殖して水疱を生じ，神経を上行し神経節に潜伏する。

• ストレスや疲労などによってウイルスが再活性化されると，HSVは神経線維の軸索内を下行し，VZVはシュワン細胞などに感染・傷害しながら下行し，神経末端・皮膚粘膜で増殖する。

3 神経と筋

Q14 筋の分類と特徴

- 筋 ┬ 横紋筋 ┬ 骨格筋 ………… 随意筋 ………… 運動神経
        │   └ 心筋 …………… 不随意筋 ……… 自律神経
        └ 平滑筋 ……………………… 不随意筋 ……… 自律神経

◆ 筋は中胚葉の筋芽細胞から発生する。ただし，瞳孔括約筋，瞳孔散大筋，汗腺・乳腺の筋は例外的に外胚葉由来である。

◆ 骨格筋は多核細胞であり，筋原線維が規則正しく配列し，横紋を形づくる。平滑筋は単核であり，筋原線維を持つが，規則正しい配列がないので横紋はみられない。

◆ 骨格筋の中で，同方向の関節運動を行う筋を協力筋，反対方向に作用する筋を拮抗筋という。たとえば，肘関節を屈折する上腕二頭筋に対し，上腕筋は協力筋であり，上腕三頭筋は関節を伸展させるので拮抗筋である。

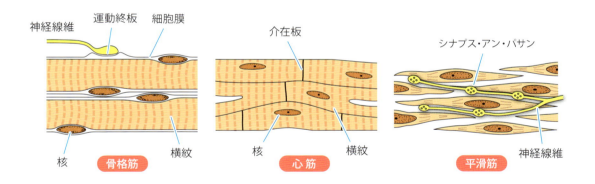

		骨格筋	心筋	平滑筋
組織学的特徴	横紋	あり	あり	なし
	筋原線維	多い	多い	少ない
	筋小胞体	多い	多い	少ない
	横行小管系	A-I 接合部	Z 帯	なし
	機能的連絡	なし	機能的合胞体	機能的合胞体
電気生理学	歩調取り電位	なし	あり（刺激伝導系）	あり
	静止膜電位	－90 mV	－80 mV	－30 ～－50 mV
	活動電位持続時間	短い	長い	短い
	絶対不応期	短い（1～3 msec）	長い（200 msec）	
収縮	収縮弛緩速度	速い	速い	遅い
	強縮	起こす	起こさない	起こしやすい

Q15 骨格筋の微細構造

● 筋原線維はアクチンフィラメントとミオシンフィラメントからなる。

- 骨格筋は数百の**筋線維**からなる。1つの筋線維は1つの細胞であり、数百の**筋原線維**と筋小胞体、横行小管系を持つ。
- 筋原線維を光学顕微鏡で観察すると、横紋を構成する明るい帯（I帯）と暗い帯（A帯）を区別できる。I帯の中央に見える暗い線をZ帯という。Z帯からZ帯までの一単位を**筋節**といい、長さは約2μmである。
- 筋原線維は**アクチンフィラメント**と**ミオシンフィラメント**からなる。A帯はミオシンフィラメントの部分に相当し、筋収縮において短縮しない。I帯はアクチンフィラメントの部分で、ここが移動することで筋節が短縮する。
- ミオシンフィラメントは約200個のミオシンの重合体である。ミオシンは軽鎖と重鎖からなり、頭部はアクチンと結合する部分とATP分解酵素の部分を持つ。
- アクチンフィラメントは2本のF-アクチン（G-アクチンの重合体）と**トロポミオシン**がより合わさってできた線維であり、トロポニンを38.5 nmの間隔で持つ。
- **トロポニン**は、トロポミオシンとの結合部（トロポニンT）、Ca^{2+}との結合部（トロポニンC）、ミオシンのATP分解酵素抑制部（トロポニンI）からなる。トロポニンIは通常はアクチンフィラメントの活性部位を覆っている。

コネクチン（タイチン）
Z帯からM帯にわたる長い弾性フィラメントであり、筋線維の受動的張力を生じる。

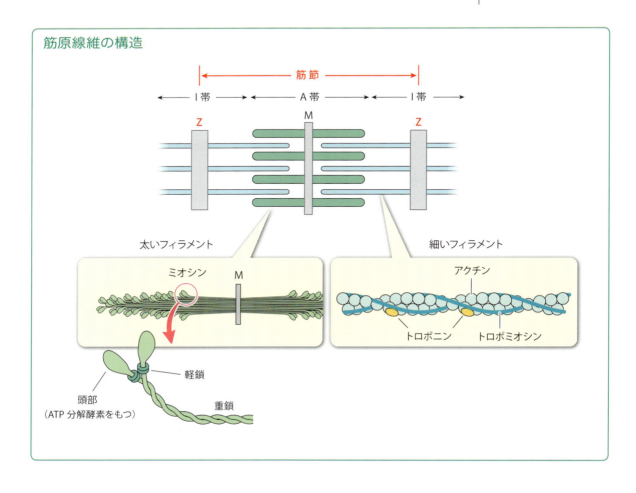

筋原線維の構造

Q16 骨格筋の収縮機序

筋ジストロフィー
ジストロフィンは細胞膜を裏打ちする蛋白で，N末端はアクチンに，C末端は細胞膜にあるジストログリカン複合体に結合している。ジストログリカン複合体は細胞外でラミニンを介して基底膜に結合している。細胞膜にあるインテグリンもラミニンを介して基底膜に結合している。これらの蛋白質の異常により，各種の筋ジストロフィーが生じる。

死後硬直
細胞内ATP濃度が1μmol/L以下では，アクチンとミオシンが結合した状態になり，筋は固くなる。

● ミオシンフィラメントの間にアクチンフィラメントが滑り込むことにより骨格筋の収縮が起こる。

◆ 筋原線維は，筋線維内のCa^{2+}濃度が高まるとATPの化学エネルギーを使って収縮し，Ca^{2+}が筋小胞体に回収されると弛緩する。

① Ca^{2+}がトロポニンCに結合すると，トロポニンが変形してアクチンフィラメントの活性部位が露出される。活性部位はミオシンフィラメントと結合する。アクチンとミオシンが結合した状態を連結橋という。
② 連結橋が形成されると，ミオシン重鎖は屈曲し，アクチンフィラメントを引きずり込む。アクチンフィラメントが移動し，筋節の連結橋が切れる。この連結・屈曲・切断のサイクルが1秒間に5回起こり，筋節が短縮する。
③ ミオシン頭部はATPase活性を持ち，ATPの加水分解によって得たエネルギーを筋収縮のエネルギーに変えている。ミオシン頭部はATPが結合するといったんアクチンと離れるが，ATPが加水分解されるとアクチンと連結し屈曲する。

筋収縮の分子機構

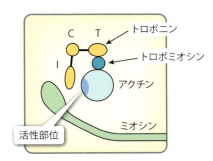

トロポニンがアクチンの活性部位を覆い隠しているため，ミオシンは結合できない。

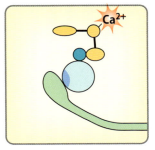

Ca^{2+}が結合するとトロポニンの構造が変化し，アクチンとミオシンが結合できるようになる。

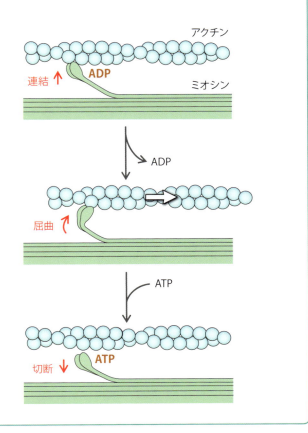

Q17 興奮収縮連関

- 筋線維が電気的に興奮し，筋の収縮が生じる一連の過程を興奮収縮連関という。
- 横行小管と筋小胞体は，興奮と収縮を結びつける構造である。

◆ 神経筋接合部に発生した活動電位は横行小管に伝わり，L型Ca^{2+}チャネル（**ジヒドロピリジン受容体**）を開口させる。

◆ 骨格筋では，ジヒドロピリジン受容体の変形が筋小胞体のCa^{2+}チャネルである**リアノジン受容体**を直接活性化し，Ca^{2+}が細胞質へ放出される。筋小胞体からのCa^{2+}放出により，細胞質内Ca^{2+}濃度は10^{-7}molから10^{-5}molへ上昇する。Ca^{2+}がトロポニンCと結合することにより，筋収縮が起こる。

◆ 心筋では，ジヒドロピリジン受容体が開口すると，細胞外Ca^{2+}が流入する。このCa^{2+}がリアノジン受容体を活性化し，筋小胞体から貯蔵Ca^{2+}が放出される。

◆ **横行小管**は，筋細胞膜が管状に深く落ち込んだもので，**T細管**とも呼ばれる。**活動電位を細胞内部に伝える働きがある。**

◆ **筋小胞体**は筋原線維を取り巻き，Ca^{2+}の貯蔵，放出，能動的取り込みを行う。筋小胞体内にはカルセケストリンと呼ばれるCa^{2+}結合蛋白質が存在する。カルセケストリン1分子あたり40個のCa^{2+}が保持されている。

◆ 細胞質に拡散したCa^{2+}は，再分極の過程で筋小胞体に取り込まれる。筋小胞体膜にはSERCAと呼ばれるCa^{2+}ポンプが豊富に存在する。このポンプはATP1分子を消費し，2個のCa^{2+}を小胞体に取り込む。

電位依存性L型Ca^{2+}チャネル

降圧薬のジヒドロピリジンにより開口が阻害されることから，ジヒドロピリジン受容体とも呼ばれる。

リアノジン受容体

アイソフォームがあり，骨格筋ではRyR1，心筋ではRyR2が多い。

SERCA

sarcoplasmic reticulum Ca^{2+}-ATPase　筋小胞体カルシウムポンプ

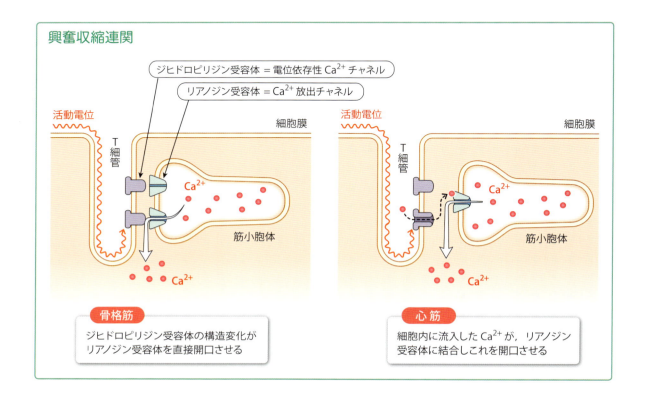

興奮収縮連関

Q18 筋収縮のエネルギー源

- ◉ 無酸素運動では ATP の供給は短時間であり，クレアチンや乳酸が蓄積する。
- ◉ 有酸素運動では血中の糖や脂肪酸も利用され，持続的に ATP が供給される。

$$ATP + H_2O = ADP + H_2PO_4 + 7.3\,kcal$$

- ◆ 1 モルの ATP の加水分解により 7.3 kcal のエネルギーが生じる。
- ◆ ミオシン頭部にある ATP 分解酵素は，通常はトロポニン I により覆われており，酵素作用は抑制されている。Ca^{2+} が結合してトロポニン I がはずれることにより ATPase として働き，エネルギーを産生する。
- ◆ 無酸素運動では，ローマン反応と嫌気的解糖により ATP が供給される。この場合，代謝産物として**クレアチン**や**乳酸**が生じる。筋肉中のクレアチンは 1 日に 1 ％がクレアチニンに代謝され，尿中に排泄される。乳酸は肝臓に運ばれ糖に合成される。
- ◆ 骨格筋細胞の細胞質には，ヘモグロビンと同様の機能を持つ**ミオグロビン**が含まれている。ミオグロビンは，ヘモグロビンが放出した酸素を細胞内に保持し，長時間の有酸素運動を可能にする。ミオグロビンを多く含む筋は赤く見え，**赤筋線維**と呼ばれる。赤筋線維はミトコンドリアに富み，酸素を利用した持続的な収縮が可能である。これに対し**白筋線維**は嫌気的解糖にすぐれ，すばやい収縮が可能である。各骨格筋にはこれらの筋線維が混在している。☞ 43 ページ

心筋では 95 ％の ATP が好気的代謝により生じている。産生された ATP の 70 ％がアクチンとミオシンの結合に，15 ％が Ca^{2+} の移送に，15 ％が脂質代謝などに利用される。

	遅筋線維	速筋線維
単収縮の張力・持続	弱い・長い	強い・短い
エネルギー源	グルコース・脂肪酸	グリコーゲン
解糖系酵素活性	低い	高い
酸化酵素活性*	高い（type I 線維）	低い（type IIb 線維）
ミトコンドリア	多い	少ない
ミオグロビン（筋の肉眼的分類）	多い（赤筋）	少ない（白筋）
毛細血管	多い	少ない
疲労のしやすさ	Slow fatigue 型	Fast fatigue 型
機能的役割	持続的筋活動（姿勢保持等）	瞬発力を要する運動
運動単位（支配運動ニューロン）	S 型；slow twitch	F 型；fast twitch
細胞体・イオンチャネル数	小さい・少ない	大きい・多い
静止膜電位・発火のしやすさ	浅い・しやすい	深い・しにくい

* type IIa 線維は I 型と IIb 型の中間にあり，Fatigue resistant 型と呼ばれる

NOTE 筋収縮時の ATP 供給

①**クレアチンリン酸**によるもの（**ローマン反応**）。

$$クレアチンリン酸 + ADP \rightleftharpoons ATP + クレアチン$$

クレアチンキナーゼ（CK）が触媒する反応で，10 秒程度しか ATP を供給できないが，筋に特徴的な系である。

②**嫌気的解糖**ではグリコーゲンが分解され，グルコース 6-リン酸から 3 分子の ATP と 2 分子の乳酸を生じる。約 30 秒間 ATP を供給しうる。

③**好気的解糖**では TCA 回路と電子伝達系を経て，グルコース 1 分子あたり 30 分子の ATP を生じる。

④有酸素状態では，血中の糖や脂肪酸も利用される。

Q19 筋の収縮様式

● 骨格筋は不応期が短いので収縮の加重が起こる。

◆ 1つの活動電位で1回の収縮をする場合を**単収縮**という。
①**等尺性単収縮**：筋長を一定にした場合の収縮をいい，張力を生じる。
②**等張性単収縮**：一定の張力を生じながら筋が短縮する場合をいう（例；おもりをつり上げる）。

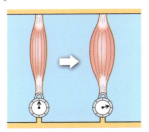
等尺性収縮

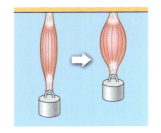
等張性収縮

◆ 反復刺激により単収縮の加重が起こる場合を**強縮**という。
①**完全強縮**：刺激頻度が高いと刺激と刺激の間に弛緩がなくなり，単収縮の融合が起こるため，なめらかな収縮曲線が得られる。完全強縮を生じる最小の刺激頻度を臨界融合頻度という。ヒト骨格筋の収縮様式はこれである。
②**不完全強縮**：単収縮の融合がみられるが，収縮曲線がなめらかでない場合。

階段現象

繰り返す単収縮により発生張力が次第に増加し，一定になる現象。トロポニンCへの Ca^{2+} の結合が増加するためと考えられている。

硬直

アクチンとミオシンが結合して複合体を作り固定した状態。ATPとクレアチンリン酸の枯渇による。死後硬直がこの例である。

Q20 筋長と発生張力

● 等尺性収縮時に発生する張力は，筋線維の長さに依存する。

◆ 筋を初期長から徐々に伸ばすと，これに抵抗する力（**静止張力**）が生じる（筋は収縮していない状態）。筋の両端を固定し筋長を一定にした状態で刺激を与えると，張力（**発生張力**）を生じる。静止張力と発生張力の和を**全張力**という。さまざまな筋長における張力をプロットしたものが，長さ-張力関係である。

◆ 静止筋節の長さは約 2 μm である。このとき発生張力は最大となる。ここからさらに筋節を引き伸ばすと，アクチンフィラメントとミオシンフィラメントの重なり合いが少なくなり，発生張力は低下する。

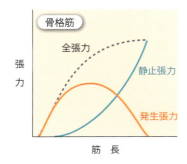
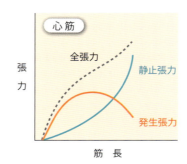

Q21 平滑筋の特徴

◉ 多くの平滑筋は，外部からの神経刺激がなくても自発的に収縮する。

- 平滑筋は，管腔臓器（消化管，血管，膀胱，子宮など）の壁を構成する。
- 平滑筋細胞もアクチンフィラメントとミオシンフィラメントを持つが，配列が不規則であるために横紋はみられない。横行小管はないが，細胞膜の陥凹部（カベオラと呼ばれる）がみられる。細胞膜には電位依存性のK^+，Na^+，Ca^{2+}（L型）チャネルがあり，細胞質には筋小胞体とリアノジン受容体がある。
- 横紋筋に比べ筋原線維の含量が少ないため収縮速度は遅く，収縮・弛緩は分単位で経過する。また，平滑筋細胞は引き伸ばされると，収縮する性質がある。伸展により機械受容チャネルが開口し，Na^+ が流入し，脱分極が生じるためである。
- 横紋筋と同様に，細胞内 Ca^{2+} の上昇が収縮の引き金となる。ただし，平滑筋細胞にはトロポニンがなく，ミオシン軽鎖が収縮機構に関わっている。☞ Q117
- 平滑筋細胞間のギャップ結合は電気的連絡路として働くとともに，物理的にも力を伝達する。消化管，中小血管，膀胱，子宮などでは，ギャップ結合で連絡された一群の平滑筋細胞がユニットとして機能する（機能的合胞体という）。これらの平滑筋は自発的に活動電位を生じ，律動的に収縮する（自動性という）。一方，気管や大動脈の平滑筋には自動性がない。

Q22 シナプスの種類

◉ 化学シナプスでは，活動電位はいったん化学伝達物質に変換される。
◉ 電気シナプスは細胞間隙が狭いため，活動電位が直接伝わる。

- シナプスとは，電気的興奮が細胞から細胞へ伝達される場所をいう。
- 神経終末が他の細胞と接するところには化学シナプスが形成される。化学シナプスでは，シナプス間隙（数十 nm）に化学伝達物質が放出され，それが受容体に結合し，細胞間の情報伝達が行われる。このとき約 1〜5 msec の遅れが生じる（シナプス遅延）。
- 化学シナプスの結合様式は①発散，②収束，③促進，④閉塞に分けられる。1つの神経線維が分枝し複数のニューロンに接続する場合を発散といい，逆に多数の線維が1つのニューロンに接続する場合を収束という。神経系には 10^{12}〜10^{14} 個のニューロンがあり，1個のニューロンから 1,000 個のニューロンに発散し，一方では 1,000 個のニューロンから 1 個のニューロンに収束している。
- 2つの入力を持つニューロン群があり，各入力の単独刺激により発火するシナプス後細胞の数を A，B とし，同時刺激により発火するシナプス後細胞の数を AB とする。(A + B) < AB の場合を促進，(A + B) > AB の場合を閉塞という。
- 心筋細胞や平滑筋細胞にみられるギャップ結合は，電気シナプスとして働く。ギャップ結合は細胞間隙が 2.0 nm ときわめて狭く，電気抵抗が低い。このため，シナプス前細胞の終末部の興奮による活動電流がギャップ結合を通ってシナプス後細胞に外向き電流を流し，脱分極を起こさせる。シナプス遅延は生じない。

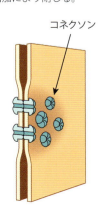

ギャップ結合 (gap junction)
コネクソンという蛋白質が細胞膜を貫通し，細胞膜どうしを接近させている。コネクソンは6量体のチャネル構造を持つが，このチャネルは細胞内 Ca^{2+} や H^+ の増加により閉じる。

コネクソン

Q23 化学シナプスの構造

● 化学シナプスは伝達物質による一方向性の情報伝達である。

- 神経終末は**シナプス小頭**と呼ばれる球状の膨らみをつくり，その内部に化学伝達物質を含んだ**シナプス小胞**を収めている。数十nmの**シナプス間隙**を挟んで，**シナプス後膜**には伝達物質の受容器や分解酵素がある。
- 化学シナプスにおける情報伝達の特徴は，①**一方向性伝達**である，②**加重現象**がある，③**神経線維に比して順応や疲労をきたしやすい**ことである。
- 興奮が神経終末まで伝達されシナプス小頭の細胞膜が脱分極すると，電位依存性 Ca^{2+} チャネルが開口し細胞内に Ca^{2+} が流入する。これが引き金となり，シナプス小胞が細胞膜に融合して，伝達物質がシナプス間隙に放出される（**開口分泌**）。
- 伝達物質がシナプス後膜の受容体に結合すると，イオンの透過性が高まり，シナプス後膜の膜電位（**シナプス後電位**）が変化する。この変化は興奮性のこともあり，抑制性のこともある（☞Q28）。伝達物質は受容体に接合した後，酵素により分解されるか，あるいはシナプス外へ流出する。

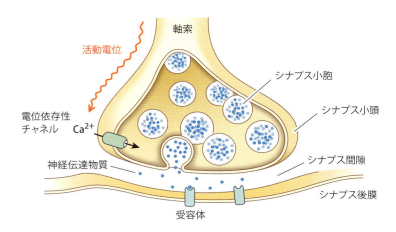

電位依存性 Ca チャネル
神経伝達物質放出，筋収縮，遺伝子発現などの反応を制御する。チャネル開口の閾値が高い（〜−20mV）L型やN型，閾値が低い（〜−60mV）T型などがある。

開口分泌
シナプス小胞の膜には液胞型プロトンポンプがあり，シナプス小胞に H^+ が蓄積される。シナプス小胞は細胞膜と結合し，分泌可能な状態となる。細胞内に Ca^{2+} が流入すると，シナプス小胞膜とシナプス前膜が癒合し，エクソサイトーシスが起こる。シナプス小胞はエンドサイトーシスにより回収され，再生される。

Q24 神経伝達物質と受容体

● 神経伝達物質の作用は，受容体の種類によって異なる。

- 神経伝達物質はアセチルコリン，アミノ酸（グルタミン酸，GABA，グリシン），生体アミン（ドーパミン，ノルアドレナリン，アドレナリン，セロトニン，ヒスタミン）などがある。これらの伝達物質は神経終末で合成されるが，その合成酵素は細胞体で作られ軸索輸送されたものである。
- 神経伝達物質の受容体にはイオンチャネル型と代謝調節型がある。**イオンチャネル型受容体**は受容体とイオンチャネルの機能をあわせ持ち，伝達物質の結合によってイオンチャネルが直ちに開口し，膜電位が変化する（**速いシナプス後電位**）。**代謝調節型受容体**では，伝達物質が受容体に結合したのち，G蛋白質や細胞内セカンドメッセンジャーを介して情報が伝達されるため，膜電位の立ち上がりはゆるやかである（**遅いシナプス後電位**）。さらに，各受容体には様々なサブタイプがある。

Dale（デール）の法則
1つのニューロンは分枝してもその終末からは同じ伝達物質を放出するという法則。しかし，最近では1つのニューロンに多種のアミンが伝達物質として存在する例が発見されている。

神経ペプチド
視床下部や下垂体から分泌されるペプチドも神経伝達物質といえる。これらは神経細胞体で合成され，小胞の形で軸索輸送され，神経終末に貯蔵される。

神経伝達物質と受容体　🟢 イオンチャネル型受容体　🔴 代謝調節型受容体

神経伝達物質		受容体	シナプス後電位	分布・特徴
アミノ酸	アセチルコリン	🟢 ニコチン性受容体	EPSP	運動ニューロン → 骨格筋（神経筋接合部）
				交感神経節前線維 → 節後線維
				副交感神経節前線維 → 節後線維
				交感神経節前線維（コリン作動性）→ 副腎髄質
				大脳皮質，海馬，視床，線条体，上丘，下丘
		🔴 ムスカリン性受容体	EPSP	副交感神経節後線維 → 効果器
				交感神経節後線維（コリン作動性）→ 心筋，平滑筋
				大脳皮質，海馬
	グルタミン酸	🟢 AMPA 型受容体 NMDA 型受容体 （共存）	EPSP	中枢神経系（活動電位：短時間）
				中枢神経系（活動電位：長時間）
		🟢 カイニン酸型受容体	EPSP	海馬
		🔴 mGluR	EPSP	小脳・海馬（シナプス伝達の可塑性），嗅球，網膜
	GABA	🟢 GABA$_A$ 受容体	IPSP	脳内シナプスの 1/3，大脳皮質，小脳，海馬，脳幹（Cl$^-$ の流入による IPSP）
		🔴 GABA$_B$ 受容体	IPSP	（長い IPSP → 運動ニューロンを抑制）
	グリシン	🟢 グリシン受容体	IPSP	脊髄
モノアミン	ドーパミン	🔴 D$_1$, D$_2$, D$_3$ 受容体		中脳黒質 → 線条体・前頭葉・辺縁系 視床下部 → 正中隆起
	ノルアドレナリン	🔴 α$_1$, α$_2$, β$_1$, β$_2$		交感神経節後線維 → 効果器
				NA 神経；延髄・橋・青斑核 → 大脳皮質・辺縁系・視床下部・嗅球・小脳・脊髄
	アドレナリン	🔴 α$_1$, α$_2$, β$_1$, β$_2$		延髄・橋 → 視床下部・中心灰白質・青斑核・脊髄
	セロトニン	🟢 5-HT$_3$ 受容体	EPSP	延髄（最後野），大脳，辺縁系，脊髄
		🔴 5-HT$_1$, 5-HT$_2$, 5-HT$_4$	EPSP	中脳（縫線核）→ 中枢神経系　（5-HT$_1$ は IPSP）
	ヒスタミン	🔴 H$_1$, H$_2$, H$_3$ 受容体		乳頭体 → 中枢神経系
プリン誘導体	アデノシン	🔴 A$_1$ 受容体		大脳皮質，海馬，小脳（シナプス前抑制）
		🔴 A$_2$ 受容体	EPSP	線条体，側坐核，嗅結節
	ATP	🟢 P2X 受容体	EPSP	中枢神経系，感覚細胞，平滑筋
		🔴 P2Y 受容体	EPSP	上皮細胞，中皮細胞

AMPA；α-amino-3-hydroxy-5-methyl-4-isoxazolepropionic acid
（α-アミノ-3-ヒドロキシ-5-メチル-4-イソオキサゾールプロピオン酸）
NMDA；N-methyl-D-aspartic acid　（N-メチル-D-アスパラギン酸）
mGluR；metabotropic glutamate receptor　（代謝型グルタミン酸受容体）
GABA；γ-aminobutyric acid　（γ-アミノ酪酸）

GABA$_A$ 受容体：抗不安薬（ベンゾジアゼピン），麻酔薬（バルビツレート）が作用する。

NMDA 型受容体：静止状態では Mg^{2+} によりブロックされている。高頻度刺激によりシナプス後膜が脱分極すると，Mg^{2+} のブロックが解除され，開口し Na$^+$，Ca^{2+} が流入する。活性化にはグルタミン酸に加えグリシンの結合が必要である。

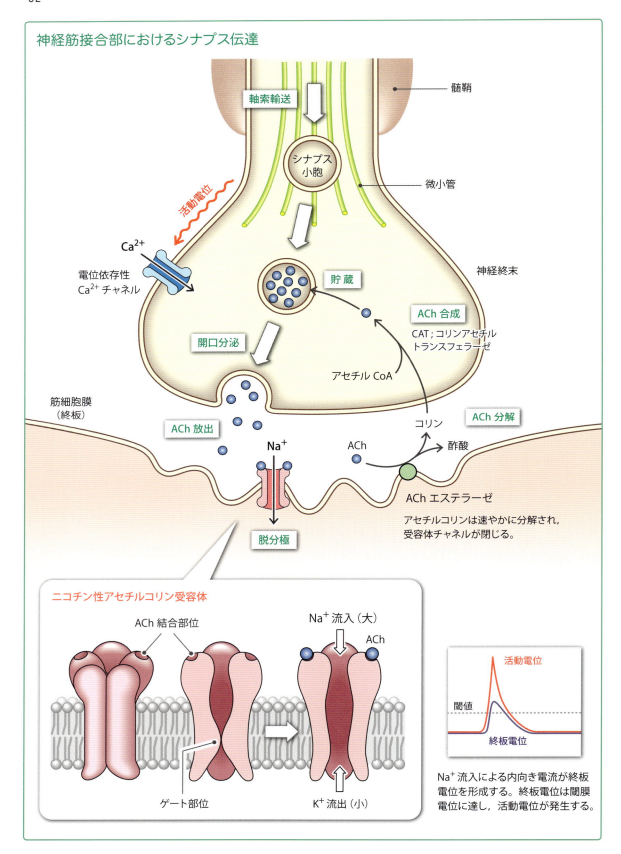

Q25 神経筋接合部における興奮の伝達

◉ Ca^{2+} 流入 ⇒ アセチルコリン放出 ⇒ 脱分極 ⇒ 終板電位
◉ 終板電位は閾膜電位を越えるため，直ちに筋収縮が起こる。

運動ニューロンプール

1つの骨格筋を支配する脊髄前核の運動ニューロンは，脊髄の2～3髄節レベルにわたって存在する。

◆ 運動神経の軸索は終末近くで多くの枝に分かれ，それぞれ別々の骨格筋線維に接している。1つの運動ニューロンの興奮は，それらの筋線維を一斉に収縮させる。これを神経筋単位または運動単位という。

◆ 運動神経の終末部は髄鞘がなく，指を広げたような形になっている。その内部には伝達物質のアセチルコリンを含む小胞が多数存在する。一方，シナプス後膜にあたる筋細胞膜は終板と呼ばれる。この部の筋細胞膜は多数のひだを持ち，表面積が大きくなっている。

◆ インパルスが神経終末部に達すると，Ca^{2+} の流入が起こり，小胞に貯蔵されていたアセチルコリンが放出される。アセチルコリンが筋細胞膜の受容体に結合すると，膜の脱分極が引き起こされる。この脱分極は終板電位と呼ばれ，Na^+，K^+ イオンに対する透過性の増大によるものである。神経終末部の興奮から約 0.5 msec 遅れて終板電位が発生する。

◆ 終板電位は $-10 ～ -15\,mV$ であり閾膜電位をはるかに越えるので，筋細胞に活動電位が生じる。この活動電位は筋線維に沿って伝播し，筋収縮を引き起こす。

◆ 骨格筋のアセチルコリン受容体はイオンチャネル型受容体で，ニコチンも結合するのでニコチン性受容体とも呼ばれる（アセチルコリンの作用のうち，この受容体による作用をニコチン様作用という）。アセチルコリンが結合すると陽イオンチャネルが開き，Na^+，K^+ をともに透過させるが，静止膜電位付近では Na^+ の流入量が K^+ の流出量を上回るため，脱分極を引き起こす。

◆ 終板膜にはコリンエステラーゼが存在しアセチルコリンを分解するため，筋細胞膜はすぐに静止膜電位に戻る。分解によって生じたコリンは神経終末に取り込まれ，アセチルコリンの再合成に利用される。

微小終板電位

神経筋接合部では神経終末が興奮していないときでもアセチルコリンが不規則に放出されている。これによって生じるシナプス後電位を微小終板電位という。アセチルコリンは 1,000～2,000 個の分子が一単位（素量）として放出されている。

NOTE 🖊 神経筋接合部の病態

• **重症筋無力症**：ACh 受容体が自己抗体により破壊される疾患。骨格筋の易疲労性と筋力低下が主な症状である。運動の反復により筋力低下が著明になる。日内変動があり，抗 ACh 受容体抗体が検出される。抗コリンエステラーゼ剤で ACh の分解を抑制することにより症状の改善がみられる。

• **ランバート・イートン症候群**：神経筋接合部において ACh の放出が行われるためには，神経終末部への Ca^{2+} イオンの流入が必要である。本症候群では，電位依存性 Ca^{2+} チャネルに対する自己抗体により，ACh の放出が障害される。下肢の筋無力症状を呈し，肺小細胞癌に合併しやすい。

• **ボツリヌス毒素**は ACh の放出を抑制し，筋麻痺を生じる。

• **クラーレ**（d-ツボクラリン）は ACh 受容体（ニコチン性受容体）に結合し，チャネルの開口を抑制する。蛇毒のブンガロトキシンも同様の作用であるが，不可逆性（結合すると離れない）である。

• **サクシニルコリン**やエゼリン，サリンはコリンエステラーゼを抑制する。ACh の分解が抑制され，筋の痙攣性麻痺が生じる。サリンは不可逆性に作用する。

Q26 心筋・平滑筋における神経終末

◉ 終板はなく，数珠状の膨らみから伝達物質が放出される。

◆ 心筋や平滑筋における神経終末の形態は，シナプス・アン・パサンと呼ばれる。その特徴は，
① 1本の自律神経節後線維が多くの枝に分かれる。
② それぞれの枝は，筋線維に沿って数珠状につらなった膨らみを持つ。
③ それぞれの膨らみには伝達物質が含まれる。
④ 1本の神経線維の興奮により，多数の膨らみから周辺の筋線維に伝達物質が放出される。
⑤ 骨格筋のような神経終末や終板はなく，シナプス間隙は広い。

Synapse en passant
"en passant" はフランス語で「通りすがりに」の意味。

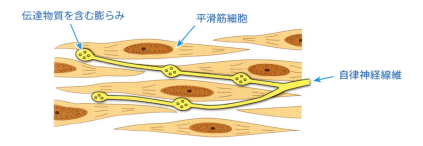

◆ 伝達物質は心筋ではノルアドレナリンであり，平滑筋ではアセチルコリンである。

Q27 末梢神経の切断と再生

◉ 末梢神経はシュワン細胞の助けを借りて再生する。
◉ 神経が切断された筋は萎縮し，アセチルコリンに対して過敏になる。

◆ 末梢神経線維を切断すると，細胞体との連絡を絶たれた軸索は1〜2日で変性しはじめ，興奮性を失う。これをワーラー変性または順行性変性という。
◆ 2〜3日後には軸索断端から神経線維の再生が始まる。断端部のシュワン細胞は損傷の刺激で増殖・活性化し，神経栄養因子を分泌して再生を促進する。また，シュワン細胞の外側にはラミニンやコラーゲンからなる基底膜が形成され，再生軸索の伸長のための足場となる。
◆ 神経が切断されると骨格筋は萎縮し，アセチルコリンに対して過敏になり，筋線維全体が感受性を持つようになる。神経を除去した筋に電気刺激を与え筋活動を続けておくと，感受性は亢進しない。また，神経が再生すると，アセチルコリンに対する感受性は終板に限局してくる。平滑筋では筋萎縮はないが，感受性亢進が起こる。
◆ 筋の萎縮は，一次運動ニューロンが障害された場合や長期間筋を使用しない場合にも起こる（廃用性萎縮）。

順行性変性
神経細胞はシナプスを介して互いに栄養因子をやり取りしている。そのため前シナプス細胞が死ぬと，後シナプス細胞も死んでしまうことがある（この場合も順行性変性という）。その逆の逆行性変性もある。

Q28 興奮性・抑制性シナプス後電位

● 単一の EPSP は小さく，活動電位を発生することはできない。

◆ 中枢神経の各ニューロンは数百から数万のシナプスを持ち，ニューロンの状態はそれらのシナプスからの入力を受けて決まる。たとえば脊髄のα運動ニューロンは，上位中枢からの遠心性線維と末梢からの求心性線維を受けている。

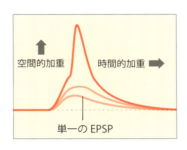
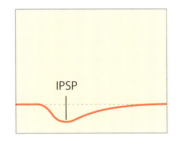

◆ **興奮性シナプス後電位（EPSP）**は，シナプス小頭の興奮によってシナプス後膜に生じた小さな脱分極をいう。単一の EPSP は小さく，活動電位を発生させることはできない。高頻度の刺激により EPSP が時間的・空間的に重なり，膜電位が閾値を越えると，活動電位が生じる。EPSP を生じさせる伝達物質には，アセチルコリンやグルタミン酸がある。

◆ **抑制性シナプス後電位（IPSP）**は，シナプス小頭の興奮によってシナプス後膜に生じた小さな過分極をいう。IPSP は EPSP に対して拮抗的に作用する。IPSP を生じさせる伝達物質には，γ-アミノ酪酸（GABA），グリシンがある。たとえば，求心性の脊髄後根線維と運動ニューロンとの間に介在する Golgi びん型ニューロンは，グリシンを放出する。グリシンは運動ニューロンに IPSP を生じ，運動ニューロンを抑制する。

Q29 EPSP に及ぼす反復刺激の影響

● 高頻度刺激により EPSP の振幅が変化する。

◆ 高頻度刺激中に EPSP の振幅が漸増することがある。これは，シナプス小頭において過分極の加重により膜電位が低下し，刺激に対する膜電位の変化が大きくなり，かつ Ca^{2+} チャネルの開放により多量の伝達物質が放出されるためである。この作用が反復刺激中に現れることを**促進**という。逆に反復刺激により伝達物質の欠乏をきたし，発生する EPSP が小さくなることを**抑圧**という。

◆ 比較的長時間の反復刺激を行った後でも EPSP が発生し続ける現象を**反復刺激後増強**という。海馬ではその効果が強く，約 2 週間続く（**長期増強**）。逆に，長期抑制という現象もあり，小脳では 3 時間以上続く例もある。

◆ このように，ニューロンの興奮の変化に応じて，シナプスの伝達効率が変化することを**シナプスの可塑性**という。シナプスの可塑性により神経回路網の機能が変化し，記憶や学習が行われると考えられる。

加重
複数の刺激が重なることで，神経や筋に与える効果が個々の刺激のときよりも大きく現れること。骨格筋の強縮も単収縮の加重による。
☞ Q19

EPSP
excitatory postsynaptic potential

IPSP
inhibitory postsynaptic potential

長期増強は NMDA 受容体が遮断されると起こらなくなる。

Q30 シナプス前抑制

サイエンストピックス 15
シナプス前抑制の機能的意義を解明

● α運動ニューロンの興奮性を調節する仕組みのひとつ。

◆ 興奮性シナプスにおいて、シナプス前細胞の興奮性を低下させる作用をシナプス前抑制という。

◆ たとえば、脊髄のα運動ニューロンには求心性線維がシナプスを形成しているが、その求心性線維の軸索にはさらに別の介在ニューロンがシナプスを形成している。この介在ニューロンが興奮すると、求心性線維のシナプス前終末の脱分極が小さくなる。そのため放出される伝達物質が少なくなり、シナプス後膜におけるEPSPの振幅が小さくなる。

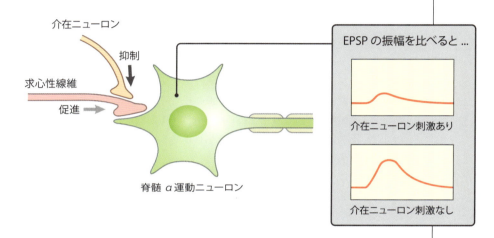

◆ 脊髄内のシナプス前抑制の伝達物質はGABAとされている。$GABA_A$受容体はCl^-の透過性を増大させ、過分極を生じる。

Q31 α運動ニューロン

ベル・マジャンディーの法則
脊髄の前根は遠心性線維（α運動ニューロン、γ運動ニューロン、交感神経節前線維）からなり、後根は求心性線維からなる。

● α運動ニューロンは直接・間接にさまざまな入力を受け、それらを統合して骨格筋に出力を送る。

◆ α運動ニューロンの細胞体は脊髄前角にあり、軸索は前根を通り骨格筋に分布する。軸索の径は太く、インパルスの伝導速度は速い。
◆ 1つの運動ニューロンは数十の筋線維を支配し、運動単位を形づくる。
◆ α運動ニューロンの興奮性は、錐体路だけでなく錐体外路、γ運動ニューロン、介在ニューロンの影響を受ける。これらの入力によって生じたEPSPおよびIPSPの総和が閾値に達すると、活動電位が発生する（「発火する」という）。活動電位は、閾値の低い軸索起始部から起こり、軸索を伝導する。スパイクの持続時間は1〜1.5 msecであり、続いて過分極となる。

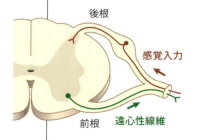

Q32 γ運動ニューロンとγループ

● γ運動ニューロンは錘内筋線維を支配し，筋紡錘の感度を調節する。

◆ **γ運動ニューロン**はα運動ニューロンと混在している。細胞体は小さく，軸索も細い。γ運動ニューロンは筋紡錘の**錘内筋線維**にシナプスを持つ。

◆ 上位中枢からのインパルスによりγ運動ニューロンが興奮すると，錘内筋線維が収縮する。そのため筋紡錘の中央部が伸展され，ここにある求心性線維（Ⅰa線維）が興奮する。この興奮が後根を経由して，前角のα運動ニューロンを興奮させる。この経路（γ線維→筋紡錘→Ⅰa線維→α運動ニューロン）を**γループ**という。γループは筋の緊張を高める働きを持つ。

錘内筋線維・錘外筋線維
筋紡錘を構成する筋線維を錘内筋線維という。これに対し，α運動ニューロンが支配する筋線維を錘外筋線維と呼ぶことがある。

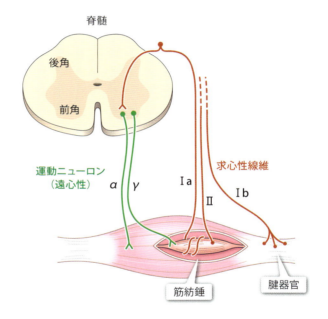

Q33 筋紡錘と腱器官

● 筋紡錘は筋腹にあり，筋の伸展と伸展速度を受容する。
● 腱器官は腱との移行部にあり，筋にかかる張力を受容する。

◆ **筋紡錘**は錘内筋線維の束からなる伸展受容器で，筋腹に平行に位置する。筋紡錘の両端にはγ運動線維が分布し，錘内筋線維を支配している。一方，中央部には求心性線維である**Ⅰa線維**とⅡ群線維が分布している。**筋紡錘が伸展されるとⅠa線維のインパルス発射頻度が高まる**（動的反射）。**Ⅱ群線維は筋長に比例したインパルスを発射する**（静的反射）。

◆ **腱器官**は外力による伸展や筋収縮による張力を受容し，**Ⅰb線維**が発火する。Ⅰb線維は脊髄内の介在ニューロンを介して，この筋のα運動ニューロンを抑制するとともに，拮抗筋のα運動ニューロンを興奮させる。

核袋線維・核鎖線維
筋紡錘を構成する錘内筋線維にはこの2型があるが，いずれも中央部はアクチンやミオシンに乏しく，収縮が起こらない。

Q34 反射と反射中枢

◉ 反射中枢は受容器からのインパルスを求心性に受け，遠心性に効果器へのインパルスを発射する。

◆ 感覚受容器を刺激すると，その影響が効果器にみられる。この現象が意識とは直接関係ない場合を反射という。反射経路は，受容器→求心性線維→反射中枢→遠心性線維→効果器であり，これを反射弓という。

◆ 反射中枢は，上位中枢からの情報と求心性線維の情報を統合し，遠心路にインパルスを送る。反射中枢が脊髄にある場合を脊髄反射という。効果器が骨格筋である場合を体性反射といい，効果器が内臓や血管である場合を内臓反射という。

◆ 反射弓が複数のシナプスで構成される場合を多シナプス反射，1つのシナプスで構成される場合を単シナプス反射という。単シナプス反射は筋電図のH波で観察することができる。☞ Q38

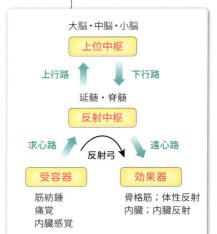

Q35 脊髄反射

◉ 膝蓋腱反射は単シナプス反射であるが，上位中枢やγループの影響を受ける。

伸張反射

◆ 筋が引き伸ばされたときにその筋が収縮する反射をいい，単シナプス反射である。反射弓は，筋紡錘（腱器官ではない）→Ⅰa線維→α運動ニューロン→骨格筋である。伸筋に強く現れる。協力筋のα運動ニューロンは興奮し，拮抗筋のα運動ニューロンは抑制される。

◆ 膝蓋腱反射：膝蓋部で大腿四頭筋の腱を叩くと，大腿四頭筋が収縮する。単シナプス反射であるが，同時に介在ニューロンを介して拮抗筋（屈筋）には抑制がかかり，膝関節は伸展する。α運動ニューロンは，刺激強度，上位中枢からの抑制，γループ，介在ニューロンなどの影響を受ける。腱反射の度合いをみることにより，これらの影響を推察する。錐体路に障害があると，多くの場合，腱反射は亢進する。

◆ 持続性伸張反射：起立姿勢を維持する筋では，γループにより伸筋運動ニューロンの活動が持続的に亢進し，一定の緊張が保たれている。

屈曲反射

◆ 皮膚や筋が有害刺激を受けると，刺激から遠ざけるように屈曲する反射。逃避反射，侵害受容反射ともいう。多シナプス反射であり，いくつかの介在ニューロンを経る。屈筋のα運動ニューロンは興奮し，伸筋のα運動ニューロンは抑制される（相反抑制）。刺激解除後も屈筋の運動ニューロンが持続的に興奮する。

◆ 刺激が強い場合には，屈曲反射と同時に対側が伸展する交叉性伸展反射が生じる。

固縮

α固縮は，α運動ニューロンへの上位からの抑制がとれ，反射が亢進したものである。γ固縮はγループの亢進による。

クローヌス

γ運動ニューロンの興奮性が高まり，屈筋と伸筋が交代性にリズミカルに収縮する。上位中枢からの抑制が無くなった状態（下行性線維の障害）でよく見られる。

Q36 脊髄における抑制

◉ 拮抗筋を支配する運動ニューロン間には相反する機構がある。

- **Ⅰa抑制**：筋紡錘（Ⅰa線維）は，脊髄内の抑制性介在ニューロンを介して，拮抗筋の運動ニューロンにシナプス後抑制を起こす。
- **Ⅰb抑制**：伸展時に筋に強い張力が加わると，伸張反射による収縮は減弱する。腱器官（Ⅰb線維）は，抑制性介在ニューロンを介してその筋の運動ニューロンにシナプス後抑制を起こす。これを自原性抑制といい，過度の収縮による筋の障害を防いでいる。一方，拮抗筋の運動ニューロンには促進的に働く。
- **反回抑制**：レンショウ細胞は，脊髄内で運動ニューロンの側枝を受け，その運動ニューロンに対してシナプス前抑制を起こす。反回抑制は運動ニューロンの過度の興奮を抑える働きをしている。また，相反抑制を調節して，主動筋と拮抗筋の同時収縮を可能にしている。

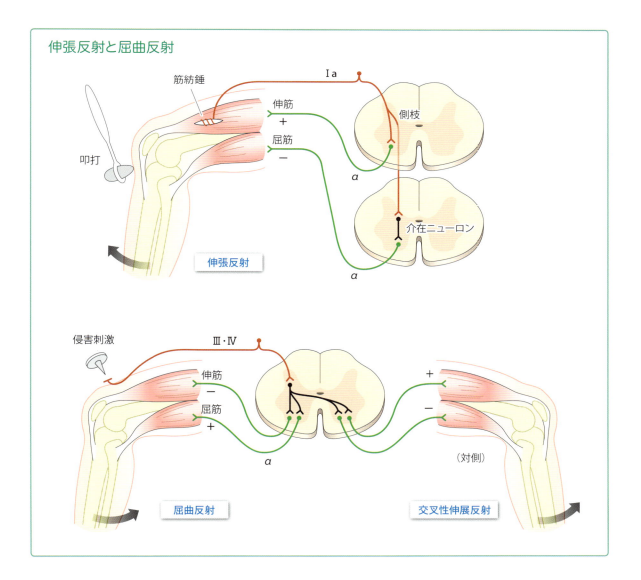

伸張反射と屈曲反射

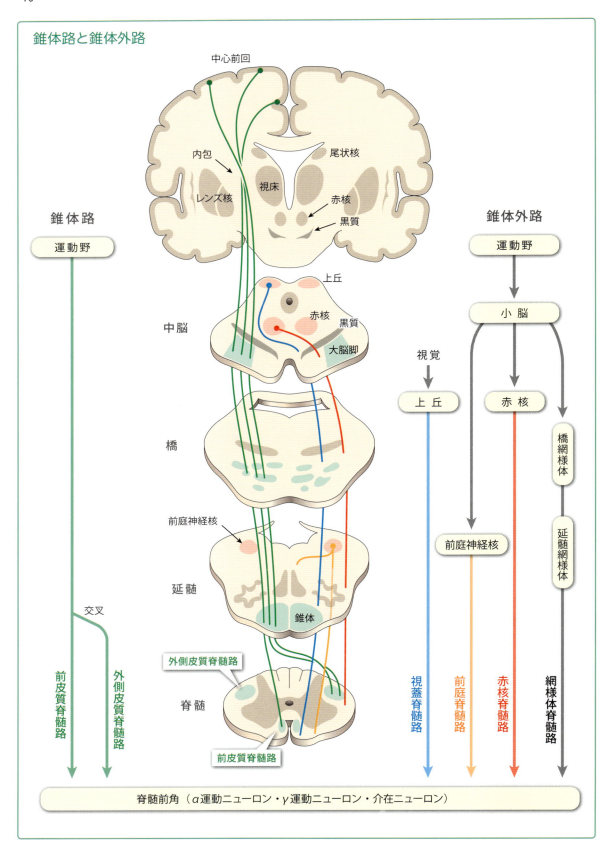

Q37 随意運動の伝導路

- ● 随意運動は錐体路と錐体外路が協調して行われる。
- ● 錐体路は，運動野から延髄の錐体を通り脊髄前角に到る経路である。
- ● 錐体外路系は，脳のさまざまな部分が協調して運動の制御にあたる。

◆ 運動の意志により，大脳皮質の中心前回にある運動野が興奮する。そのインパルスは脊髄を下行し，運動神経を介して骨格筋に伝わる。脊髄前角のα運動ニューロンは，錐体路および錐体外路により，単シナプス性（直接的）および多シナプス性（間接的）に制御されている。

◆ 錐体路は，運動野から発し，内包（視床と線条体の間）を通り，延髄で錐体を形成し，対側の運動ニューロンに作用する。延髄錐体で8割の線維が対側に交叉し，外側皮質脊髄路を下行する。残り2割は前皮質脊髄路を下行し，脊髄のレベルで対側へ交叉する。

◆ 錐体外路は，錐体を経ずに運動ニューロンに作用する伝導路（視蓋脊髄路，前庭脊髄路，網様体脊髄路，赤核脊髄路など）を一括していう。錐体外路は，視覚・平衡器官，大脳基底核，脳幹，網様体などからの情報を受けつつ，運動・姿勢・筋緊張の制御に関与している。

錐体外路

錐体路に対する「錐体外路」は解剖学的には実在しない。しかし，筋の運動・緊張の大まかな仕組みを把握するには便利な用語である。
☞ Q60

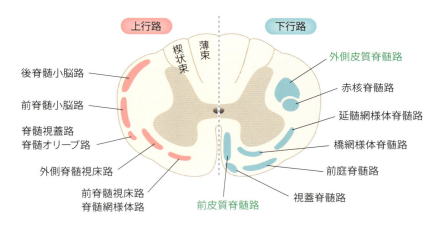

◆ 脊髄の外側路（外側皮質脊髄路，赤核脊髄路）は四肢遠位部の運動を担い，内側路（前皮質脊髄路，前庭脊髄路，網様体脊髄路）は四肢近位部や体幹の運動を担う。赤核脊髄路は対側の屈筋にEPSPを，伸筋にはIPSPを生じさせ，屈曲反射を亢進させる。

NOTE 歩行運動の仕組み

- 歩行は，両下肢の屈筋・伸筋の収縮・弛緩が交互にかつスムーズに行われる協調運動であり，大脳皮質，大脳基底核，小脳，脊髄で階層的に制御されている。
- 脊髄には，一群の運動ニューロン・運動単位を協調的に刺激する機構（中枢パターン発生器 central pattern generator：CPG）があり，歩行の基本的パターンを作る。出生後すぐに歩行できる四足動物には，上肢を制御するCPGが頸髄に，下肢を制御するCPGが腰髄にある。実験的にCPGを刺激すると，パターン化された歩行運動が生じる。
- 大脳基底核は中脳歩行誘発部に直接投射し，中脳歩行誘発部は歩行運動の始動・停止指令をCPGに発する。

Q38 筋電図と神経伝導検査

- ● 筋電図は筋線維の活動電位を記録したものである。
- ● 感覚神経と運動神経の感受性の差によりH波，M波が現れる。

MUP
motor unit potential

◆ 筋電図は，目的の筋に針電極を挿入し，運動単位の電気的活動を記録したもの（**針筋電図**）である。皮膚表面電極を用いて測定することもある。針筋電図では運動単位電位MUP（2〜3相性，振幅数百μV〜数mV，持続時間2〜10msec）を得ることができる。健常人では安静・弛緩状態では筋の放電は記録されない。

◆ 末梢神経を刺激した場合の記録は**誘発筋電図**という。誘発筋電図では，刺激の強さによって波形の現れ方が異なる。弱い刺激では，閾値の低いIa線維のみが興奮し，脊髄のα運動ニューロンに興奮を伝えるため，潜時をもって**H波**が記録される。この単シナプス反射をH反射という。中等度の刺激では，刺激部位のα運動線維も同時に興奮し，**M波**（複数のMUPが合わさったもの）が出現する。強度の刺激ではM波のみとなる。H波が消失するのは，α運動線維が逆行性にも興奮するため，H反射を打ち消すためとされる。

◆ **神経伝導検査**は，皮膚上のある点で末梢神経を電気刺激し，誘発された電位を他点で記録する。運動神経伝導検査では刺激によって発生するM波を，感覚神経伝導検査では刺激によって発生するSNAPを測定する。SNAPの波形の持続時間は，太い線維と細い線維の伝導速度の差によるものである。皮膚温が低下すると，神経伝導速度も遅くなる。

◆ 神経線維の興奮伝導は双方向性である。しかし，1本の神経に2つの刺激電極を装着すると，陰極側では脱分極が生じ，陽極側では過分極が生じる（極興奮の法則 ☞ Q12）。この場合，神経の興奮伝導は陰極側の方向にのみ生じることになる。

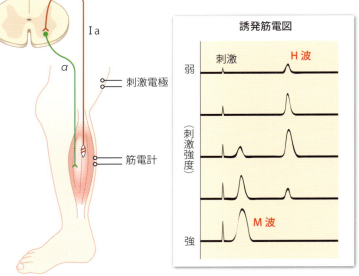

誘発筋電図

SNAP
sensory nerve action potential

肉眼で見える神経は，多数の神経線維が神経束を作り，神経束が神経幹を構成したものである。いくつの神経線維が興奮するかは刺激強度によるが，神経幹を構成するすべての感覚神経を同時に電気刺激するのは困難だという。

NOTE 痙縮と固縮

- 伸張反射の筋電図では，筋が伸ばされた「速さ」に対する反応（相動性伸張反射 phasic reflex）と，筋の「長さ」に対する反応（緊張性伸張反射 tonic reflex）が区別できる。反射の亢進・減弱はγ運動ニューロン（動的および静的γ運動線維）の影響を受ける。そのγ運動線維は異なる上位からの支配を受けている。
- 動的γ運動線維は，錘内筋の動的核袋線維を支配し，相動性伸張反射をもたらす。相動性伸張反射が亢進すると，痙縮（関節が急激な受動運動を受けたときに生じる「一時的な筋の収縮・抵抗」）をきたす。
- 静的γ運動線維は，静的核袋線維と核鎖線維を支配し，緊張性伸張反射をもたらす。緊張性伸張反射が亢進すると，固縮（関節が受動運動を受けたときに生じる「終始同じ程度の持続的な収縮・抵抗」）をきたす。

NOTE 運動単位（神経筋単位 neuromuscular unit）と筋力の関係

- 骨格筋は，脊髄前角にあるα運動ニューロンが支配する筋群（運動単位）ごとに収縮する。筋肉の収縮力（張力）は，興奮収縮する運動単位の性質と数によって決まる。
- α運動ニューロンには，細胞体が小型で容易に発火するものと，大型で発火しにくいが伝導速度が速いものがある。γ運動ニューロンの細胞体はさらに小さい。
- Type Ⅰの筋線維（**遅筋線維**）は小型のα運動ニューロンに支配され，張力は小さいが，疲れずに持続的な収縮が可能である。エネルギー源は中性脂肪（脂肪酸）およびグルコース（糖）であり，これらが分解されTCA回路（好気的酸化）でATPが産生される。遅筋線維は脂肪の利用比率が高く，筋肉に占める遅筋線維の比率が高い筋ほど，呼吸商は小さくなる。
- Type Ⅱの筋線維（**速筋線維**）は大型のα運動ニューロンに支配され，大きな張力を出せるが，その持続時間はⅠ型より短い。Ⅱa型のエネルギー源はグリコーゲン・糖であり，持続的に収縮できる。Ⅱb型はグリコーゲンの分解・嫌気的解糖と，クレアチンリン酸からのATP産生に依存しており，大きな張力を出せるが，数分間で疲労し収縮できなくなる。ヒトではⅡb型はなく，同様の特性をもつⅡx型がある。
- 運動強度が低い場合には主に遅筋が使われ，運動強度が上がると速筋も使われる。小型のα運動ニューロンから発火し，必要とされる力が大きくなるにつれて大型のニューロンが興奮し，Type Ⅰ，Type Ⅱa，Ⅱxの順に興奮収縮が引き起こされる（**サイズの原理** Henneman's size principle）。
- 筋の収縮速度はミオシンATPase（ATP加水分解酵素）の活性に左右される。弛緩速度は筋小胞体Ca^{2+}-ATPase（Ca^{2+}ポンプ）の活性に左右される。これらの酵素活性はいずれもType ⅠよりもType Ⅱのほうが大きい。

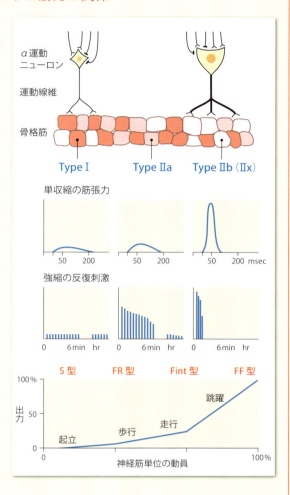

- 呼吸商（CO_2/O_2）は，栄養素の燃焼によるCO_2産生・排泄が仮定されている。しかし，激しい運動（筋線維の解糖系が亢進する）の場合には，アシドーシスを代償するためのCO_2排泄分を考慮し，「呼吸交換比」の用語を用いる。

NOTE 骨格筋における乳酸の産生と利用

- 速筋線維では，嫌気性解糖が亢進して生じた乳酸は，細胞膜にあるモノカルボン酸輸送体 **MCT4**（K_mは約28mM）によって血中に排出される。そのため，血中の乳酸濃度は急激に高まる（2〜3mmol/Lから4mmol/L以上へ）。
- 遅筋線維では，乳酸は **MCT1**（K_mは約5mM）によって細胞内へ取り込まれ，エネルギー源として利用される。乳酸は心筋，脳でも利用される。

NOTE α運動ニューロンと筋線維の特性

神経筋単位	S型 Slow-twitch	FR型 Fast-twitch fatigue-resistant	Fint型 Fast-twitch intermediate	FF型 Fast-twitch fatigable
運動ニューロン	小型のα運動ニューロン 緊張性運動ニューロン	大型のα運動ニューロン 相動性運動ニューロン		
筋線維の外観による分類	赤筋 (Type Ⅰ優位)	白筋 (Type Ⅱ優位)		
収縮特性による分類	遅筋線維	速筋線維		
骨格筋の例	大腿二頭筋, ヒラメ筋, 前脛骨筋など	上腕二頭筋, 大腿直筋, 大胸筋など		
筋線維の太さ	細い	太い		
ミオグロビン	多い (1)	少ない (0.4倍)		
ＡＴＰ供給源　グリコーゲン	少ない (1)	多い (1.5倍)		
解糖系酵素活性	低い (1)	高い (2.1倍)		
トリグリセリド	多い (1)	少ない (0.2倍)		
酸化酵素活性 (TCA回路)	高い (1)	低い (0.6倍)		
ミトコンドリア	大型・多い (1)	小型・少ない (0.4倍)		
エネルギー代謝	Slow-twitch oxidative (SO)	Fast-twitch oxidative/glycolytic (FOG)	Fast-twitch glycolytic (FG)	
ミオシンATPase活性	低い (1)	(2倍)	高い (4倍)	
ミオシン重鎖	MHC Ⅰ	MHC Ⅱa	MHC Ⅱx*	MHC Ⅱb
筋線維の分類名	Type Ⅰ	Type Ⅱa	Type Ⅱx*	Type Ⅱb
収縮速度	遅い	速い		
SR Ca^{2+}-ATPase活性	低い (1)	(1.5倍)	高い (4倍)	
持久力 (易疲労性)	疲れない (slow fatigue)		疲れやすい (fast fatigue)	
力学的特性	持久型	パワー型	瞬発型	

*ヒトには MHC Ⅱb (Type Ⅱb) はなく, MHC Ⅱx (Type Ⅱx) がある。

NOTE 運動時の体液変化

- 低運動 (最大運動強度の50%以下) では血漿水分は活動筋内へ移動する。この自由水の移動は, 活動筋の毛細血管の濾過圧が上昇すること, 細胞内の代謝産物が増加し浸透圧が上昇することによると考えられる。
- 最大運動強度では血漿蛋白濃度が1g/dL上昇し, 膠質浸透圧は4〜5mmHg上昇する。血清K濃度は約50% (2mEq/L) 上昇する。細胞外液K濃度の上昇は静止膜電位を浅くし, 筋肉疲労の一因となる。
- エクリン腺の腺分泌部からは能動的に汗の原液が分泌され, 導管部でNa, Clが再吸収され, 低張な汗 (電解質濃度0.4〜0.8%) が排泄される。汗の電解質濃度は, 冬よりも夏のほうが低くなる。

4 末梢自律神経系

Q39 末梢神経の区分

- 末梢神経は，体性神経と自律神経に区分される。**体性神経**は，解剖学的に脳神経と脊髄神経に区別される。感覚は意識され，運動は意図的に制御できる。**自律神経**は内臓平滑筋や血管平滑筋，心筋などに分布し，これらを支配する。感覚は意識せず，運動は意図的には制御できない。

運動神経と感覚神経

- **運動神経**は，中枢神経の指令を末梢組織へ伝達する（＝遠心性）神経をいう。運動神経の細胞体は脊髄前角にあり，その軸索は脊髄前根を通り，末梢組織へ伸びる。
- **感覚神経**は，体内外の情報を中枢神経へ伝達する（＝求心性）神経をいう。体性感覚（皮膚・粘膜の触覚，圧覚，痛覚，温度覚），特殊感覚（視覚，聴覚，平衡覚，嗅覚，味覚），内臓感覚（悪心，尿意，便意，内臓痛など）を伝達する。感覚神経の細胞体は脊髄神経節（後根神経節）にあり，その軸索は末梢組織からの情報を受け，脊髄後角へ伝達する。

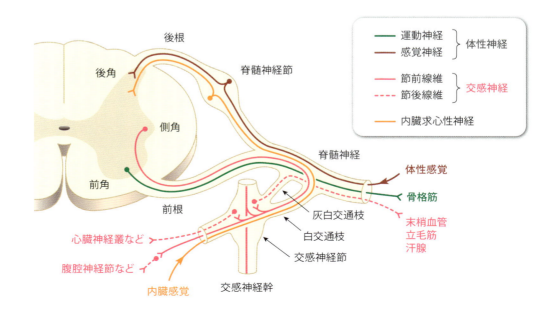

自律神経

◆ 自律神経の興奮は，脊髄の神経細胞（節前線維）→ シナプス →神経細胞（節後線維）を経て，末梢組織に伝達される。

◆ 交感神経の細胞体は胸髄（Th1）〜腰髄（L2）の側角にある。節前線維は前根，白交通枝を通り，交感神経節でシナプスを作る。節後線維は各組織の効果器に接続する。節後線維は髄鞘を持たない。

◆ 副交感神経の細胞体は脳神経核（顔面神経，迷走神経，舌咽神経），仙髄（S2, 3, 4）にある。節前線維は組織近傍の神経節でシナプスを作り，節後線維が組織に分布する。迷走神経は内臓器官を支配している。

◆ 内臓求心性神経は主に交感神経の経路を通り，脊髄後根を経由し，後角でシナプスを形成する。気管，食道，直腸，骨盤内臓器からの求心性神経は，副交感神経の経路を通る。

節前線維は B 線維（細い有髄線維），節後線維は C 線維（無髄線維）である。
☞ **Q13**

> **NOTE** **内臓痛と関連痛**
>
> ・ 内臓感覚は大部分が鈍痛として感じられるが，結石症（胆石，尿路結石）の場合は鋭い痛みで疝痛という。
> ・ 関連痛：内臓の痛みを，対応する皮膚分節（dermatome）の痛みとして感じること。内臓受容器の興奮が，同じ高さの脊髄に入る皮膚からの線維のシナプスを興奮させ，この興奮が中枢に伝達される。そのため，あたかも体表面に痛みがあるように感じられる。
>
> ・ 心筋梗塞の関連痛は，左肩から左上腕に放散する痛みが生じる。心臓の内臓求心性神経は第 3 頚髄〜第 5 胸髄に入る。C3 〜 Th5 の皮膚知覚神経は肩，上腕に分布している。
> ・ 虫垂炎の初発症状は臍を中心とした腹痛から始まる。虫垂の内臓求心性神経は第 10, 11 胸髄に入る。Th10, 11 の皮膚知覚神経は臍周辺に分布している。

脳神経のまとめ

番号	名称	機能	機能異常
I	嗅神経	嗅覚	
II	視神経	視覚	視神経麻痺，半盲
III	動眼神経	眼球運動〔下記の 2 筋以外〕，瞳孔縮小	眼瞼下垂，複視，瞳孔縮小
IV	滑車神経	眼球運動〔上斜筋〕	下側方凝視不能
V	三叉神経	顔面の知覚，咀嚼運動	
VI	外転神経	眼球運動〔外直筋〕	外側方凝視不能
VII	顔面神経	表情筋，味覚〔舌前 2/3〕，唾液分泌	
VIII	内耳神経	聴覚，平衡感覚	めまい
IX	舌咽神経	嚥下，味覚〔舌後ろ 1/3〕，血圧調節〔頚動脈洞〕	
X	迷走神経	嚥下，発声，軟口蓋・咽喉頭の知覚	嚥下困難，声帯麻痺
		副交感神経として内臓を支配	
XI	副神経	胸鎖乳突筋，僧帽筋	
XII	舌下神経	舌の筋	言語障害，嚥下障害

Q40 自律神経系の特徴

● 自律神経系は生命維持に関する機能を反射性に制御する。
● 節前線維は体性感覚と内臓感覚の入力を受け，上位中枢の影響も受ける。

◆ 自律神経系の特徴は，
  ①**自律性**：反射によって機能し，意志によって制御しえない。
  ②**二重支配**：大部分の組織は交感神経と副交感神経による二重支配を受ける。
  ③**拮抗支配**：二重支配は互いに拮抗的に作用する。
  ④**緊張性支配**：一定のインパルスを常に出している。この活動をトーヌス tonus という。

◆ 自律神経は，［受容器 → 求心性線維 → 脳・脊髄 → 遠心性線維 → 効果器］という反射を担っている。内臓求心性神経（内臓知覚神経）の興奮は脊髄後角に伝えられ，介在ニューロンを介して節前線維，さらに節後線維へと伝達される。自律神経の作用は，この反射弓を介したフィードバック調節が基本である。☞ Q34

◆ 内臓知覚線維の興奮は脳幹の反射中枢へも伝達される。節前線維や介在ニューロンは，より上位のニューロン（大脳など）からの影響を受け，反射の程度が変化する。

◆ 自律神経が関わる反射は，受容器と効果器の組合せにより分類される。
  内臓内臓反射：動脈圧の圧受容器反射，排尿，排便など
  体性内臓反射：対光反射，寒冷刺激に対する皮膚血管収縮など
  内臓体性反射：呼吸反射（ヘーリング・ブロイエル反射 ☞ Q99，咳嗽反射など）

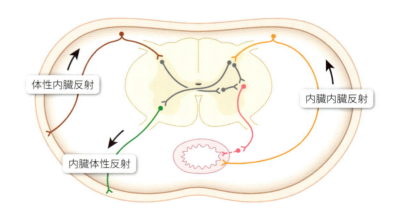

自律神経が関わる反射

反射	受容器	求心性線維	反射中枢	遠心性線維	効果器
対光反射	網膜	II	中脳	III（副交感神経）	瞳孔（縮瞳）
化学受容器反射	化学受容器	IX, X	延髄	横隔神経・肋間神経	呼吸筋（呼吸促進）
咳嗽反射	気道粘膜	X	延髄	横隔神経・肋間神経	呼吸筋（咳嗽）
圧受容器反射	圧受容器	IX, X	延髄	X，交感神経	心臓・血管系
嚥下反射	舌根・咽頭	X	延髄	IX, X	咽頭筋収縮，食道蠕動運動
嘔吐反射	食道・胃	X	延髄	横隔神経・肋間神経	横隔膜収縮
				X	胃逆蠕動

Q41 交感神経と副交感神経

- 自律神経の作用は，各組織に分布する受容器に依存する。
- 交感神経は呼吸循環機能を促進し，消化機能を抑制する。
- 副交感神経はエネルギーを貯蔵する方向に働く。

◆ 交感神経の節後線維は**ノルアドレナリン**を放出し，**アドレナリン作動性線維**と呼ばれる。副交感神経の節後線維は**アセチルコリン**を放出し，**コリン作動性線維**と呼ばれる。節後線維と効果器の間には通常のシナプスはなく，放出された伝達物質は拡散し，組織の受容体に結合し作用する。

◆ ノルアドレナリン，アドレナリンは**α受容体**や**β受容体**に結合し作用する。
　α作用：瞳孔散大，内臓・皮膚の血管収縮，腸蠕動抑制，尿管収縮，子宮収縮。
　β作用：心機能亢進，冠動脈拡張，骨格筋血管拡張，気管支拡張，腸蠕動抑制，妊娠子宮弛緩。

◆ **アドレナリン**は副腎髄質から分泌され，血液を介して全身に運ばれ，β作用を強く現す。☞ Q112, Q183

◆ アセチルコリンの受容体には，ニコチン受容体とムスカリン受容体がある。内臓には**ムスカリン受容体**が分布し，交感神経と反対の作用を現す。

アドレナリン作動性線維
adrenergic fiber

コリン作動性線維
cholinergic fiber

N型Caチャネル
電位依存性Caチャネルの一種であり，交感神経終末（シナプス前膜）にあり，神経伝達物質の放出に係わっている。

ムスカリン受容体
G蛋白質が共役した代謝調節型受容体である。サブタイプM_1〜M_5があり，心臓にはM_2，平滑筋にはM_3が分布する。

アトロピン
ムスカリン受容体を阻害する。

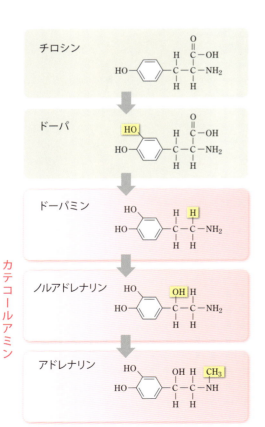

カテコールアミン
カテコール核を持つモノアミンの総称。神経組織や副腎髄質においてチロシンから合成される。

エピネフリン
米国ではアドレナリンを「エピネフリン」，ノルアドレナリンを「ノルエピネフリン」と呼んでいる。

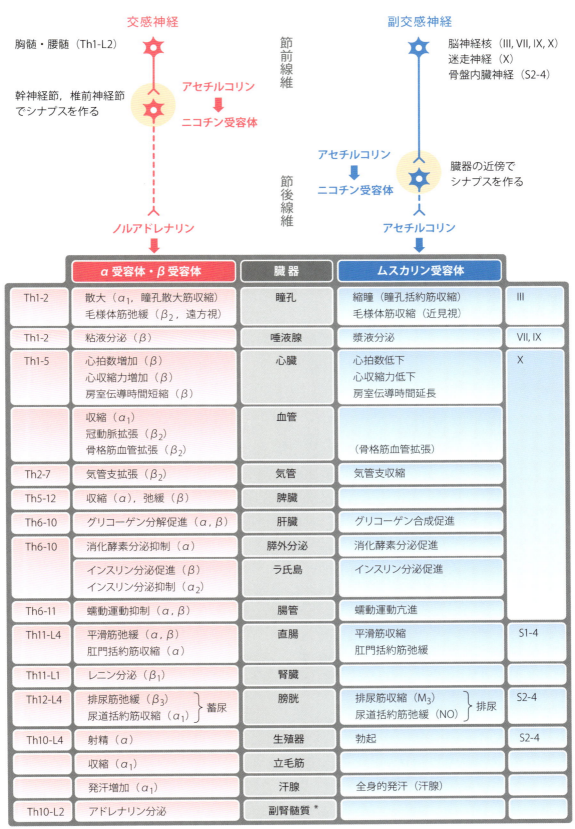

Q42 排尿・排便の神経支配

◉ 排尿・排便は自律神経と随意神経による協調的運動である。

- 膀胱壁を構成する平滑筋（内尿道括約筋を含む）は、**下腹神経**（交感神経）と**骨盤内臓神経**（副交感神経）による二重支配を受けている。外尿道括約筋は骨格筋であり、**陰部神経**（体性運動神経）により支配されている。これらを統合する**排尿中枢**は、脊髄と橋に存在する。
- 膀胱壁の伸展刺激は、骨盤内臓神経の求心路を通って脊髄の排尿中枢に伝達され、脊髄反射が生じる。膀胱内容量が少ないときには、**蓄尿反射**により尿がたまる。ある程度の尿量がたまると尿意が強くなり、**排尿反射**が生じる。「排尿しよう」という意識により陰部神経は抑制され、外尿道括約筋が弛緩する。
- 便が直腸に押し込まれ直腸壁が伸展すると、骨盤内臓神経を介して、**直腸の蠕動を亢進させ、内肛門括約筋を弛緩させる反射**が生じる。この感覚情報は大脳にも伝達され便意を生じる。「排便しよう」という意識により陰部神経は抑制され、外肛門括約筋が弛緩する。

> 膀胱頸部、内尿道括約筋、前立腺にはα_1受容体（収縮作用）が多量に存在し、交感神経の興奮により尿道は閉鎖される。一方、膀胱体部にはβ受容体（弛緩作用）がある。

> 脊髄損傷の急性期には排尿反射、排便機能が消失する。

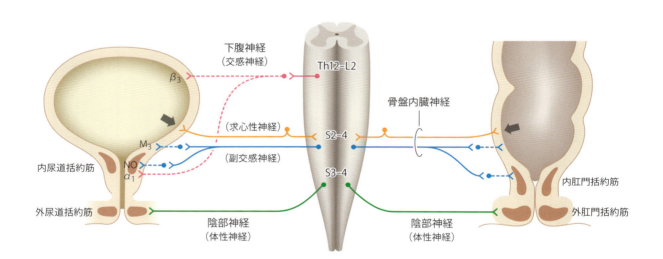

NOTE 蓄尿反射と排尿反射

- **蓄尿反射**：膀胱壁の伸展刺激は、骨盤内臓神経の求心路を介して脊髄の排尿中枢（S2〜4）に伝えられ、さらにTh12〜L2に達し下腹神経（交感神経）を興奮させる。下腹神経は膀胱を弛緩させ（β作用）、内尿道括約筋を収縮させる（α_1作用）。これにより膀胱内圧を上昇させずに尿をためることができる。
- **排尿反射**：膀胱壁の伸展刺激は大脳へも伝えられ、尿意を生じる。膀胱容量が一定量を超えると、尿意が強くなるとともに、上位中枢（橋）からの指令によって骨盤内臓神経（副交感神経）が興奮する。これにより、膀胱（ムスカリンM_3受容体）は収縮し、内尿道括約筋は弛緩する。
- **意識的な蓄尿・排尿**：蓄尿反射、排尿反射はそれぞれ橋蓄尿中枢、橋排尿中枢により調節されている。膀胱の充満刺激は、中脳水道周囲灰白質、視床を介して、大脳皮質で「尿意」として知覚される。
- 蓄尿反射と排尿反射のいずれかが機能しない場合に排尿障害が生じる。

5 感覚

Q43 感覚の尺度

◉ 物理・化学的刺激の強さと主観的な感覚の強さは，単純な比例関係ではない。

◆ 物理・化学的刺激の強さと主観的な感覚の強さとの関係が調べられてきた。**刺激閾**とは，感覚を生じないか生じるかの境界の刺激をいう。**弁別閾**とは，2つの刺激を識別できる最小の差異をいう。

Weber の法則

◆ 刺激の強さ R を基準としたとき，R の変化を識別できる最小の変化量を r とすると，Weber 比 r/R は一定である。（刺激の強さが限定された範囲内でのみ成り立つ）

◆ Weber 比は感覚の種類によって異なる。痛覚 7%，触覚 1～2%，圧覚 3%，聴覚 10%，嗅覚 20～30%。比が小さいほど弁別能が良い。

Weber-Fechner の法則

◆ 感覚の強さ E は，そのときの刺激の強さ R の対数に比例する。（刺激の強さが限定された範囲内でのみ成り立つ）

$$E = k \times \log R + c \quad (k, c：定数)$$

Stevens のべき関数の法則

◆ 刺激の閾値 S_0，刺激の強さ S のとき，感覚の強さ I は次式で表される。

$$I = k \times (S - S_0)^n$$

$$\log I = n \times \log(S - S_0) + \log(k)$$

◆ n は感覚の質により異なる。張力受容器 1，手掌への圧力 1.1，音の強さ 0.67，塩味 1.4，暖かさ 1.6，冷たさ 1。個人差が大きい。

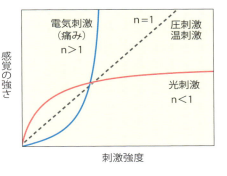

べき関数
「べき」とは累乗のことである。べき関数は，係数が異なるだけで，数学的には指数関数と同様のものである。

Q44 感覚の受容器

◉ 受容器は物理・化学的刺激の強さをインパルスの頻度に変換する。

◆ 感覚の受容器は刺激の種類により区別される。各受容器は特定の刺激（適刺激）に対して敏感に反応し，刺激の大きさ，刺激時間に応じて膜電位（受容器電位）が変化し，インパルスを発射する。受容器は適刺激でない刺激に対しても反応しうる。

◆ 受容器が感知する領域を受容野という。1つの感覚神経線維は複数の受容野を支配する。一般的に受容野には重なりがある。

◆ 感覚は受容器により，①表在感覚：温度覚，痛覚，触覚（圧覚），②深部感覚（位置覚，振動覚），臓器感覚，内臓痛，③複合感覚：二点識別覚，立体覚，数字識別，に大別される。

感覚の種類と受容器

◆ 温覚・冷覚：受容器は自由神経終末である。温点の適刺激は $30 \sim 45℃$ であり，温度以外の刺激に反応せず，受容野は $1mm^2$ 以下である。求心性神経はⅡ群線維，C線維であり，伝導速度は冷覚より遅い。冷点の適刺激は $10 \sim 30℃$ であり，求心性神経はⅠ群線維，Aδ線維である。皮膚温が低いほど，温覚の閾値は高く，冷覚の閾値は低い。$45℃$ 以上では冷覚が生じる。強度の温冷刺激では，痛覚受容器も興奮する。

◆ 痛覚：受容器は自由神経終末である。速い痛み（求心性神経はAδ線維）と遅い痛み（求心性神経はC線維）がある。

◆ 触覚・圧覚：機械受容器で感受され，有髄神経（Aβ線維）により中枢へ伝達される。

◆ 深部感覚：筋紡錘，ゴルジ腱器官，関節包の機械受容器（固有受容器とも呼ばれる）による。腱や筋の緊張度，張力を感受し，それらをAβ線維，Aα線維により伝達する。大脳で統合され，身体位置の認識が行われる。

受容器電位の発生

◆ 機械受容器には，細胞膜が伸展されると開口するチャネルがある。受容器電位は主に Na^+ の透過性が高まることによるが，イオンに対する透過性が非特異的に増大し，平衡電位は $0mV$ となる。

◆ 受容器電位の特徴は，①刺激量に応じて振幅が変化し，②電位の振幅の加重が起こる，③局所電位であり伝播しない，④閾値を越えると活動電位が生じる，などである。

◆ 一定の強さの刺激が継続的に加えられると，受容器電位の振幅は一定値まで小さくなり，インパルスを生じなくなる。これを順応という。順応の遅い受容器（ルフィニ小体，メルケル盤）を緊張性受容器といい，順応の速い受容器（パチニ小体，マイスナー小体）を相同性受容器という。痛覚は順応しない。

固有受容器

皮膚の機械受容器が外界からの刺激を感受するのに対し，筋紡錘や腱器官は自己の身体そのものの動きを感受していることから固有受容器とも呼ばれる。

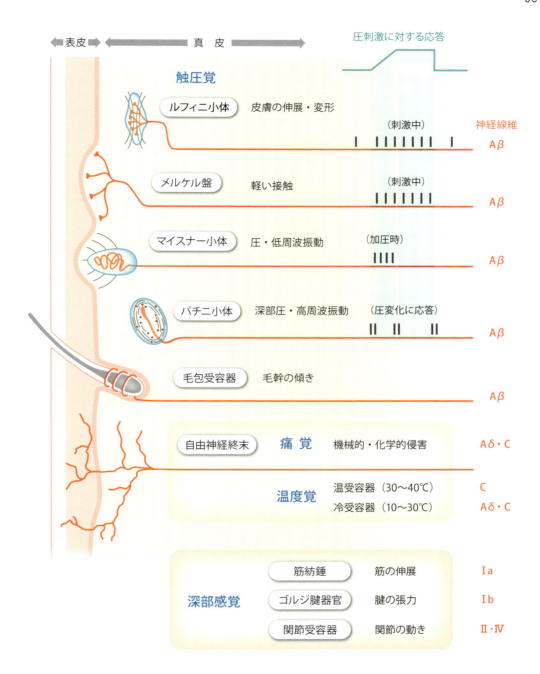

NOTE 触圧覚の機械受容器

- **ルフィニ小体**：紡錘形の受容器であり，真皮や関節包に存在し，皮膚の伸展を感受する。
- **メルケル盤**：上皮細胞が分化したメルケル細胞とシナプスを作っており，皮膚の変形を感受する。
- **マイスナー小体**：表皮の基底層から伸びる膠原線維とつながっており，表皮のわずかな変形を感受する。
- **パチニ小体（層板小体）**：真皮〜皮下組織，靱帯，関節周囲に分布し，組織の圧を感受する。順応が早く，圧の変化を検出する。
- **毛包受容器**：毛幹の傾きを感受する。

Q45 痛覚

◉ 自由神経終末は，侵害受容器として機能する。

◆ 痛覚の受容器は，皮膚，筋，内臓に分布している**自由神経終末**である。痛覚はその性状により，2つに区別できる。

① **速い痛み**（fast pain）：鋭い痛みであり，痛みの局在が明瞭である。求心性神経は A δ 線維，Ⅲ群線維である。

② **遅い痛み**（slow pain）：0.5～1秒の潜時がある，鈍い痛みであり，広く放散する。自律神経反射（悪心，血圧低下など）や著しい不安を伴う。求心性神経は C 線維（無髄）である。

◆ **内臓痛**は鈍痛であり，広い範囲の痛みとして感じられる。求心性神経はⅣ群線維である。自律神経症状を伴う。内臓壁にも機械受容器があり，壁の伸展や平滑筋の収縮によって刺激される（例：腸疝痛）。

◆ 痛覚の閾値が低下し感受性が高まっている状態を痛覚亢進，閾値が上昇し感受性が鈍くなっている状態を痛覚鈍麻という。

痛覚の受容器

◆ C 線維の末端には様々な刺激で応答する**ポリモーダル受容器**（多モード受容器）があり，痛覚を生じる。ブラジキニン，ヒスタミン，プロスタグランジン，K^+，ATP，カプサイシンはポリモーダル受容器を刺激する。

◆ かゆみは痛みより軽い刺激と考えられ，痛覚受容体によるものと考えられる。機械的刺激の繰り返しやヒスタミンの局所注射で生じる。

◆ 温度覚の受容器は，**TRP**（transient receptor potential）と呼ばれる非選択的陽イオンチャネルである。TRPV1 は疼痛刺激や熱（43℃以上）に反応し，TRPM8 は17℃以下の侵害冷刺激に反応する。いずれも繰り返しの刺激によりチャネルが不活化され，順応が生じる。

痛覚線維の伝達物質

◆ 痛覚の神経線維の伝達物質は P 物質やグルタミン酸である。**グルタミン酸**は興奮性伝達物質であり，P 物質はグルタミン酸による興奮をさらに増強する。グルタミン酸はシナプス前ニューロンに再度取り込まれるが，P 物質は吸収されずに周囲に拡散する。

◆ **P 物質**（substance P，サブスタンス P）は 11 個のアミノ酸からなるペプチドで，血中半減期は数分である。①細静脈の血管透過性を高め，②肥満細胞からヒスタミンを遊離させ，③発痛物質（ブラジキニン，セロトニン）を遊離させ，④血管内皮細胞に作用し NO の産生を誘導し血管を拡張させる。

◆ 皮膚が傷害を受けると，その周囲の血管が拡張し紅潮が生じる。傷害を受けた痛覚線維の分枝からのインパルスは求心性に伝導されるが，途中で別の分枝へ逆行性に伝導され，その末端から P 物質が放出されることによる（**軸索反射**という）。

アスピリン

プロスタグランジンの生成を抑制して抗炎症作用と鎮痛作用をもたらす。

TRP チャネル

生理活性物質（痛み，酸塩基，酸化ストレスなど）や環境（温度，浸透圧，機械的刺激など）によって活性化され，それぞれのセンサーとして機能するチャネルの一群。多くは Ca^{2+} を流入させ，下流の様々な細胞内応答（シグナリング，G蛋白質共役型受容体やチロシンキナーゼの活性化など）を引き起こす。また，細胞内の蛋白質を適切に配置する足場としても機能する。感覚神経の末端に発現するTRPV1 に，カプサイシンが作用すると刺激的な辛味を生じる。ワサビが作用すると，軽やかな辛味が生じる。TRPM8 にメントールが作用すると爽快感が生じる。

Q46 痛覚抑制系

● 脳幹部には痛覚抑制系があり，痛みの強さを調節している。

◆ 痛覚は，脊髄視床路を経て視床・大脳皮質へ伝達されるだけでなく，脊髄網様体路により中脳中心灰白質へ伝達される。

◆ 脳幹部には痛覚を抑制する機構があり，脊髄後角の二次ニューロンを抑制し，痛覚を抑制する。大脳皮質も中心灰白質や青斑核を介して痛覚を調節している。

下行性痛覚抑制系

◆ 最上位中枢は視床下部弓状核である。この部の刺激は腹内側核に伝えられ，2つの経路で二次ニューロンを抑制する。
①中脳中心灰白質 → 大縫線核 → 後角（5-HT$_{1A}$ 受容体）
②延髄の傍巨大細胞網様核（NRPG）→ 青斑核 → 後角（α$_2$ 受容体）

◆ 通常，中脳中心灰白質の GABA ニューロンにより下行性抑制系は抑制されている。オピオイドやモルヒネ投与によりオピオイドニューロンは活性化され，GABA ニューロンによる抑制は解除される。

上行性痛覚抑制系

◆ 中脳中心灰白質から起こり視床下部弓状核を刺激する系。①ドーパミン線維により弓状核を刺激する経路と，②正中隆起を経て下垂体にβエンドルフィンを分泌させ，体液性に弓状核を刺激する経路とがある。いずれも下行性痛覚抑制系を刺激し，鎮痛効果が生じる。

◆ モルヒネの鎮痛作用は，中脳中心灰白質のオピオイド受容体に結合し，上行性痛覚抑制系を刺激するためと考えられる。

オピオイド

オピオイド受容体に結合する物質で，エンドルフィン（μ受容体），エンケファリン（δ受容体），ダイノルフィン（κ受容体）に分類される。いずれもモルヒネに似た鎮痛作用を持つ。

☞ Q68

プレガバリン

神経障害性疼痛に処方されるプレガバリンは Ca^{2+} チャネル α$_2$δ リガンドであり，脊髄後角のシナプス前の Ca チャネルに結合し，Ca の流入を抑制する。伝達物質の過剰な放出が減少し，疼痛の伝達が抑制される。

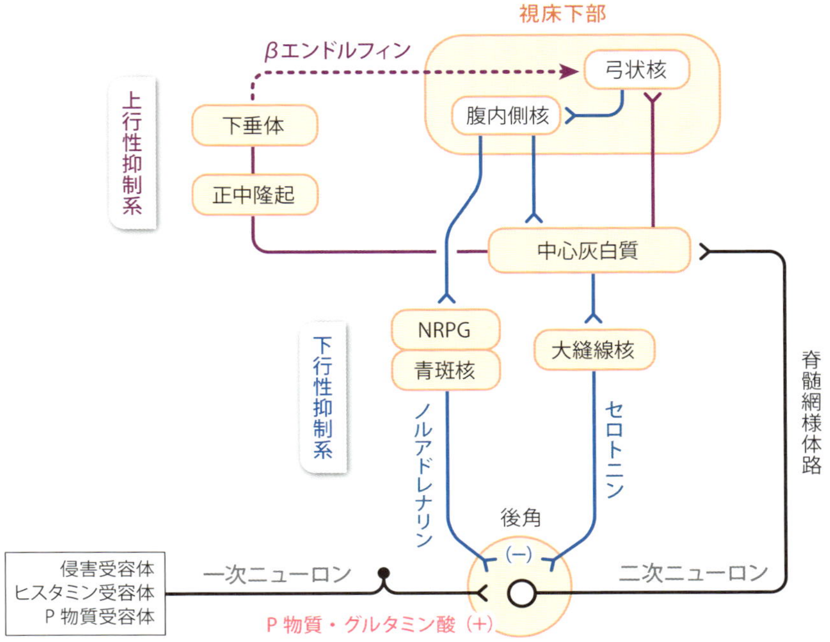

Q47 体性感覚の伝導路

● 体性感覚は脊髄視床路，後索-内側毛帯路により視床へ伝達される。

- 体性感覚は，一次ニューロン（細胞体は後根神経節にある）から二次ニューロンへ，さらに視床でニューロンを代え大脳皮質へ伝達される。
- **脊髄視床路**：温度覚・痛覚，粗大な触覚は，一次ニューロンから脊髄後角の二次ニューロンへ伝達される。二次ニューロンは対側へ交叉し，外側脊髄視床路（温・痛覚），前脊髄視床路（触覚）を上行し，視床の後外側腹側核（VPL）へ投射する。
- **後索-内側毛帯路**：触覚，深部感覚は，一次ニューロンの軸索が同側の後索（下肢は薄束，上肢は楔状束）を上行し，それぞれ延髄の薄束核，楔状束核へ伝達される。二次ニューロンは対側へ交叉し，内側毛帯を上行し視床の後外側腹側核へ投射する。
- 顔面・頭部の体性感覚は，三叉神経（第Ⅴ脳神経）により橋の三叉神経核に伝達される。二次ニューロンは対側に交叉し，視床の後内側腹側核（VPM）へ投射する。
- **脊髄小脳路**：筋，関節からの運動に関する情報は小脳へも伝達される。

投射の法則

感覚経路のどの部位が刺激されても，意識される感覚部位は，その受容器の存在場所である。

Q48 視床の中継核

● 体性感覚は視床を介して大脳皮質感覚野へ伝達される。
● 痛覚は網様体にも伝達され，自律神経系や情動の反応をも引き起こす。

- 嗅覚以外の感覚情報はすべて視床で中継される。後外側腹側核（VPL）は脊髄視床路，内側毛帯から線維を受け，後内側腹側核（VPM）は三叉神経領域の知覚を受け，大脳の感覚野へ投射する。内側膝状体（GM）は聴覚の，外側膝状体（GL）は視覚の中継核である。外側腹側核（VL）は小脳歯状核，淡蒼球からの線維を受ける。
- 大脳皮質の**体性感覚野**は体部位局在があり，頭頂部から側頭部にかけて下肢，体幹，上肢，顔面の順に並んでいる。感覚野の大きさは末梢受容器の分布に対応し，顔面や手の領域が広い。感覚野に伝達された情報は，さらに脳の他の領域にも送られる。
- 痛覚は，視床・大脳皮質へ伝達されるだけでなく，脳幹網様体へも伝達される。網様体は神経線維が網目のように走り，その間に神経細胞体が存在し，情報は様々な修飾を受けつつ伝達される。
- 脳幹網様体の傍巨大細胞網様核（NRPG）は，自律神経系や錐体外路系へ影響を及ぼし，自律神経反射や筋緊張などを引き起こす。脳幹網様体賦活系とも関連し，痛みによる覚醒反応を生じる。また，視床の髄板内核を介して大脳辺縁系（情動，不快）へも影響する。

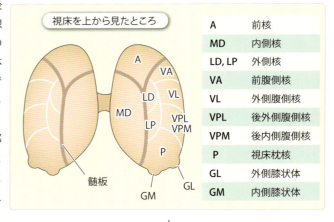

A	前核
MD	内側核
LD, LP	外側核
VA	前腹側核
VL	外側腹側核
VPL	後外側腹側核
VPM	後内側腹側核
P	視床枕核
GL	外側膝状体
GM	内側膝状体

視床症候群

視床膝状体動脈の出血・閉塞により生じ，病巣と反対側の運動麻痺，感覚障害，激しい疼痛を引き起こす。視床痛は持続性の激しい痛みであり，薬剤で抑制することができない。

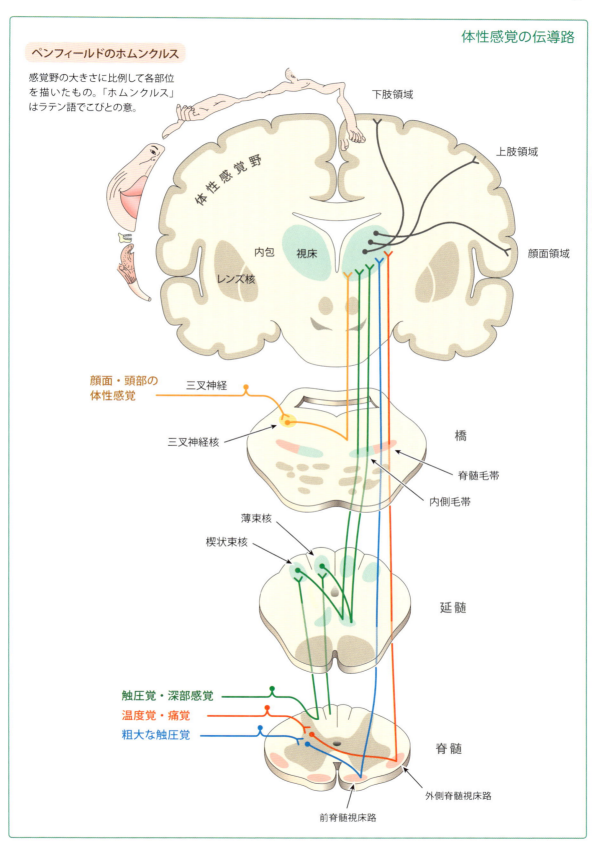

Q49 聴覚器の構造

● 音は耳小骨によって蝸牛管へ伝わり，蝸牛管のコルチ器で感知される。

◆ 中耳は鼓膜によって外耳道と隔てられ，中耳の上は頭蓋底，下には頚静脈，前には頚動脈があり，後壁は乳突洞に続いている。また，耳管により咽頭に通じている。耳管は通常は閉じているが，口蓋帆張筋の収縮により一時的に開口する。

◆ 内耳には，音を感知する蝸牛，頭部の回転を感知する三半規管，頭部の傾きと加速度を感知する卵形嚢・球形嚢がある。一括して膜迷路といい，内リンパを満たしている。膜迷路は，側頭骨の骨迷路を満たしている外リンパに浮かんだ状態にある。内リンパと外リンパとの交通はない。

◆ 蝸牛は前庭階，鼓室階，蝸牛管（中央階）の3つの管からなり，これらが2と3/4回転している。鼓室階は正円窓の薄い膜で中耳腔と接し，蝸牛頂で前庭階と交通する。前庭階と鼓室階は外リンパを，蝸牛管は内リンパを満たしている。これらの組織から蝸牛神経，前庭神経が出て，内耳神経（第Ⅷ脳神経）を形づくる。

◆ 鼓膜の振動は，耳小骨を介することで約20倍の音圧に増幅され，卵円窓に伝えられる。そして，卵円窓から内耳の外リンパに振動が伝わり（前庭階 → 蝸牛頂 → 鼓室階 → 正円窓），さらに内リンパで満たされた蝸牛管へと伝わる。

◆ 耳小骨筋反射：鼓膜張筋（三叉神経支配）とアブミ骨筋（顔面神経支配）は，強い音に対して反射的に収縮し，耳小骨の振動を制限することで聴覚受容器を保護する。

◆ 蝸牛管には音を感知するコルチ器があり，蝸牛底では高音を，蝸牛頂では低音を感知する。コルチ器は，感覚細胞である有毛細胞が蓋膜を支える構造をしている。

◆ 聴覚は4つのニューロン（①蝸牛神経，②蝸牛神経核，③下丘，④内側膝状体）を介して，聴覚野に投射する。聴覚野は様々な側副経路により，左右の音情報を受ける。また周波数局在があり，低音では蝸牛神経核の外側，一次聴覚野の前方に，高音では蝸牛神経核の内側，一次聴覚野の後方に反応が現れる。

耳小骨

ツチ骨，キヌタ骨，アブミ骨が組み合わさっている。3つの骨のテコ比は1.3：1，鼓膜とアブミ骨底の面積比は17：1，合わせて約20倍の増幅作用を持つ。

伝音性難聴

音の伝導が内耳まで到達しないために起こる。骨伝導は障害されない。

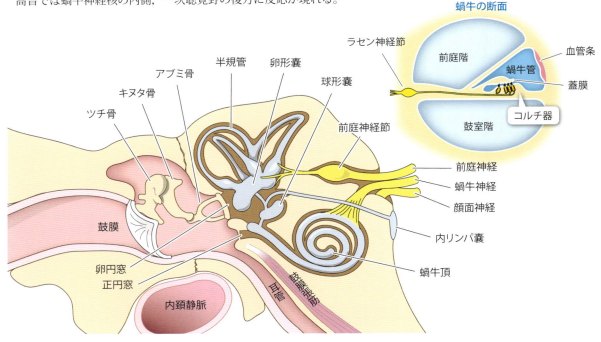

ホン (phon)

音の大きさを表す単位。1,000 Hz の音と他の音を聞き比べ、同じ大きさに聞こえるときの 1,000 Hz の音の強さで表す。

dB (デシベル)

音の強さを表す単位。ある音の強さと基準の音の強さの比の対数の 10 倍をいう。基準の強さには 10^{-12} W/m^2 を用いる。

音の周波数

音の可聴域は、若年者では 20〜20,000 Hz であるが、加齢とともに高音域から減退する。日常会話の周波数は 200〜4,500 Hz である。

感音性難聴

長時間の騒音曝露やアミノグリコシド系抗生物質の大量投与は、有毛細胞を障害する。

Q50 有毛細胞における音の受容

● 感覚毛が傾くと機械受容チャネルが開き、脱分極が起こる。

◆ コルチ器には、1 列の内有毛細胞と 3 列の外有毛細胞が並んでいる。感覚毛の先端は蓋膜に埋まっており、蓋膜と有毛細胞とのわずかな変位であっても、有毛細胞が脱分極し、インパルスが求心性線維に発生する。

◆ 感覚器である有毛細胞は、長さの順に規則正しく並んだ 50〜100 本の感覚毛を持つ。毛の根元はくびれており、屈曲する。隣接する毛は先端で連結され (tip link)、1 本の傾きは毛全体を傾けさせる。長いほうへの傾きは tip link を引っ張り、機械受容チャネルを開口させる。

◆ 機械受容器は陽イオンを非選択的に通すため、内リンパの K$^+$ が流入し、有毛細胞が脱分極する。すると電位依存性 Ca^{2+} チャネルが開口し、密小体に隣接するシナプス小胞からグルタミンが放出され、シナプスに EPSP が生じる。静止時にも一定のインパルスが生じている。毛の短いほうへの傾きは機械受容チャネルを閉ざし、過分極となり、インパルスは減少する。

◆ 蝸牛神経の求心性線維の多くは内有毛細胞からのものである。外有毛細胞には遠心性線維が分布し、内有毛細胞の感度を調節する。外有毛細胞が脱分極すると細胞の高さが縮み、蓋膜の動きが増強され、内有毛細胞の応答は強まる。逆に過分極すると、応答は弱まる。また、外有毛細胞には特殊なアセチルコリン受容体 (Ca^{2+} 透過性を高める) があり、Ca^{2+} 依存性の K$^+$ チャネルが開口し、過分極が引き起こされる。

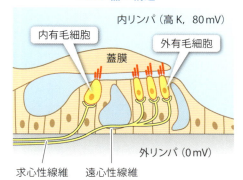

コルチ器の構造

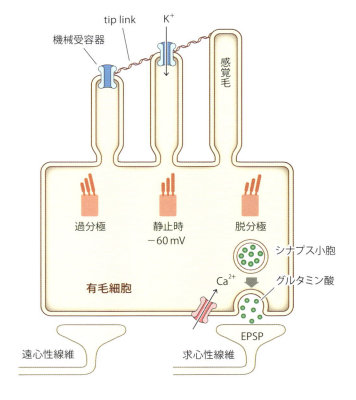

- 内リンパは細胞内液の組成に近く、高 K・低 Na (160・1 mEq/L) であり、外リンパは細胞外液の組成に近く、低 K・高 Na (7・130 mEq/L) である。
- 内リンパの高 K は、蝸牛の血管条の Na/K ポンプ、K チャネルによって維持されている。外リンパに対して内リンパは +80 mV の正電位がある。
- 有毛細胞の静止膜電位は、外リンパに対して −60 mV であり、内リンパに対して 140 mV の電位差がある。

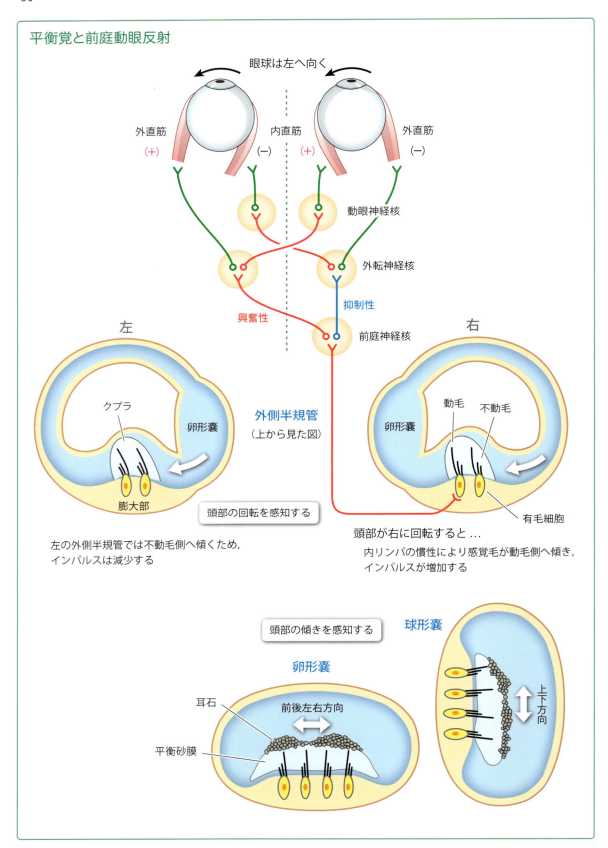

Q51 平衡覚

● 三半規管は回転加速度を感知し，卵形嚢と球形嚢は頭位および直線加速度を感知する。

半規管

- 前・後・外側の三半規管は互いにほぼ直交する半円形の管であり，卵形嚢につながっている。各半規管の膨大部には有毛細胞があり，その感覚毛はクプラというゼラチン質に入りこんでいる。
- 平衡覚に関わる有毛細胞は，1本の長い動毛と，長さの順に規則正しく並んだ短い不動毛を持つ。半規管を満たす内リンパが動毛側に移動すると，クプラ中の感覚毛が押されて有毛細胞が興奮し，インパルスが前庭神経に発生する。不動毛側への動きでは過分極となり，インパルスは減少する。
- 三半規管は回転の加速度を感知する。頭部が回転し始めると，内リンパは慣性があるので逆向きにクプラを押し，回転終了時には慣性により回転方向にクプラを押し続ける。この動きにより，回転の方向を知ることができる。

卵形嚢，球形嚢

- 卵形嚢，球形嚢は平衡斑をもち，頭部の傾きと直線加速度を感知する。平衡斑の構造は，耳石（炭酸カルシウムの結晶）が平衡砂膜の上にのり，平衡砂膜に有毛細胞の感覚毛が入りこんでいる。耳石は慣性と重力により，感覚毛を屈曲させる。直立の状態では，卵形嚢の平衡斑は水平面にあり有毛細胞は静止状態にあるが，一定のインパルスを発生している。
- 卵形嚢は頭部の傾きと水平方向の直線加速度を感知し，球形嚢は垂直方向・前後方向の加速度を感知する。平衡斑の中央に向けて，有毛細胞の動毛と不動毛の向きが決まっている。

平衡覚の伝導路と前庭反射

- 球形嚢，卵形嚢，三半規管からの神経線維は前庭神経となり，同側の前庭神経核に，一部は小脳へ投射する。前庭神経からのインパルスは前庭反射を引き起こす。
- 前庭脊髄反射：平衡斑からの入力は，外側前庭神経核から外側前庭脊髄路を介して，同側の抗重力筋を収縮させ，静止時の姿勢を保持するように反射が生じる。
- 前庭頸反射：半規管からの入力は，内側前庭脊髄路を介して，頸部の筋を収縮させ，頭部の回転を代償するように反射が生じる。
- 前庭動眼反射：頭部が回転しても，目標を見失わない（注視する）ように眼球が反対方向に回転する。たとえば頭部が右回転した場合，右の外側半規管では内リンパの慣性によりクプラが動毛側へ傾き，インパルスが増加する。前庭神経核の興奮は対側の外転神経核を興奮させ，左眼の外直筋を収縮させる。また，右の動眼神経核を興奮させ，右眼の内直筋を収縮させる。

頭部の回転は3つの半規管平面に分解され感知される。外側半規管は前上方に約30度傾いており，頭部を約30度前屈した状態で水平面となる。

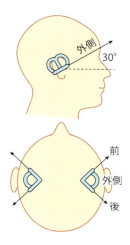

耳石
耳石は感覚細胞周囲の支持細胞から作られる。疎に結合したフィラメント網の中にあり，またクプラ様の物質で包まれ，ゆるく固定されている。

温度眼振
温水あるいは冷水を外耳道に注入すると，外耳道に近い水平半規管の内リンパが対流し，これが刺激となり眼振が生じる。温水刺激では，注入側へ向かう眼振が生じる。

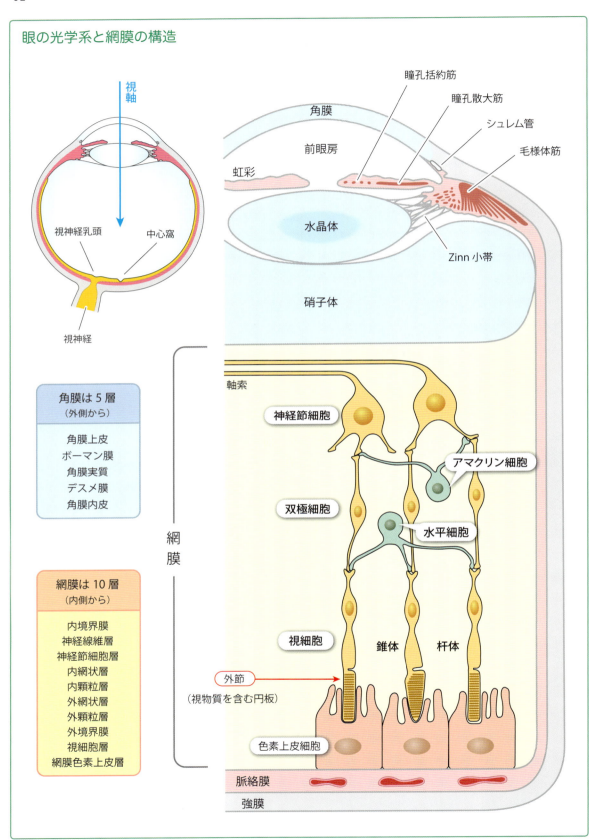

Q52 視覚器の構造

- ● 光は網膜の視細胞により感知される。
- ● 網膜は数種の神経細胞からなる回路網を形成している。

◆ 眼球の外壁は角膜と強膜で作られている。角膜には痛覚線維が多く，敏感である。虹彩には瞳孔括約筋と瞳孔散大筋があり，瞳孔の大きさを変えて光の量を調節する（☞Q56）。水晶体は弾力性をもった凸レンズである。Zinn 小帯と毛様体筋がレンズの厚みを調節する。硝子体は 99％が水分のゲル状組織である。網膜と強膜の間には，メラニン色素に富んだ脈絡膜があり，余分な光を吸収している。脈絡膜はまた血管に富み，網膜の外層を栄養している。

網膜の構造

◆ 光の受容は，網膜の外層（強膜側）にある視細胞で行われる。視細胞の情報は，双極細胞・水平細胞・アマクリン細胞からなる回路網で処理され，神経節細胞に伝達される。これらの細胞は，グリア細胞の一種であるミュラー細胞により支えられている。色素上皮細胞は，視物質（光を直接的に感受する物質）の原料を視細胞へ供給する。

◆ 視細胞には，視物質を含む扁平な円板が積み重なり外節が形成される。その形により，円錐形の錐体と，円柱状の杆体が区別される。錐体は網膜の中心窩（黄斑）付近に多く，3 種類の細胞によって赤，緑，青を識別する。空間分解能が高い。杆体は網膜周辺部に広く分布し，明暗を感知する。時間分解能が高く，動体を識別しやすい。

◆ 神経節細胞の軸索（無髄，約 120 万本）は網膜の内層を走り，眼球後部に集まって視神経乳頭を形成したのち眼球外に出て視神経（有髄）となる。視神経乳頭には網膜はなく，光は感受しない（マリオット盲点）。

眼の光学系

◆ 屈折力はレンズの焦点距離の逆数をいい，焦点距離 1 m の場合を 1 ジオプトリという。角膜は 40 ジオプトリ，水晶体は 20 ジオプトリの屈折力を持つ。水晶体の厚み（曲率）を変えることで屈折率が変化し，網膜上に鮮明な像が結ばれる。毛様体筋（動眼神経の副交感神経支配）が収縮すると毛様体が前内方に移動し，Zinn 小帯は弛緩する。水晶体の弾力性によって主に前面が膨れ，曲率半径が小さくなり屈折力は大きくなる。この働きを眼科では「調節」という。

◆ 調節せずに明視できる距離を遠点距離といい，逆に，調節して明視できる最も近い距離を近点距離という。調節力＝（1/ 近点距離 (m)）−（1/ 遠点距離 (m)）。加齢とともに水晶体の弾力性が低下して近点距離が長くなり，調節力が低下する（老眼）。

◆ 視力とは，識別できる最小の視角をいい，その逆数で表す。視角 1 分（1/60 度）の 2 点を識別できれば視力 1.0 である。
5 m の視距離では視角 1 分は 1.5 mm に相当する。

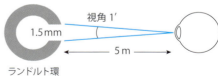

眼房水

虹彩のつけ根の毛様体上皮で産生され，後眼房，前眼房を満たし，シュレム管から吸収される。眼房水が多くなると眼圧が上昇し，視力障害をきたす（緑内障）。

眼圧

眼内圧は大気圧よりわずかに高い。その差を眼圧といい，平均 14 〜 16 mmHg である

中心窩

網膜の後部で視細胞の錐体が密に集まっているところ。最も分解能が高い部分で，視軸はここを通る。

水晶体の成分

66％水，33％蛋白質（大部分はクリスタリン），1％ミネラル

省略眼

眼球の光学系を単純化したモデル。角膜の曲率半径を 5 mm とし，角膜の 5 mm 後方に結節点，さらに 15 mm 後方に網膜があると仮定。

視細胞における光の受容

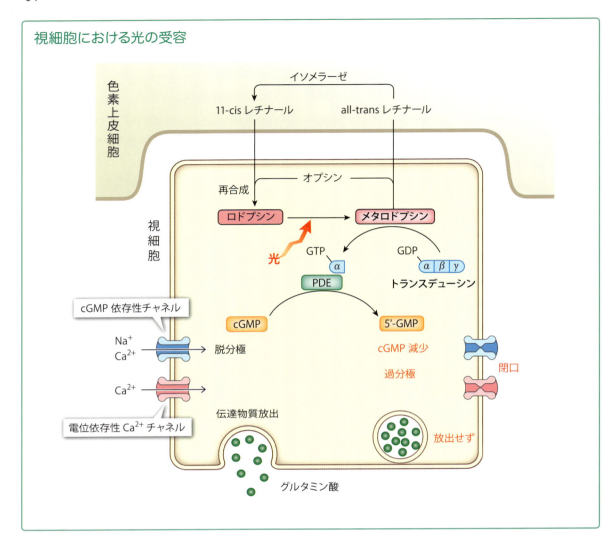

暗順応曲線

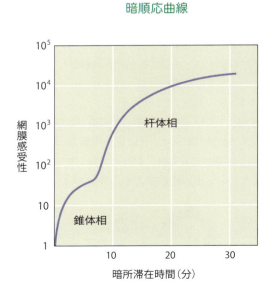

錐体の吸光スペクトル

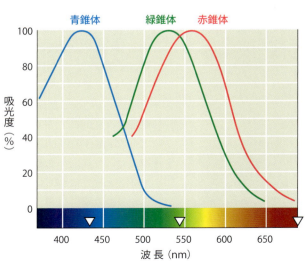

Q53 光の受容過程

◉ 光により視物質が活性化され，視細胞は過分極し，グルタミン酸の放出が減少する。

◉ 杆体は光の感度が高く明暗を識別し，3種類の錐体は色を識別する。

視物質の光化学変化

◆ 杆体の視物質はロドプシンと呼ばれ，11-シスレチナール（ビタミンAアルデヒド）とオプシン（糖蛋白質）が結合したものである。光を吸収するとレチナールの立体構造が変わり（異性化），オールトランスレチナールとなる。これによりオプシンの構造も変化し，活性型視物質であるメタロドプシンとなる。

◆ メタロドプシンは細胞内シグナル伝達系に作用し，通常は開口しているcGMP依存性チャネルを閉口させ，過分極を生じ，伝達物質の放出を減少させる。

◆ メタロドプシンはすぐに不活性化され，オプシンとレチナールの結合がはずれる。オールトランスレチナールは色素上皮細胞に運搬され，イソメラーゼによって11-シスレチナールに異性化され，外節に供給され再利用される。

視細胞の過分極

◆ 視細胞では通常，cGMP依存性チャネルが開口しており，Na^+，Ca^{2+} が流入し脱分極性の電位が生じている。その結果，電位依存性 Ca^{2+} チャネルが開口し Ca^{2+} が流入し，伝達物質（グルタミン酸）がシナプスへ放出されている。グルタミン酸の作用は，双極細胞，水平細胞，アマクリン細胞に存在するグルタミン酸受容体の機能によって異なり，EPSPかIPSPが生じる。

◆ メタロドプシンは，G蛋白の一種トランスデューシンを活性化する。トランスデューシンはホスホジエステラーゼ（PDE）を活性化し，cGMPの分解を促進する。cGMPの減少によりチャネルが閉じ，Na^+，Ca^{2+} の流入は止まり，グルタミン酸の放出は減少する。

◆ 杆体は光の感度が高い。ロドプシンが1光子を吸収すると，メタロドプシンが不活化されるまでに数百個のトランスデューシンが活性化され，1個のPDEがそれぞれ数百のcGMPを分解する。これに対し，錐体では活性型視物質の寿命が短く，過分極の程度が小さいため，より多数の光子を必要とする（感度が低い）。

◆ 視細胞の光に対する応答・感受性は，明るいときより暗いときの方が高い。明所から暗所に入ると，光に対する感度がゆっくりと高まる（暗順応）。暗順応曲線は二相に分かれ，速い時相は錐体，遅い時相は杆体の働きによる。両者の順応速度の違いは，視物質の再合成速度の違いである。杆体は光の感度が高く，強い光では過分極が持続し，残像をみる。

色覚

◆ 色は，赤・緑・青の3種類の錐体により受容される。錐体の吸収スペクトルは赤564 nm，緑534 nm，青420 nmにピークがある（光の三原色は赤700 nm，緑546 nm，青435 nm）。杆体は534 nmにピークがあり，緑色をよく吸収する。

◆ 色の情報は，輝度，色差（赤／緑，青／黄）の情報に変換されて中枢に伝達されるが，その詳細は分かっていない。

シス型・トランス型

立体構造の異なる異性体を表す用語。二重結合を軸として炭素が同じ側にあるものをシス型，反対側にあるものをトランス型という。

cis   trans

色覚異常

赤錐体と緑錐体のオプシン遺伝子はX染色体に，青錐体のそれは第7染色体にある。X染色体の異常により，男性は色覚異常（赤と緑の判別が困難）となる。女性はX染色体を2つ持つので，多くの場合は保因者となる。

5
感覚

Q54 網膜における情報処理

◉ 網膜の中で活動電位を発するのは神経節細胞である。

- 視覚の像は，視細胞（錐体 100 万個，杆体 1 億個），双極細胞，神経節細胞（100万個）のレベルで形成され，中枢神経に伝達される。視細胞から神経節細胞のレベルで，情報の収束が生じている。

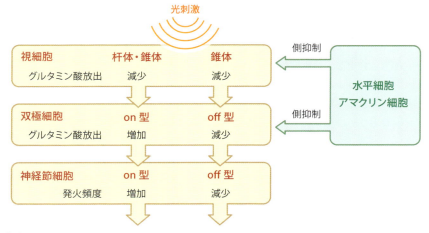

双極細胞

- 双極細胞には，光刺激により脱分極を生じる **on 型** と，過分極を生じる **off 型** がある。杆体は on 型の双極細胞に結合している。
- on 型双極細胞は **代謝調節型グルタミン酸受容体** を持つ。光刺激により視細胞からのグルタミン酸放出が減少すると，（光刺激による視細胞の応答過程と同様）cGMP が増加し，脱分極が起こり，グルタミン酸の放出が増加する。
- off 型双極細胞は **イオンチャネル型グルタミン酸受容体** を持つ。光刺激により視細胞からのグルタミン酸放出が減少すると過分極が起こり，グルタミン酸の放出は減少する。

神経節細胞

- 神経節細胞はイオンチャネル型グルタミン酸受容体を持ち，通常は 20 ～ 50/sec の発火がある。on 型の双極細胞は on 型の神経節細胞とシナプスを作り，これを興奮させる。
- 神経節細胞は大きさにより 2 種類に区別できる。**P 型細胞** は小型で網膜中心部に多く，その応答は持続性である。詳細な視力，色覚や形状の識別に関わる。**M 型細胞** は大型で網膜周辺部に多く，応答は一過性である。動きやコントラストの検出に優れ，動体視や立体視に関わる。

水平細胞・アマクリン細胞

- 水平細胞は抑制性の GABA ニューロンであり，視細胞や双極細胞の興奮を受け，周辺の視細胞や双極細胞を抑制する（**側抑制**）。側抑制により受容野が明瞭化される。アマクリン細胞も抑制性ニューロンである。これらの影響を受けて，神経節細胞の発火頻度が決まる。

側抑制
介在ニューロンを介して，隣接するニューロンが抑制され，興奮の空間的広がりが明瞭になる。

網膜電図
角膜と眼球後部の電位差を測定する。視細胞，双極細胞とミュラー細胞，色素上皮細胞の電位変化が測定できる。

Q55 視覚の伝導路

- 網膜神経節細胞の軸索は視神経・視索となって，外側膝状体へ投射する。
- 多数の受容野からの情報が，視覚野において統合される。

視覚の伝導路

◆ 神経節細胞の軸索は**視神経**となって眼球を出る。網膜の鼻側半分からの線維（耳側の視野）は**視交叉**で交叉し，**視索**を経て中継核である**外側膝状体**に達する。二次ニューロンは**視放線**を形づくり，後頭葉の**一次視覚野**（ブロードマン17野）に投射する。この経路は中心窩の視力，立体視，色覚を担う。視索の一部は上丘に達し，運動視や周辺視に関与する。

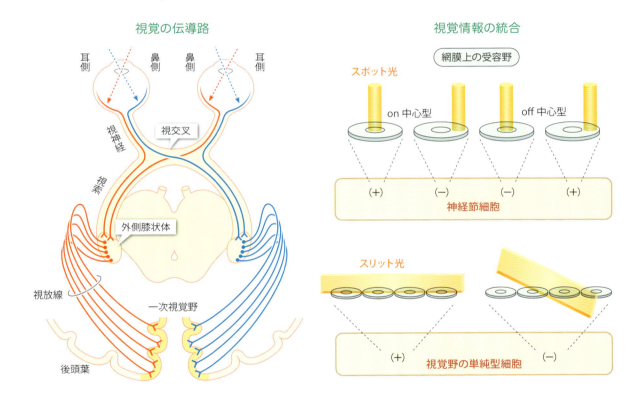

視覚情報の統合

◆ 1個の神経節細胞の発火に影響を及ぼす網膜上の範囲を**受容野**といい，直径約2mmである。神経節細胞は受容野への一様な刺激では反応せず，受容野の中心部をスポット光で刺激した場合にon型かoff型の反応が生じる。

◆ 一方，視覚野の神経細胞はスポット光には反応せず，長方形のスリット光を識別し反応する。**単純型細胞**は直線の傾きを検知する。単純型細胞が発火するのは，スリット光の形状が，受容野の並び（方位）と一致した場合である。それらの受容野の興奮が1つの細胞に収束した結果と考えられる。同様に，**複雑型細胞**は線分の移動方向を検知する（単純型細胞の収束により判定）。**超複雑型細胞**は線分の長さを検知する（複雑型細胞の収束により判定）。

ミラーニューロン

視覚に応答するニューロンが後頭葉以外にも存在する。ブロードマン44野のミラーニューロンは他者の動きを観察しているときに特異的に活動し，その運動をまねる役割があると考えられる。

Q56 瞳孔と眼球運動

● 瞳孔括約筋は平滑筋であり，自律神経により支配される。

瞳孔の調節

- 瞳孔の大きさは，瞳孔散大筋（放射状に走る，交感神経支配）と瞳孔括約筋（円周方向に走る，動眼神経中の副交感神経支配）によって調節される。
- **対光反射**：光の投射により両眼とも縮瞳し，遮光により散大する。縮瞳の反射経路は，網膜→視神経→視索→視蓋前野（上丘）→両側のEdinger-Westphal核→動眼神経→毛様体神経節→瞳孔括約筋である。
- **輻輳反射**：近くの物を注視する際，両眼の視軸が内側を向くとともに，縮瞳する。

脳神経の関与した視覚反射

対光反射，角膜反射，瞬目反射，涙液分泌反射，調節反射，反射的眼球運動。これらの反射の中枢は脳幹にある。

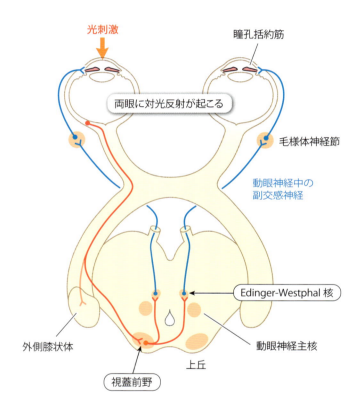

Edinger-Westphal核

動眼神経は2つの成分からなる。外眼筋を支配する運動神経は動眼神経主核から起こり，瞳孔括約筋を支配する副交感神経は副核（Edinger-Westphal核）から起こる。

眼球運動

- 眼球運動を担う外眼筋は，内直筋・上直筋・下直筋・下斜筋（動眼神経支配），上斜筋（滑車神経支配），外直筋（外転神経支配）の6つである。
- 眼球運動には，①衝撃性眼球運動（**サッケード**；ある固視点から別の視点へ急速に動く），②**滑動性運動**（ゆっくりと動くものを追跡する），③**固視微動**（意識されないが，固視点が細かく動揺する），がある。
- **眼振**：注視に伴って生じ，視点を固定しようとする反射である。滑動性運動と衝撃性運動が反復している。より急速な運動方向をもって眼振の方向とする。
- **共同性眼運動**：両眼視の際，両眼が同じ方向を向く運動。このとき両眼の視軸は平行である。

Q57 味覚

● 味覚は味蕾で感受され，孤束核へ伝達される。

味覚とべき関数の法則
味溶液の濃度と感覚の強さはべき関数の法則があてはまる。n＝食塩 0.43，蔗糖 0.95，塩酸 0.59，キニーネ 0.32

上皮型 Na チャネル
腎尿細管，腸管，肺胞にも存在する。チャネルの開閉は秒単位で行われ，Na やリチウムを細胞内へ流入させる。電解質コルチコイドによる制御を受け，Na の輸送を促進する。アミロライドによって阻害される。

サイエンストピックス 140
塩のおいしさを生み出す細胞とその仕組み

- 味の感覚が，基本味（塩味，酸味，甘味，苦味，うまみ）に嗅覚，触覚が加わった感覚である。
- 味覚の受容は，舌乳頭にある味蕾で行われる。味蕾は約 8,000 個あり，1 つの味蕾は 50〜100 個の味細胞を含む。味細胞は基底細胞が分化したものであり，寿命は約 10 日である。
- 味細胞は微絨毛に 1 種類の受容体をもち，基本味に対して特異的に反応する。味細胞の静止膜電位は－40〜－60 mV である。味物質が受容体に作用すると脱分極が生じ，伝達物質がシナプスに放出され，神経線維に求心性インパルスが生じる。
- 舌の前 2/3 には鼓索神経（顔面神経），後ろ 1/3 には舌咽神経が分布し，味覚情報は延髄の孤束核に伝達される。二次ニューロンは視床の後内腹側核に至り，三次ニューロンは大脳皮質味覚野（島皮質）に投射する。味覚の情報は島皮質，二次味覚野（眼窩前頭野）から扁桃体に送られる。また，味覚情報は迷走神経を介して胃酸分泌や膵臓のインスリン分泌を促す。
- 亜鉛不足では味細胞のターンオーバー（細胞の新生と入れ替わり）が抑制され，味覚障害が生じる。

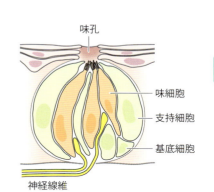

味孔
味細胞
支持細胞
基底細胞
神経線維

NOTE 味の受容体

- **塩味**は Na イオンによる。Na^+ が上皮型 Na チャネルから細胞内に流入し，脱分極が生じる。脱分極は電位依存性 Ca^{2+} チャネルを開口させ，Ca^{2+} が流入し細胞内 Ca^{2+} 濃度が高まることにより，伝達物質がシナプス間隙へ放出される。
- **酸味**は H イオンによる。H^+ は，Na^+ と競合しながら上皮型 Na チャネルから細胞内に流入する。H^+ が HCN チャネルを開口させたり，K^+ チャネルを阻害することにより，脱分極が生じる。
- **甘味**は糖による。糖が G 蛋白質共役型受容体に結合するとアデニル酸シクラーゼが活性化され，cAMP の増加，PKA の活性化が起こり，K^+ チャネルがリン酸化される。この結果 K^+ チャネルが阻害され，脱分極が生じる。

- うま味は，アミノ酸系ではグルタミン酸，核酸系ではイノシン酸が代表である。**うま味，苦味**が G 蛋白質共役型受容体に結合すると，ホスホリパーゼ C の活性化，IP_3 の増加により細胞内 Ca^{2+} 濃度が高まる。このことにより電位依存性 Na^+ チャネルが開口して活動電位が発生し，伝達物質が放出される。
- 味神経には ATP 受容体が発現しており，味覚の神経伝達物質は ATP と考えられる。
- **辛味**は痛覚受容器を刺激する。カプサイシンは痛覚受容器 TRPV1 を刺激する。TRPV1 は熱により応答が増強する（熱い唐辛子ほど辛い）。ワサビやマスタードは TRPA1 によって感知される。TRPA1 は末梢における侵害性冷覚受容だけでなく，神経因性疼痛，慢性疼痛などの難治性疼痛にも関与している。

Q58 嗅覚

◉ 嗅覚は嗅細胞で感知され，大脳辺縁系へも伝達される。

- 嗅覚の特徴は，①識別される種類が多い，②鋭敏であるが順応しやすい，③個人差が大きく加齢とともに閾値が上昇する（鈍くなる）。
- においの受容器は，鼻腔最上部に分布する**嗅細胞**である。嗅細胞は基底細胞から分化し，その寿命は約30日である。
- 嗅細胞は感覚の一次ニューロンであり，その軸索は**嗅神経**（第Ⅰ脳神経）となって篩骨を貫き，**嗅球**に終わる。二次ニューロンは嗅索を通り，扁桃核，梨状葉皮質，嗅内野に投射する。さらに，扁桃核および梨状葉皮質から前頭眼窩皮質へ，嗅内野から海馬，大脳辺縁系への投射がある。扁桃体は本能・情動行動の中枢であり，視床下部を介して内分泌系に作用する。☞ Q62
- におい物質は，鼻粘膜の嗅上皮を覆う粘液に溶け込み，嗅細胞の繊毛にある受容体に結合する。G蛋白質を介して活動電位が生じる。
- ヒトには396種類の**におい受容体**があり，1つのにおい物質は複数の種類の受容体を刺激する。それらの受容体の組み合わせにより，数十万種類を嗅ぎ分けていると考えられる。
- 1つの嗅細胞は1種類の受容体を発現し（1嗅細胞-1受容体ルール），この受容体は多種類のリガンドと結合しうる。同じ受容体を持つ嗅細胞からの嗅神経は，嗅球では同じシナプスに収束する（1糸球体-1受容体ルール）。これによりコントラストが明瞭になり（有り無しが明確になる），中枢へ伝達される。

高木の5基準臭

花のにおい（βフェニルエチルアルコール），焦げたにおい（メチルサイクロペンテノロン），腐敗臭（イソ吉草酸），果実のにおい（γウンデカラクトン），糞臭（スカトール）。

嗅覚とべき関数の法則

ブタノールの濃度とにおいの感覚の強さは，べき数0.4のべき関数の法則があてはまる。

サイエンストピックス36

香りを感じる仕組みはエネルギー節約型：ナノスケール神経プロセス内分子の実時間測定

サイエンストピック71

記憶想起における側頭葉の皮質層間ネットワークの役割を解明

NOTE におい受容体

- におい分子が嗅覚受容体に結合すると，隣接するG蛋白質を介してアデニル酸シクラーゼが活性化され，cAMPが増加する。このことにより陽イオンチャネルが開口し，Na^+，Ca^{2+} が細胞内に流入する。さらに，流入した Ca^{2+} が Cl^- チャネルを開口させるので，Cl^- が細胞外へ流出する。これらの電荷の移動によって膜電位が浅くなり，活動電位が生じる。

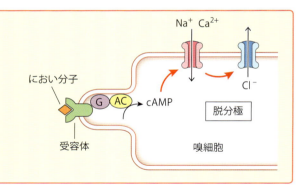

6 中枢神経系

中枢神経
大脳，間脳（視床，視床下部，視床上部，視床下核），小脳，脳幹（中脳，橋，延髄），脊髄をいう。

Brodmann の大脳皮質地図
大脳皮質は種々の神経細胞からなる灰白質であり，組織学的に6層に区分される。一群の神経細胞と軸索が垂直方向に並んで円柱をなし，入力情報を処理する機能的な単位と考えられる（機能円柱）。機能円柱が横方向に分布し皮質表面を形作っている。この細胞構築と機能局在に基づいて，ブロードマンは大脳皮質を52の領野に分けた。

中枢神経を構成する細胞
神経膠細胞（グリア）は，神経細胞（ニューロン）よりはるかに多く存在する。グリアは神経細胞を保護・維持し，支持組織として働いている。星状膠細胞，オリゴデンドロサイト，小膠細胞，ミュラー細胞などがある。

「物を見て，その名前を言う」ための情報伝達経路
一次視覚野（17野）→高次視覚野（18野）→角回（39野）→ Wernicke 野（22野）→弓状束→ Broca 野（44・45野）→運動野の顔面領域（4野）

言語野の障害
感覚失語：ウェルニッケ野の障害。聴覚や視覚の言語を認識・理解できない。
運動失語：ブローカ野の障害。発語できない。

Q59 大脳皮質の機能局在

● 運動野，体性感覚野，聴覚野，視覚野，連合野に区分できる。

- 大脳皮質は新皮質（前頭葉，頭頂葉，側頭葉，後頭葉），古皮質（海馬，脳弓，歯状回），旧皮質（嗅葉，梨状葉）からなる。これらの深部に大脳基底核がある。大脳皮質は機能的に運動野，感覚野，視覚野，聴覚野および3つの連合野に区分される。

- **一次運動野**（前頭葉・中心前回，ブロードマン4野）のⅤ層にはベッツ巨大錐体細胞があり，その線維は皮質脊髄路（錐体路）を形成する。体部位局在性があり，障害されると反対側の該当部分に運動麻痺が生じる。

- **一次体性感覚野**（頭頂葉・中心後回，3,1,2野）は，視床からの線維を受ける（嗅覚は除く）。**一次聴覚野**（側頭葉，41野）は内側膝状体から，**一次視覚野**（後頭葉，17野）は外側膝状体からの線維を受ける。

- **前頭連合野**（前頭葉の運動野より前の部分。**前頭前皮質**ともいう）は，行動の目標とそのための計画を立て，順序だった運動や発語を担う。また，大脳辺縁系の本能行動を制御し，性格や社会性，感情表出にも関わる。障害されると思考の低下，注意力低下，常同行動（飽きずに同じことを繰り返す），運動過多（単純な行動を繰り返す）などが起きる。

- **頭頂連合野**（感覚野と視覚野の間の部分）は，身体や空間の立体的認識を担う。障害されると身体失認，立体失認，半側空間無視，左右見当識障害などが起きる。

- **側頭連合野**（側頭葉の聴覚野以外の部分）は，認知機能（それが何か，誰か，言葉の意味）およびエピソード記憶を担う。感覚性言語野（**ウェルニッケ野**）と運動言語野（**ブローカ野**）の間には連合線維（弓状束）があり，情報伝達が行われている。

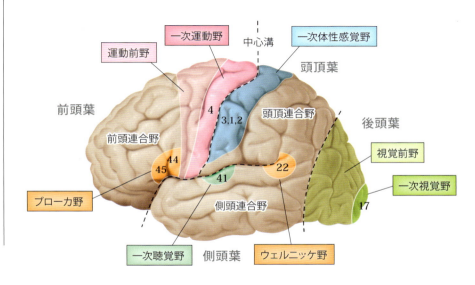

Q60 大脳基底核の構成と機能

● 大脳基底核は姿勢と運動をコントロールしている。
● 基底核疾患では運動が減少したり，不必要な運動を抑えれらなくなる。

基底核の構成

◆ 大脳基底核とは大脳半球の内部にある一群の核をいい，線条体（被殻，尾状核），淡蒼球（内節，外節），黒質（緻密部，網様部），視床下核（ルイ体）で構成される。これらの核は，大脳皮質の広範な部位から線維（皮質線条体投射）を受け，視床を経由して再び大脳皮質に投射している。

◆ 大脳基底核内には，運動を促進する直接路と，不必要な運動を抑制する経路（間接路およびハイパー直接路）があり，両者のバランスにより円滑な運動が行われる。
ハイパー直接路：大脳皮質→視床下核→淡蒼球内節・黒質網様部→視床（抑制）
直接路：大脳皮質→線条体→淡蒼球内節・黒質網様部→視床（脱抑制）
間接路：大脳皮質→線条体→淡蒼球外節→視床下核→淡蒼球内節・黒質網様部→視床（抑制）

ルイ体
フランスの神経学者 Luys が視床下核を初めて記載した。

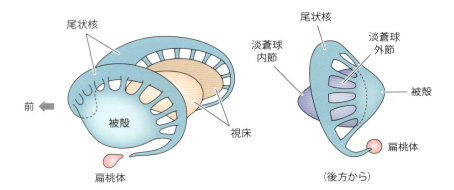

レンズ核
被殻と淡蒼球を合わせるとレンズのような形に見えることからこの別名がある。

基底核による運動制御

◆ 線条体・視床下核は大脳基底核の入力部であり，運動野，前頭運動野，前頭眼窩野からの興奮性線維を受けている。線条体からは抑制性線維（伝達物質は GABA）を黒質網様部と淡蒼球へ送っている。黒質線条体線維（伝達物質はドーパミン）は直接路を興奮させ，間接路を抑制する。視床下核のニューロン（伝達物質はグルタミン酸）は興奮性に作用する。基底核からの出力として，淡蒼球および黒質網様部からの GABA 線維が抑制性に視床に作用する（運動を抑制する方向に働く）。

◆ 大脳皮質が興奮すると，ハイパー直接路（および間接路）により視床への抑制が強まる。その直後，直接路により視床への抑制は弱まり（脱抑制），運動が促進される。☞77 ページ

基底核疾患（錐体外路症状）

◆ 基底核が障害されると，①姿勢の異常，②筋緊張の異常，③運動制御不全，④不随意運動が，障害側の反対側に現れる。運動麻痺や運動失調，感覚消失は起こらない。具体的には，運動減少（例；無動症）または運動亢進（例；振戦）が生じる。他動運動では，筋緊張の亢進（筋固縮，硬直，歯車様）または低下がみられる。

錐体外路症状
大脳基底核の病変によって大脳皮質を介して出現する運動症状を，臨床的には錐体外路症状と呼んでいる。

- 基底核からの抑制性出力が増加すると，運動減少・筋緊張亢進型の運動障害（パーキンソン病，自発的運動の減少，筋固縮）が生じる。パーキンソン病では，直接路の活性低下（→運動減少）と間接路の活性増強（→運動減少）により，抑制性出力が増強する結果，無動となる。
- 基底核からの抑制性出力が減少（脱抑制）すると，運動亢進・筋緊張低下型の不随意運動（ハンチントン舞踏病，バリスム）が生じる。

大脳基底核の機能

大脳基底核は，大脳皮質の広範な部分および視床，黒質からの投射を受け，随意運動の開始と遂行を担っている。意志・意欲・関心による行動は前頭葉−背側線条体により，本能・欲望による行動は扁桃・辺縁系−腹側線条体により行われる。

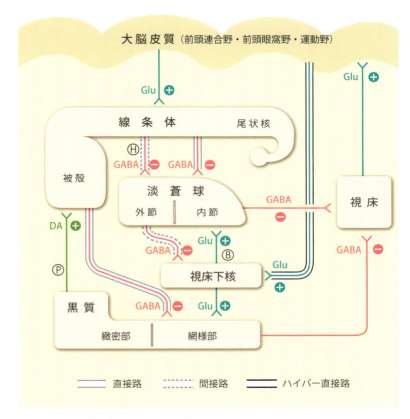

Ⓟ パーキンソン病　Ⓗ ハンチントン舞踏病　Ⓑ バリスム

NOTE 大脳基底核の障害による運動疾患

- **パーキンソン病**：黒質緻密部のドーパミン産生ニューロンの障害により安静時振戦や歩行障害が生じる。進行すると仮面様顔貌，筋の固縮，無動となる。治療には，ドーパミンの前駆物質 L-DOPA が用いられる（ドーパミンは血液脳関門を通過しない）。
- **ハンチントン舞踏病**：舞踏病とは，主に四肢遠位，顔面に生じる不規則な速い動きをいう。進行性の認知症，人格変化を伴う。常染色体優性遺伝。
- **アテトーゼ**：舞踏病より緩慢な動き。手足や頭のゆっくりとした捻転運動。線条体と淡蒼球の障害による。周産期障害など。
- **バリスム**：四肢を乱暴に投げ出す運動。対側の視床下核の障害による。脳血管障害など。
- **ジストニー**：骨格筋の異常な持続性の緊張亢進によって，異常な姿勢をとる。銅代謝障害のWilson病（肝レンズ核変性症）のほか，局所性のものとして痙性斜頸，書痙，口ジスキネジア（口のモグモグ，舌のペチャクチャといった不随意運動）がある。
- **ミオクローヌス**：手足，全身のビクッとする突発的な運動。通常両側性。
- **チック**：瞬き，頸のうなずきなどの律動的反復収縮。

Q61 小脳による姿勢と運動の制御

- 小脳は，随意運動や反射的運動の補正を行っている。
- 小脳が障害されると協調運動ができなくなる。

◆ 大脳では運動を意識しながら行い，小脳では無意識のうちに運動を行っている。小脳は，実際の運動（筋・関節などの感覚情報）と期待する運動（大脳皮質からの運動指令）との誤差を検出し，次の運動を再調整（前向き制御）する。

◆ 誤差の修正が繰り返し行われると，小脳の可塑性によりシナプス効率が変化し，より円滑に運動ができるようになる。小脳は運動学習や記憶と関連すると考えられ，小脳が障害されると協調運動（複数の筋を巧みにあやつる一連の円滑な運動）ができなくなる。

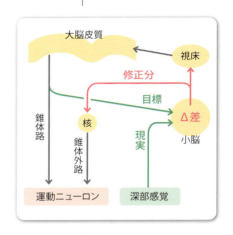

小脳の区分と入出力

脊髄小脳（虫部，傍虫部）

◆ 筋紡錘やゴルジ腱器官からの深部感覚を受け，四肢・体幹の筋緊張を制御し，姿勢を保持する。体部位局在性があり，虫部は体幹と四肢近位部，傍虫部は四肢遠位部の運動を調節する。

◆ 深部感覚は，脊髄小脳路，後索路，下オリーブ核などを介して虫部や傍虫部の皮質に入り，室頂核や中位核（球状核，栓状核）で統合される。核からの出力は対側の赤核や網様体に伝わり，赤核脊髄路や網様体脊髄路，さらに視床・大脳皮質を介して，体幹・四肢の筋緊張を調節する。

橋小脳（小脳半球）

◆ 一次運動野や高次運動野，前頭連合野，感覚野，視覚野など様々な部位から情報を受け，運動の微調整を行う（協調）。

◆ 大脳皮質からの線維は橋核でニューロンを代え交叉し，小脳半球の皮質に入る。歯状核からの出力線維は対側の赤核でニューロンを代え，下オリーブ核に連なる。また，視床を介して大脳皮質へ至る。

前庭小脳（片葉小節葉）

◆ 内耳の前庭器官から平衡感覚を受け，頭部や眼球の運動を制御し，身体の平衡を維持する。

◆ 前庭器官からの情報は，前庭神経 → 前庭神経核 → 片葉小節葉 → 室頂核に伝わる。室頂核からの線維は前庭神経核にフィードバックし，眼球運動と頭部の位置，身体の平衡維持に働く。

運動補正の大まかな仕組み

◆ 小脳皮質への入力線維には，下オリーブ核からの登上線維とそれ以外の苔状線維がある。

◆ 小脳皮質からの出力はプルキンエ細胞（GABA作動性）であり，小脳の核に抑制性に作用する。小脳核では情報の統合・解析がなされ，出力線維（興奮性）が前庭神経核や網様体，視床，赤核などへ送られている。

可塑性

外界からの刺激によって生体が変化し，新たな機能や形態を獲得すること。脳は，シナプスの伝達効率を変えることにより，記憶や学習などの高次機能を営んでいる。これをシナプスの可塑性という。

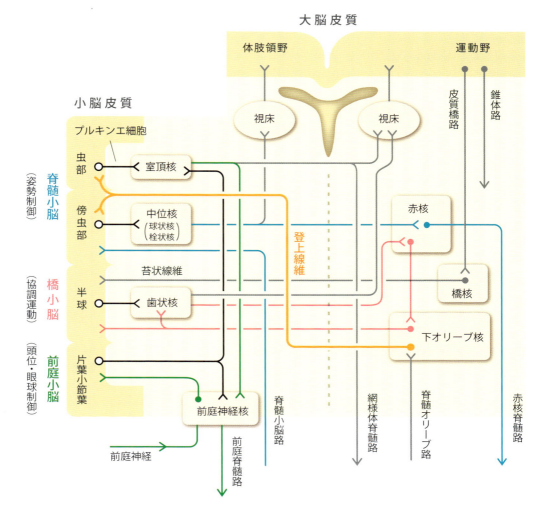

錐体外路
運動に関わる下行路で錐体路以外のもの。赤核脊髄路，網様体脊髄路，視蓋脊髄路，前庭脊髄路がある。歩行や咀嚼などのリズム運動を発生する機構を持つ。

企図振戦
ある動作を意図的に行おうとした際に出現するふるえ。

ロンベルグ試験
両足揃え立ちの状態で眼を閉じたとき，動揺が大きくなり倒れてしまう場合を陽性とする。深部感覚（脊髄後索）の障害が考えられる。

- 1個のプルキンエ細胞には1本の登上線維と数万本の平行線維が接続している。平行線維は小脳皮質の表層を平行に走る線維で，苔状線維の入力を受ける。大脳からの指令が登上線維（大脳皮質→下オリーブ核→小脳）に入り，感覚情報が平行線維に入り，両者の誤差がプルキンエ細胞から出力される。
- 登上線維と平行線維が同時に興奮すると，その後，平行線維とプルキンエ細胞とのシナプス伝達に長期抑制が生じる。

小脳性運動失調
- 前庭小脳や脊髄小脳が障害されると，平衡障害（めまい，嘔気，眼振）が生じる。脊髄小脳の障害では，起立障害，歩行障害，眼球運動障害が生じる。橋小脳の障害では，運動の協調障害（企図振戦，協調運動不能，交互反復運動不能，構音障害）が生じる。
- 小脳性運動失調では深部感覚は正常であり，ロンベルグ試験は陰性となる。

小脳皮質における運動学習のメカニズム

- 小脳皮質は，表層から順に顆粒層（顆粒細胞，ゴルジ細胞），プルキンエ細胞層（プルキンエ細胞），分子層（星状細胞，バスケット細胞）の3層に分けられる。顆粒細胞は興奮性ニューロンであるが，その他は抑制性ニューロンである。
- 小脳皮質への入力は，運動・感覚情報などの情報を苔状線維（橋核，脊髄，前庭神経核などから起こる）で受け，誤差信号（教師信号）を登上線維で受ける。
- プルキンエ細胞を中心に情報処理が行われ，その結果がプルキンエ線維（GABA線維，抑制性）により小脳核や前庭神経核に出力される。小脳核ではさらに情報の統合・解析がなされ，興奮性線維が視床，赤核，網様体，前庭神経核などへ送られる。
- プルキンエ細胞には数十Hzの自発発火がみられる。プルキンエ細胞は，広がった樹状突起で多数（～20万）の平行線維からのシナプスを受け，simple spikeを生じる。また，1本の登上線維がプルキンエ細胞に絡みつきながら数百のシナプスを作り，1回の発火でプルキンエ細胞に大きな興奮性シナプス後電位，complex spikeを生じる。
- 平行線維－プルキンエ細胞間のシナプス伝導効率は，平行線維の高頻度刺激と登上線維の刺激（誤差信号）を同時に受けると，しばらくのあいだ低下する。この現象を**長期抑制**（long-term depression；LTD）という。運動学習が何回も繰り返されると，好ましくない伝達経路（シナプス）は減少し続け，好ましい伝達経路が生き残るようになる。さらに繰り返しの運動学習を行うと，小脳核や前庭核にも同様な変化が生じる。
- **長期抑制の仕組み**：プルキンエ細胞では，①平行線維の高頻度刺激によるmGluR1（代謝型グルタミン酸受容体）の活性化，②登上線維による電位依存性Caチ

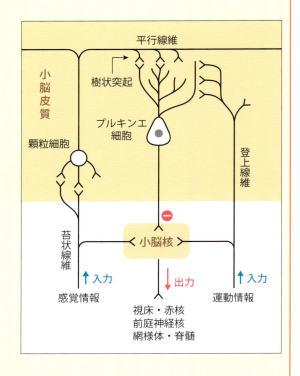

ャネルによるCa^{2+}の流入によりPKCが活性化される。するとシナプス後膜にあるAMPA受容体（グルタミン酸受容体の一種）がリン酸化され細胞内に取り込まれ，その結果，シナプス伝導効率が低下する。
- 登上線維は，熟達した運動時には興奮せず，新たな運動を行うときや実際の運動に誤差が生じた時に興奮する。
- 平行線維のみが持続的に興奮するときには，長期増強（long-term potentiation；LTP）が生じ，シナプス効率が高まる。

運動学習の記憶

- マウス眼球反応の実験では，1日1時間の練習によってプルキンエ線維に記憶が生じ，1日間で消失する。1週間の練習では，小脳核に1ヵ月間持続する記憶が生じる（苔状線維－小脳核神経細胞間のシナプス伝導効率の上昇）。あたかも記憶が小脳皮質（プルキンエ線維）から小脳核へ移動したようにみえることから，「記憶痕跡のシナプス間移動」という。さらに長期間の練習により，大脳皮質の運動関連領域などの広範な部分に記憶が蓄えられる。
- 「練習を積むと体が覚えていく」「子供の時に自転車に乗ることができれば，ずっと自転車に乗ることができる」のは，この運動学習が小脳核～大脳皮質に長期記憶として残っているからであろう。また，小脳は前頭前野や頭頂葉とも関連し，運動以外の認知機能にも関与している。

大脳基底核ループと小脳ループによる運動補正

- 大脳皮質運動野は，大脳基底核ループと小脳ループによるフィードバックを受け，運動指令を常に細やかに修正している。その結果，円滑な運動（協調運動）が行われる。
- 大脳基底核は運動の開始と遂行を担っている。**大脳基底核ループ**（大脳皮質→線条体・視床下核→淡蒼球→視床→大脳皮質）は，視床から大脳皮質運動野などに投射し，時間的空間的に必要な運動指令を発生させる。同時に，不必要な運動を抑制する。
- 基底核の出力である GABA 線維は数十 Hz の高頻度で持続的に発火しており，通常，視床（運動性視床核）を抑制している。視床は，大脳皮質からのハイパー直接路により抑制され，次に直接路により脱抑制（興奮）し，間接路により再び抑制される。その結果，運動の開始と終止が明確になる。空間的には，ハイパー直接路・間接路が視床の対応領域全体を抑制し，直接路が中心領域のみを脱抑制（興奮）させる。
- 小脳は運動の正確さを担っている。**小脳ループ**（大脳皮質→橋核→小脳・小脳外側核→視床→大脳皮質）は，運動を円滑にするための微調整を行っている。橋小脳は，①大脳からの運動指令と，その時点の感覚情報とを受け，②両者を常に比較し，③その修正情報を運動野や前頭連合野などへ伝える。

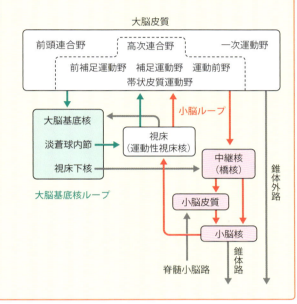

運動に関わる大脳皮質の領域

- 運動は一次運動野によって行われるが，その準備・実行・制御には前頭連合野，高次運動野，大脳基底核，小脳，脊髄（αおよびγ運動ニューロン，錐体路，錐体外路）などの運動系はもちろんのこと，感覚系をも含んだ精巧な神経機構が関わっている。たとえば上半身を折りおじぎをするとき，体の重心を狭い支持基底面内に維持しつつ，全身の筋活動の微調節がリアルタイムに行われている。
- **前頭連合野**（前頭葉の運動野より前の部分）：目標とその計画を立て，順序だった行動運動や発語を起こす。行動の決定，結果の予測，抽象的思考を担う。また，性格や社会性，感情表出にも関わる。
- **高次運動野**（運動前野，補足運動野，前補足運動野，帯状皮質運動野）：大脳連合野の情報（外界の把握・認識，個体の欲求・意図，記憶など）を受けながら，認知的な運動の準備を担い，一次運動野に作用する。
- **運動前野**（area 6 外側面，前頭前野と一次運動野の間）：大脳基底核と共同して運動の企画・準備を担い，小脳からの感覚情報に基づき，運動を最適化する。腹側運動前野には，他者の運動行動を理解する機能がある（ミラーニューロン）。
- **補足運動野**（area 6 内側面後方）：運動前野や一次運動野と双方向性に結合し，大脳基底核からの入力を受ける。予測的姿勢制御の運動プログラムを生成し，脳幹運動神経核，皮質網様体脊髄路を介して姿勢を調整する。補足運動野の活動状態は，脳波上，準備電位（筋活動の直前の電位上昇）としてみられる。補足運動野が障害されると，自発的運動を開始できなくなる。
- **前補足運動野**（area 6 内側面前方）：前頭前野と密接な線維連絡があり，高次の運動制御を左右する。一次運動野への線維連絡はない。体性感覚刺激には反応しないが，視覚刺激に対して反応する。
- **帯状皮質運動野**（前頭葉内側部の帯状溝に沿う運動野）：前補足運動野と密接な連絡を持ち，運動の高次な制御に関わっている。
- **一次運動野**（area 4）：上述のように，高次運動野および視床からの投射を受け，運動の発現・制御を行っている。

Q62 大脳辺縁系と情動

● 大脳辺縁系は記憶と情動を司り，本能行動を左右する。

◆ 大脳辺縁系は古皮質（海馬，脳弓，歯状回），旧皮質（嗅葉，梨状葉），皮質下核（扁桃体，中隔，乳頭体）を一括していう。脳の最も古い部分の1つであり，大脳半球の深部にあり視床を取り囲むように存在する。

◆ 大脳辺縁系は，感覚情報や外部環境を経験や学習に基づいて総合的に判定し，**情動行動**（快・不快による接近・逃避行動，攻撃行動など）を起こさせる。また，視床下部に働きかけ，**本能行動**（摂食，飲水，性行動，集団行動など）を起こさせる。これらの行動には海馬と扁桃体が特に重要であり，相互に情報が伝達されている。

◆ **海馬**は主に記憶に関与する。嗅内野，帯状回，前頭葉下面，側頭葉，視床下部からの投射を受け，様々な感覚情報（嗅覚，視覚，聴覚，体性感覚）を得て情報処理を行い，その結果を大脳皮質の広範な部位へ伝達している。短期記憶の形成には**Papezの回路**（海馬→脳弓→乳頭体→視床前核→帯状回→海馬傍回→海馬）が関わっている。海馬が障害されると，新しい知識を獲得できなくなる（過去の記憶は思い出せる）。☞ Q71

◆ **扁桃体**は主に感情・情動（不安や恐怖など）に関与する。原始的な情動に関する記憶が蓄えられ，嗅覚や感覚連合野，視床からの感覚情報の評価を行う。その評価は，視床下部を介して自律神経機能や内分泌機能に影響し，脳幹の運動神経核や網様体を介して顔の表情に表れる。また，その評価は海馬へも伝えられる。

◆ 感情の回路（扁桃体→視床背内側核→帯状回前部→海馬傍回→扁桃体，および扁桃体→側頭・前頭皮質→帯状回→扁桃体）はヤコブレフの回路とも呼ばれる。神経の興奮はこれらの閉回路により持続することになる。

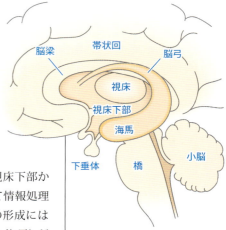

帯状回
大脳辺縁系の各部位を連絡するだけでなく，視床や大脳皮質の体性感覚野からの入力を受けている。

海馬傍回
記憶の符号化と検索の役割を担っている。海馬傍回の後部は，風景の認識に重要である。

Klüver-Bucy症候群
海馬および扁桃体の障害により，視覚性認知不能（精神盲），温和化（情動反応の低下），口唇傾向（手当たり次第に物を口にもってゆく），記憶障害，性欲亢進が起こる。

燃え上がり効果
哺乳類の辺縁系が1日1回の電気刺激を受け続けると，痙攣が生じ，ついには全身性の痙攣となる。この効果は永続的であり，1年後の刺激であっても全身の痙攣が生じてしまう。多シナプス性の閉回路が形成されたためと考えられる。

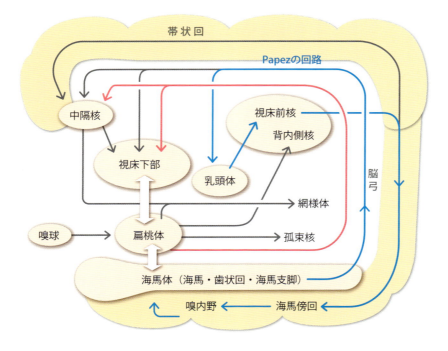

Q63 視床下部と本能行動

- ● 視床下部には摂食，飲水，体温調節，性行動の中枢がある。
- ● 本能行動が引き起こされるとき，自律神経や内分泌系も同時に変動する。

◆ 視床下部は本能行動の中枢である。前頭葉，辺縁系，視床からの入力を受け，下位の延髄や脊髄を制御し，自律神経と内分泌系を調節している。視床下部には血液脳関門がなく，ニューロンは血液成分と接し，内部環境の受容器として機能する。

◆ 視床下部外側核（野）には摂食中枢があり，腹内側核には満腹中枢がある。摂食の調節は，短期的には血糖値，長期的には遊離脂肪酸値によって行われている。空腹感が生じると，摂食行動が引き起こされるとともに，交感神経系が興奮し，肝臓でのグリコーゲン分解と糖の放出，膵臓からのグルカゴンの分泌，副腎髄質からのアドレナリンの分泌が亢進する。満腹中枢が破壊されると，多食になり肥満となる。

◆ 視床下部前部には飲水中枢（浸透圧受容器）があり，血漿浸透圧の上昇により口渇感と飲水行動が起こる。視索上核のニューロンは，血漿浸透圧の上昇や血液量の低下（低圧受容器）により，抗利尿ホルモン（ADH）を分泌する。☞ Q178

◆ **体温調節中枢**：温ニューロン（温まると興奮する）と冷ニューロン（冷えると興奮する）があり，体温調節反応を引き起こす。視床下部の局所的温度変化だけでなく，全身の体温変化にも反応する。視床下部の前部を刺激すると熱放散（皮膚血管の拡張，発汗）の反応が，後部の刺激では熱産生（皮膚血管収縮，立毛，ふるえ）の反応が生じる。

グレリンによる食欲調節

グレリン（28アミノ酸からなるペプチド）は胃粘膜で産生され，食欲亢進，成長ホルモン分泌促進をもたらす。グレリンは迷走神経求心路を抑制し，延髄孤束核を介して視床下部に，また大脳辺縁系（報酬系）にも作用し，食欲を亢進させる。

GLP-1, PYYによる食欲調節

グルカゴン様ペプチド-1（GLP-1），ペプチドYY（PYY）は下部消化管のL細胞で産生され，迷走神経求心路を介して作用し，食欲を抑制する。

レプチンによる食欲調節

レプチンは脂肪細胞で産生され，血液脳関門を通過し視床下部，延髄孤束核などに作用し，食欲を抑制する。また，自律神経を介して白色脂肪組織の脂肪を分解させる（脂肪細胞がもつβ_3受容体による）。☞ Q164

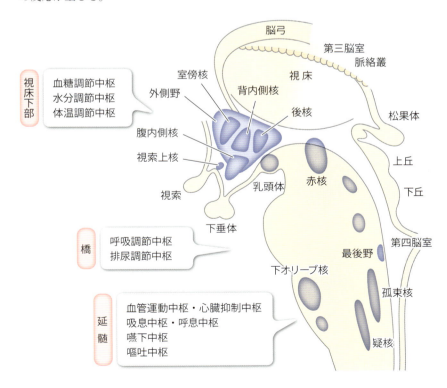

Q64 脳幹の生命維持中枢

◉ 橋・延髄には生命維持の中枢がある。

◆ 間脳，中脳，橋，延髄を一括して脳幹という。脳幹には種々の機能を統合する連絡路や中継核がある。生命維持に重要な内臓機能の中枢は，橋と延髄に存在する。

◆ 延髄の腹下方に吸息中枢，背上方に呼息中枢がある。これらは橋にある上位中枢の呼吸調節中枢により制御され，円滑な呼吸のリズムが形成される。☞ Q99

◆ 延髄の腹外側野にある血管運動中枢は，交感神経を介して血管を収縮させる。迷走神経背側核にある心臓抑制中枢は，迷走神経を介して心拍数を減少させる。両者のバランスによって血圧が調節される。☞ Q120

◆ 嚥下中枢は延髄の網様体にある。咽頭・食道と呼吸筋とを連動させ，嚥下反射を起こさせる。

◆ 嘔吐中枢は延髄にある。第四脳室に接する最後野には chemoreceptor trigger zone と呼ばれる部位があり，血液中の有害物質に反応してインパルスを生じる。また，腹部内臓からの刺激は迷走神経を介して孤束核に入る。これらの入力は嘔吐中枢を興奮させ，胃腸管の反射的運動が起こる。嘔吐は多くの筋群による協調運動であり，それを調節するニューロンは疑核にある。

◆ 膀胱が伸展したことは，橋の排尿中枢に伝達される。排尿中枢が興奮すると，骨盤内臓神経により膀胱が収縮し，内尿道括約筋が弛緩する。☞ Q42

前ページの図を参照

Q65 脳波

◉ 睡眠中は特徴的な脳波が現れる。

◆ 脳波は大脳皮質の電気活動を導出したものであり，数 μV 〜百 μV の電位しかない。心電図とは異なり個々の波形を区別できず，周波数によって徐波（δ 波；0.5 〜 3.5 Hz，θ 波；4 〜 7 Hz），α 波；8 〜 13 Hz，速波（β 波；14 Hz 以上）を区別する。特有の波形には紡錘波，棘波といった名前がつけられている。

◆ 安静覚醒閉眼時には α 波や低振幅 β 波が後頭部付近にみられる。開眼によって α 波は抑制される。出生時の脳波は δ 波であり，1 歳から θ 波，5 歳以上で α 波がみられる。

◆ 脳波は膨大な数のニューロン活動の反映であり，通常はニューロン活動が空間的・時間的に分散しているため，一定の波形にはならない。α 波は，大脳皮質の活動が低下し，ある程度の同期性がある場合に観察される。開眼時の α 波の減衰は，後頭葉の視覚野が賦活されることによる。音刺激や暗算によっても α 波の減衰が起きる。

棘波

周期が 70 msec 以下で，周辺の脳波から目立つ鋭い波。

睡眠中の脳波

◆ 睡眠中の脳波は徐波睡眠とレム睡眠に区別され，一晩の間にこれらの睡眠状態が数回繰り返される。徐波睡眠の第 1 期では，α 波が減少し低振幅の徐波（θ 波，δ 波）が前頭部や頭頂葉に現れる。第 1 期は数分間で終わり，第 2 期に移行する。

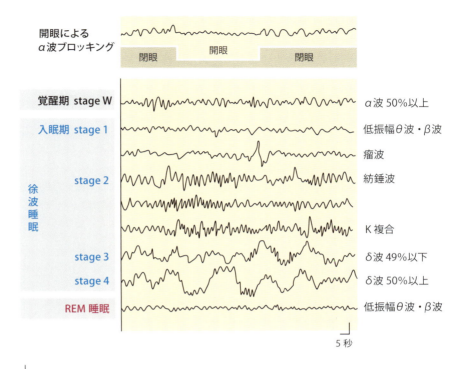

徐波

徐波出現時は外界からの感覚入力を断ち，睡眠が深くなる。徐波を人為的に強めると，記憶・学習が高まり，ホルモン分泌に影響する。

K複合

高振幅の二相性大徐波に速波群が続くもの。

てんかん

大脳の過剰放電が突発的に起こり，筋の緊張や運動の異常，意識消失，記憶消失，自律神経異常などを呈する。発作時の脳波には棘波，大振幅徐波，バーストなどの異常波形が現れる。

- ◆ 第2期では全体として平低化し，低振幅の徐波が連なり，紡錘波，K複合，さらに高振幅のδ波が現れる。δ波が20～50％を占める時期を第3期，50％以上の場合を第4期としている。交感神経活動は低下し（副交感神経優位となり），心拍数減少，血圧低下，縮瞳が起こる。
- ◆ レム睡眠は逆説睡眠とも呼ばれ，大脳は起きている状態にあり，急速眼球運動（REM；rapid eye movement）が生じる。脳波は徐波睡眠の第1期に似る。全身の骨格筋の緊張は消失し，呼吸や心拍は不規則であり，夢をみたり，夜間陰茎勃起現象が生じる。成長ホルモンの分泌は徐波睡眠中に高まり，REM睡眠中は低い。

異常脳波

- ◆ 異常脳波は，その起こり方の時間的要素（突発性か非突発性か）と空間的要素（汎発性か局所性か）により，下表のように大別される。局所性のものはその範囲によって，半球性，限局性，焦点性に細分される。

Q66 覚醒・睡眠

- 網様体から大脳皮質へモノアミン神経の投射があり，上行性網様体賦活系という。
- 上行性網様体賦活系は大脳皮質全般へ作用し，意識レベルを左右する。

脳幹網様体

- 網様体は，中脳被蓋から延髄の背側部にかけて広く散在する構造物である。まばらな細胞体の間を網目状の神経線維が結んでいるのでこの名がある。
- 網様体は中枢神経系の各所から様々な感覚情報を得て，大脳皮質および脊髄へ影響を与えている。特に上行性網様体賦活系は大脳皮質全般へ作用し，意識レベルを左右する。網様体の興奮により，脳波は徐波から速波へ，同期波から非同期波へ変化する。

意識レベルの調節機構

- 脳幹網様体から，モノアミンを伝達物質とする神経が大脳皮質の広い領域に投射している。上行性網様体賦活系と呼ばれ，意識を維持している。

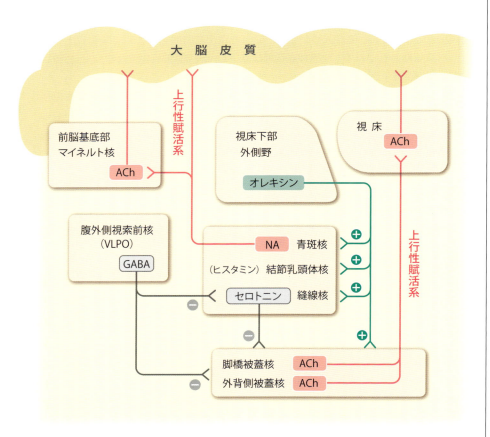

被蓋

中脳の腹側には大脳脚，背側には上丘・下丘がある。これらを除いた領域を被蓋という。

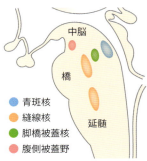

- 青斑核
- 縫線核
- 脚橋被蓋核
- 腹側被蓋野

マイネルト核

大脳皮質への ACh 神経はマイネルト核からのものが多い。アルツハイマー病ではマイネルト核の ACh 神経の脱落，大脳皮質の ACh 受容体およびコリンエステラーゼの減少がみられる。

腹外側視索前核

ventrolateral preoptic area ; VLPO

結節乳頭体核

乳頭体は，視床下部の後部にある。結節乳頭体核はその中にある神経核である。

脚橋被蓋核

黒質の尾側で上小脳脚の近くにある。

- ◆ 上行性網様体賦活系には 2 つの経路がある。
  ① 背側の経路：脚橋被蓋核および外背側被蓋核からの**アセチルコリン神経**（コリン作動性神経；ACh 神経）が，視床の非特異核を経由して大脳皮質へ投射する。
  ② 腹側の経路：青斑核の**ノルアドレナリン神経**（NA 神経）が，前脳基底部マイネルト核の ACh 神経を刺激し，また直接的に大脳皮質へ投射する。
- ◆ 視床から皮質への神経は，GABA 神経によって抑制（過分極）されている。脚橋被蓋核および外背側被蓋核の ACh 神経は，この GABA 神経を抑制し，皮質への神経への抑制を解除する。また，皮質から視床への神経（伝達物質はグルタミン酸）は，視床から皮質への神経を脱分極させる。その結果，視床と皮質の間に positive feedback のループが形成される。
- ◆ 視床下部外側野にある**オレキシン神経**により**上行性網様体賦活系が活性化され，覚醒が生じる**。逆に，腹外側視索前核の神経線維（GABA，ガラニン）により上行性網様体賦活系が抑制され，睡眠が生じる。これらの作用は相互に抑制しており，覚醒・睡眠は両者のバランスによって決まる。オレキシン神経が障害されると，ナルコレプシー（日中の突然の強い眠気，情動を契機とした筋緊張の消失）が生じる。
- ◆ 上記のほかに，青斑核，結節乳頭体核，縫線核も上行性網様体賦活系の一部をなしている。

サイエンストピックス 89
オレキシン産生神経細胞は 2 つの異なる神経経路でナルコレプシーを抑制する

NOTE 上行性網様体賦活系の構成

- 前脳基底部の**マイネルト核**には ACh 神経と GABA 神経があり，これらは大脳皮質に投射し賦活する。ACh 神経は青斑核（NA 神経）により興奮し，縫線核（セロトニン神経）により抑制される。また，ACh 神経は大脳辺縁系にも投射している。GABA 神経は青斑核により興奮する。
- **青斑核**の NA 神経は，大脳皮質，大脳辺縁系，視床下部，小脳，脊髄へ投射している。NA 神経は，侵害刺激や低酸素血症，低血糖などの外乱に対して直ちに反応し，覚醒水準や緊張状態を高める。また，ストレス行動や表情の変化をもたらし，自律神経系・内分泌系に変化を及ぼす。腹側被蓋野のドーパミン神経系と連絡があり，興奮が相互に伝わる。
- **結節乳頭体核**（ヒスタミン神経）は，覚醒時には自発性の発射があり，睡眠では減少し，レム睡眠では活動停止する。ヒスタミン神経は視床に投射し，大脳皮質を賦活する。また，前脳基底部，脚橋被蓋核および外背側被蓋核の ACh 神経を活性化する。視索前野の GABA 神経は結節乳頭体核を抑制し，徐波睡眠をもたらす。
- **縫線核**（セロトニン神経）は，咀嚼，呼吸，歩行などのリズミカルな運動によって興奮する。睡眠時には減弱し，レム睡眠では消失する。セロトニン神経の興奮は覚醒水準を高め，抗重力筋（重力に抗して姿勢を維持する筋）に対して持続性の緊張を与える。
- **脚橋被蓋核**と**外背側被蓋核**には ACh 神経があり，視床に投射し大脳皮質を賦活する。これらの核は，覚醒時には青斑核と縫線核の神経活動により抑制されている。青斑核と縫線核による抑制は，睡眠で減弱し，レム睡眠では消失する。レム睡眠時に夢をみたり急速眼球運動が生じるのは，脱抑制により脚橋被蓋核と外背側被蓋核の興奮が高まるためである。
- **視床下部外側野**にはオレキシン神経，メラニン凝集ホルモン（MCH）産生ニューロンがある。オレキシンは睡眠・覚醒，摂食・エネルギー消費を制御するほか，報酬系にも関わっている。オレキシン神経は覚醒時に最も活性化し，上行性網様体賦活系を興奮させる。また，大脳皮質へ直接投射し，間接的に NA の放出を増大させる。睡眠期には休止する。高血糖やレプチンで抑制され，低血糖で活性化される。オレキシン産生ニューロンは，視床下部弓状核の α-MSH ニューロン（摂食行動の抑制），NPY/AgRP ニューロン（摂食行動の促進）の投射を受けている。オレキシン受容体にはサブタイプがあり，青斑核には 1 型，結節乳頭体核には 2 型，縫線核・脚橋被蓋核・外背側被蓋核には両者が発現している。MCH 産生ニューロンは，覚醒時には発火せず，レム睡眠中に発火する。

Q67 中枢神経系の伝達物質と受容体

- 神経伝達物質はその構造によりアミノ酸，アミン類，ペプチドに区分される。
- 興奮性伝達物質としてグルタミン酸，抑制性伝達物質としてGABAが重要である。

◆ 大脳皮質を構成するニューロンは，大きく2つに分けられる。1つはグルタミン酸作動性の興奮性ニューロンであり，全体の7～8割を占める。その形態は錐体細胞，有棘星状細胞であり，樹状突起には無数の棘突起（スパイン spine）を持ち，興奮性シナプスを形成している。残りの2～3割はGABA作動性の抑制性介在ニューロンであり，多彩な形態を示す。

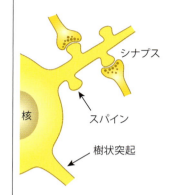

神経伝達物質と受容体の種類はQ24も参照

アミノ酸

◆ グルタミン酸は中枢神経系に多く含まれる。興奮性伝達物質の代表であり，記憶・学習などの高次機構に関与する。グルタミン酸は血液脳関門を通過せず，グルタミンから合成され，シナプス小胞に貯留される。

◆ イオンチャネル型受容体として，AMPA型，NMDA型，カイニン酸型がある。NMDA型受容体は Na^+，K^+，Ca^{2+} を透過させる（グリシンの結合が必要）。AMPA型受容体は Na^+，K^+ の透過性を増大する。AMPA型受容体とNMDA型受容体は共存しており，グルタミン酸によって両者が同時に活性化される。100Hz程度の高頻度刺激が加えられると，多くのAMPA型受容体が同時に開口し，脱分極が生じる。NMDA型受容体の Mg^{2+} ブロックも解除され，Na^+ と Ca^{2+} が透過する。この Ca^{2+} 流入がシナプスの可塑性を発現させる。☞Q71

◆ 代謝調節型受容体はG蛋白を介して作用する。

AMPA
α-amino-3-hydroxy-5-methyl-4-isoxazole propionic acid

NMDA
N-methyl-D-aspartic acid

中枢神経系における代表的な伝達物質

種 類	伝達物質	機 能
アミノ酸	グルタミン酸	興奮性シナプス伝達。記憶・学習などの高次機構に関与する
	GABA（γ-アミノ酪酸）	抑制性シナプス伝達
	グリシン	
アミン類	アセチルコリン	自律神経，運動神経，記憶・思考，睡眠・覚醒に関わる
	ドーパミン	快・不快などの情動，注意・意識，運動の制御に関わる
	ノルアドレナリン，アドレナリン	自律神経，ストレス反応，注意，不安，薬物依存に関わる
	セロトニン	睡眠・覚醒，行動を抑制する
	メラトニン	睡眠・覚醒
	ヒスタミン	
ペプチド	エンドルフィン	モルヒネの作用，鎮痛
	コレシストキニン	恐怖，食後の満足感
	副腎皮質刺激ホルモン放出因子	下垂体を刺激，気分の制御

- ◆GABA（γ-アミノ酪酸 γ-amino butiric acid）は最も重要な抑制性伝達物質であり，グルタミン酸から生成される。イオンチャネル型受容体 $GABA_A$，$GABA_C$（Cl^- 透過性を高める）と代謝調節型受容体 $GABA_B$（K^+ 透過性を高める）がある。いずれも過分極（抑制性シナプス後電位）を引き起こし，抑制性に作用する。睡眠薬や抗不安薬は GABA 受容体の作用を促進させる。
- ◆グリシンは，GABA と同様の抑制性伝達物質である。GABA が大脳に多いのに対し，グリシンは脳幹と脊髄に多く含まれる。グリシン受容体はイオンチャネル型であり，Cl^- を透過させ，抑制性シナプス後電位を引き起こす。ストリキニーネはグリシン受容体を阻害する。その結果，脊髄の運動ニューロンに対する抑制が解除され，痙攣が誘発される。

アミン類

- ◆アセチルコリンは，末梢神経（自律神経や神経筋接合部）における代表的な伝達物質であるが，中枢神経においても機能している。アセチルコリンは，ホスファチジルコリン（別名レシチン，細胞膜の成分），ホスファチジルセリンから作られる。この過程にはビタミン B_{12}，葉酸が必要である。
- ◆ドーパミンは，黒質緻密部や中脳腹側被蓋野などで産生され，大脳辺縁系で重要な役割を果たしている（☞Q60）。$D_1 \sim D_5$ 受容体がある。
- ◆セロトニンは中脳の縫線核（群）で産生され，上行性網様体賦活系（☞Q66）に関与するだけでなく，様々な作用をもたらす。イオンチャネル型受容体（$5\text{-}HT_3$）は Na^+，K^+ の透過性を高め，脱分極を生じる。$5\text{-}HT_3$ 受容体は延髄最後野に多く存在し，嘔吐を引き起こす。$5\text{-}HT_{1,2,4,5,6,7}$ は G 蛋白質共役型の代謝調節型受容体である。
- ◆ヒスタミンは毛細血管や内臓に対して多彩な作用を示すアミンであるが，中枢神経系では乳頭体の結節乳頭体核で産生される。受容体は H_1，H_2，H_3 がある。H_3 はオートレセプターである。

ペプチド

- ◆P 物質（substance P）は痛覚線維の伝達物質であり，脊髄後角に分布する（☞Q45）。作用持続時間の長い興奮性シナプス後電位を引き起こす。モルヒネは P 物質の放出を抑制する。
- ◆エンドルフィン，エンケファリンは痛覚抑制系の伝達物質である（☞Q46）。エンケファリンは脊髄後角に高濃度に存在する。K^+ チャネルの活性化，Ca^{2+} チャネルの抑制により，シナプス伝達を抑制する。
- ◆血管作動性腸ペプチド（vasoactive intestinal peptide；VIP）は，副交感神経の節後線維からアセチルコリンとともに放出され，血管を拡張させる。脳内でもアセチルコリン神経と共存している。
- ◆コレシストキニン・パンクレオザイミン（CCK-PZ）は消化管ホルモンであるが，神経系にも存在し，オピオイドの放出を阻害する。CCK 受容体は脊髄後角に，μ オピオイド受容体とともに発現している。

アセチルコリン受容体

ニコチン性受容体はイオンチャネル型受容体である。中枢神経系や自律神経節に存在する神経型と，神経筋接合部に存在する筋型がある。ニコチンは血液脳関門を容易に通過し，覚醒，ストレス緩和，振戦，痙攣などを引き起こす。

オートレセプター

細胞自身の細胞体や軸索終末部に存在し，伝達物質の産生，放出，細胞興奮性などに関与している受容体。ドーパミンの D_2 受容体は，シナプス後ニューロンだけでなく，シナプス前ニューロン（細胞自身）にも存在し，ドーパミンニューロンの活動に影響している。

Q68 ドーパミン神経と報酬系

◉ モノアミン神経伝達物質（ドーパミン，ノルアドレナリン，セロトニン，ヒスタミン）は，認知・情動などの高次神経機能に影響を及ぼしている。

ドーパミン神経

- ドーパミン神経は黒質緻密部，腹側被蓋野，視床下部にあり，錐体外路系の運動機能や内分泌に関わっている。
- **腹側被蓋野**のドーパミン神経は，扁桃体，側坐核，前頭前野，帯状皮質，辺縁皮質などへ投射している。2つの投射経路がある。
① 中脳辺縁系路：腹側被蓋野から内側前脳束を経て扁桃体，側坐核に至る経路。**快中枢（報酬系）として機能する**。快中枢が興奮すると，快感，euphoria（多幸感，陶酔感，ハイな感じ）が生じる。
② 中脳皮質路：腹側被蓋野から前頭前野に投射する。不快や不安によって活性化される。**中脳皮質路は前頭前野を抑制し，行動意欲を減退させる**。
- **扁桃体**の基底外側核は，大脳皮質連合野，視床下部からの感覚情報を受け，記憶に基づいて評価し，情動反応を引き起こす（海馬と双方向性の結合もある）。扁桃体の中心核から視床下部や中脳中心灰白質へ出力している。
- **側坐核**は，扁桃体基底外側核（快の情報），前頭前野（不安の情報），腹側被蓋野か

腹側被蓋野
中脳被蓋の腹側の領域をいう。

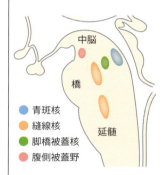

- 青斑核
- 縫線核
- 脚橋被蓋核
- 腹側被蓋野

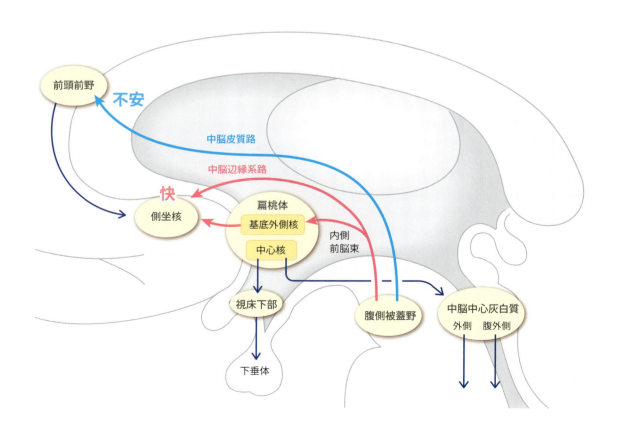

ドーパミン神経は，2〜7 Hz の自発性発射が持続している。睡眠の影響は受けないが，注意を集中するときや定位行動をとるときには，発射は一時的に停止する。

下垂体後葉から分泌されるオキシトシンは，扁桃体に作用し警戒心を緩和し，側坐核に作用し快感を生じさせる。

サイエンストピックス 135
快感は脳のどこで作られる？

ら入力を受ける。ドーパミン D_3 受容体がある。側坐核からは黒質や橋網様体へ出力している。

- ◆ 報酬系の中心は側坐核であり，報酬をもたらす刺激により興奮し，ドーパミンにより快楽が生じる。ドーパミン過剰では，幻覚，幻聴，妄想，パラノイア（陽性症状），反復運動の強迫神経症をきたす。ドーパミン減少では，集中力や注意力が低下し無気力となり，社会から離れるようになる。

報酬系と情動反応

- 情動は，単なる感情だけではなく，高次精神機能の 1 つである。本能行動（摂食，飲水，性行動，集団行動など）の中枢は視床下部にあり，欲求が満たされると快情動が生じる。大脳辺縁系は，生命にとって良いか悪いかを判断し，快・不快の情動を引き起こす。その具体的な情動行動は扁桃体によって発現する。
- ◆ 大脳辺縁系・扁桃体に報酬刺激が入ると，情動反応が生じ，腹側被蓋野のドーパミン神経が興奮し，報酬系回路が活性化される。眼窩前頭前野が刺激を受けると，腹側被蓋野へ興奮が伝わり，ドーパミン神経がさらに刺激されるループが形成され，「やる気」が生じる。
- 腹側被蓋野や側坐核にはオレキシン受容体があり，オレキシンにより活性化される。

NOTE オピオイドと報酬系

- モルヒネ，コカイン，アンフェタミン（覚醒剤）は，作用機序は異なるが，いずれも中脳辺縁系路のドーパミン神経を賦活する。一度その快感を感じると，再度体験したいという欲求が生じる（精神依存形成）。中脳辺縁系路のドーパミン経路を破壊すると，覚醒剤による報酬が著しく減少する。
- モルヒネは，GABA 線維に存在する μ 受容体を刺激し，脱抑制によりドーパミン神経を賦活する。ドーパミン放出を増加させ，快感をもたらす。
- コカインは，ドーパミン輸送体によるドーパミンの取り込みを阻害し，シナプス間隙におけるドーパミン濃度を高め，作用時間を延長させる。コカインは常用により幻覚，妄想を生じる。ラットでは，GABA 線維が減弱し，ドーパミン神経による抑制が減弱し，ドーパミン神経の長期増強が生じやすくなる。
- アンフェタミンもシナプス間隙におけるドーパミン濃度を高め，強化効果や報酬効果，ハイな感じを生じさせる。また，神経終末からノルアドレナリンを放出させ，覚醒作用を引き起こす。青斑核への刺激やヨヒンビン（α_2 受容体アンタゴニスト）投与により，恐怖反応が強くなる。
- オピオイド（脳内麻薬様物質）は，オピオイド受容体に結合しモルヒネ類似の作用を示す物質をいう。内因性オピオイドにはエンケファリン，β エンドルフィンがあり，GABA 線維から放出される。オピオイドの大量分泌は精神活動の麻痺，感情鈍麻をもたらす。現実感は消失し，離人症的症状（自分を遠くから観察する感じ）が生じる。
- 回避不能なストレス状態を長期間にわたり反復して受け続けると，脳内オピオイドに対する感受性が亢進してしまう。この状態になると，強いストレス刺激を求めるようになる。逆に，ストレス刺激の中断やオピオイド拮抗物質（ナロキサン，クロニジン）の投与により，禁断症状をきたす。

Q69 前頭前野の機能

● 前頭前野は，複雑な認知行動の計画と実行を制御している。

● 適切な社会的行動や人格の発現にも関与する。

◆ **前頭前野**とは前頭連合野のことである。前頭葉の前方で，運動野の前に位置する。

◆ 前頭前野は，中心溝をはさんで後連合野（頭頂連合野，後頭前野，側頭連合野）と密な連絡があり，末梢感覚を得て，認識・感情・記憶などの機能を担っている。視床背内側核からの直接投射を受けている。一次運動野や一次感覚野との直接の連絡は確認されていない。帯状回へ投射し，辺縁系を制御している。

◆ 前頭前野は3つの部分からなる。

① **眼窩前頭皮質**は，社会に適応し行動するための機能を担い，扁桃体を抑制的に制御している。

② **背外側前頭前野**は，実行機能（行動目標，計画，行動，予測），発動性（発話）などの機能を担う。

③ **内側前頭前野**は，自分と他者の精神状態を推測する機能を担う。前頭前野が障害されると，他者との心理的交流に支障が生じ，衝動的行動や模倣行動をとったり，アパシー（発動性低下，意欲低下，発語低下，無関心，無感動）を呈する。

感情の制御とセロトニン神経

◆ 感情の制御は，視床，扁桃体，海馬を含む大脳辺縁系，前頭前野によって行われている。左前頭前野が快の予測に，右前頭前野が不快の予測に関与している。セロトニン神経の標的細胞（扁桃体，視床下部，中脳中心灰白質）へのセロトニン放出が増えると，不安は軽減される。

◆ うつ病では，左前頭前野の機能低下により，不快予測が優位になり悲観的思考が引き起こされる。脳内セロトニンの低下により長期予測機能が低下し，将来に希望がもてなくなるためと考えられている。

Q70 ストレスに対する反応

● ストレス刺激に対する交感神経の反応の中枢は中脳中心灰白質である。

◆ 外部環境や内部環境の突発的外乱（ストレス）にさらされたとき，生体の反応には2つの反応様式がある。

① **交感神経・副腎髄質系の反応**は，キャノンの「**闘争か逃走**」の緊急反応であり，能動的反応である。この反応の中枢は中脳中心灰白質外側部である。

② **視床下部・下垂体・副腎系の反応**は，刺激が非常に強かったり，長く続き，対処し得ない場合に生じる受動的反応である。行動意欲が減退し，じっと動かなくなる（フリージング）。**セリエの三徴候**（副腎肥大，胸腺・リンパ節の萎縮，胃潰瘍）が現れ，ストレス関連の障害が生じる。ストレス刺激に対する恐怖反応により青斑核のNA神経は興奮し，脳の広範な領域でNAの分泌が増加する。NAの増加により恐怖反応が増強する。

中脳中心灰白質のストレス反応

◆中脳中心灰白質には情動行動に関わる2つの柱状構造がある。

①外側神経柱は，ストレス刺激に対して積極的に対処する情動行動に関わる。すなわち威嚇・防御・逃避であり，そのために血圧上昇，心拍上昇，骨格筋への血流増加が誘発される。体表痛は外側神経柱を興奮させ，これらの情動行動を引き起こす。α_2受容体をもち，ノルアドレナリンで抑制（過分極）される。

②腹外側神経柱は，重症・慢性疼痛時の反応と同様な反応であるフリージング（動かなくなる）や無反応に関わる。腹外側神経柱の尾側を刺激すると，長く続く鎮痛効果が出現する。深部痛や内臓痛は腹外側神経柱を興奮させ，血圧低下，心拍低下を引き起こす。α_1受容体をもち，ノルアドレナリンで興奮（脱分極）する。

中脳中心灰白質の機能

	外側神経柱	腹外側神経柱
ストレス刺激に対して	能動的反応 威嚇・逃走反応	受動的反応 動かなくなる反応
反応する刺激の種類	体表痛	深部痛・内臓痛
刺激に対する反応	血圧上昇，頻脈	血圧低下，徐脈
受容体	α_2受容体	α_1受容体
NA に対する反応	過分極	脱分極

◆情動の発現には中脳中心灰白質が不可欠である。中脳中心灰白質へは扁桃体の中心核，内側視索前野からの投射がある。快の情動行動は腹外側神経柱へ，不快の情動行動は外側神経柱へ伝達される。

◆中脳中心灰白質からは，延髄腹外側野と延髄縫線核群へ投射する。延髄腹外側野には血管運動中枢があり，交感神経を介して血管を収縮させ，血圧を上げる。延髄の疑核には副交感神経の節前神経が存在し，心臓を抑制する。

視床下部・下垂体・副腎系のストレス反応

◆脅威や恐怖を回避できず，受動的反応が生じる場合（うつ病や情動障害）には，視床下部室傍核からの CRH 放出が増加し，下垂体・副腎皮質が刺激され，血中コルチゾールが増加する。さらに長期間のストレスでは CRH は低下するが，ACTH, コルチゾールは高値となってしまう。このときの ACTH 分泌はバゾプレッシンにより刺激されている。

◆ストレスが長期に及ぶと，回避行動がとまり，無痛覚の状態になる（オピオイドの作用による）。NA は減少する。NA の減少が繰り返されると，NA に対する感受性が高まり，ささいな刺激に対して過敏に攻撃・逃避反応を示すようになる。

◆縫線核は，青斑核（NA 神経）からの持続的刺激を受けているが，生理的状態では頭打ちの状態にあると考えられる。セロトニンは他の神経系を抑制し，過剰な興奮や衝動を抑制する方向に，気分を興奮させる方向に働く。長期間のストレスではセロトニンが枯渇し，これらの症状を軽減することが困難になってくる。

CRH とバゾプレッシン

CRH（corticotropin-releasing hormone；副腎皮質刺激ホルモン放出ホルモン）は，視床下部室傍核の小型神経細胞で産生される。ストレス下では CRH ニューロンはバゾプレッシンを産生し，下垂体からの ACTH（副腎皮質刺激ホルモン）分泌を刺激する（☞ Q166）。長期間のコルチゾール分泌は，海馬体の神経細胞の萎縮を引き起こす。

Q71 記憶と学習

- ◉ 短期記憶には海馬が関わっている。
- ◉ 高頻度刺激によってシナプスの伝達効率が変化する。

◆ 記憶には、意識にのぼる記憶（顕在記憶, **陳述記憶**）と、体で覚える記憶（潜在記憶, **手続き記憶**）がある。潜在記憶には大脳皮質の運動前野、大脳基底核、小脳などが関わる。

記憶の流れ

◆ 顕在記憶は、視覚・聴覚などの感覚情報が大脳皮質連合野で処理され、海馬領域で符号化され、連合野に投射・蓄積される。ある出来事が生じた直後の短時間の記憶は**即時記憶**（作業記憶）と呼ばれ、大脳皮質の**前頭野で行われる**。その後、数分〜数日間のうちに**海馬で情報処理と符号化が行われ、短期記憶**となる。この間に過去の記憶との照合・関連付けが行われ、大脳皮質に蓄積され検索・再生可能な**長期記憶**となる。

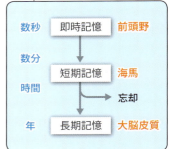

◆ 運動の短期記憶（数時間〜1日間）は小脳皮質に形成され、週単位の長期記憶は前庭核や小脳核に保持されると考えられる。**短期記憶は1日以内に消失し**、1週間の学習も2〜3週間で消失する。

◆ 海馬での情報処理は、海馬傍回や嗅内野からの入力を受け、嗅内野、視床、視床下部、線条体などへ出力している。海馬は扁桃体、前頭葉、側坐核とも結合しており、感情や情動が記憶や学習に影響している。

◆ 感情の回路はヤコブレフの回路と呼ばれ、扁桃体、視床内側核、前頭前野、帯状回前部で構成されている。記憶の回路とも密接な関係がある。感情が高ぶると、記憶が強化される（良くも悪くも、よく覚えている）。

◆ 新しいことを記憶できない状態を**順向性健忘**、思い出せないことを**逆向性健忘**という。睡眠は学習で得たことを固定化することを助ける。

シナプスの可塑性

◆ 記憶と学習のメカニズムには、シナプスの可塑性が関わっている。「可塑性」とは外界からの刺激によって構造・機能を変化させることをいう。

◆ 高頻度刺激によりシナプスの反応が大きくなり、その後しばらくの間（数時間〜数日）伝達効率が良くなる現象をシナプスの**長期増強**という。長期増強は海馬、扁桃体、大脳皮質でみられ、記憶の維持・増強に寄与していると考えられる。

◆ 海馬では、興奮性伝達物質である**グルタミン酸**がシナプス後膜の **AMPA 型受容体**に結合すると、シナプス後ニューロンが興奮する。後ニューロンの興奮・発火が続くと、**NMDA 型受容体**が開口し Ca イオンを通過させる。この Ca イオン流入は細胞内情報伝達系を刺激し、蛋白合成が活性化され、シナプスの反応を増強させる。具体的には、ある蛋白質（RNG105）が RNA 顆粒（mRNA の輸送と翻訳を制御している）から解離することにより、mRNA が機能し局所的蛋白合成が活性化される。この反応が抑制されると、海馬の回路には長期増強が生ぜず、長期記憶が形成されなくなる。**短期記憶では蛋白質のリン酸化が起こるが、長期記憶の段階では転写因子を介して蛋白質合成が行われる。**

数字暗記のような数秒間の記憶には、海馬は関わっていない。

眼球間転位
一側の眼だけで図形を学習すると、他眼でも図形を識別できる（脳梁が切断された状態では識別できない）。

コルサコフ症候群
乳頭体、海馬回、帯状回が障害されると、記憶の固定が障害され、新しい事柄を記憶できなくなる。

サイエンストピックス 65
記憶を覚えたまま長続きさせる仕組み（シナプスタグ）を解明

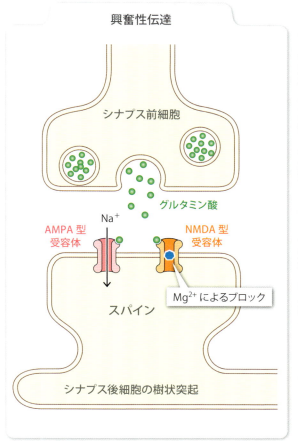

興奮性伝達

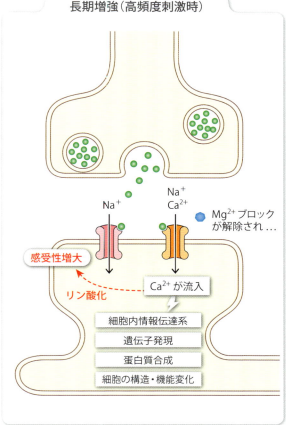

長期増強（高頻度刺激時）

- ◆ シナプスの構造を変化させるのは，細胞骨格を形づくっているアクチンである。長期増強ではアクチンが重合しシナプスが大きくなる。逆に長期抑制ではシナプスは小さくなる。
- ◆ 脳の神経細胞には，1つの細胞に数千ものシナプスがあり，これらのシナプスの入力によって，その神経細胞の活動が左右される。神経細胞の密度は小児期に減少するが，シナプスの密度は成人のレベルでいったん落ち着く（その後減少）。つまり，シナプスを形成しない神経細胞は死滅し，生き残った細胞間でシナプスが増加する。

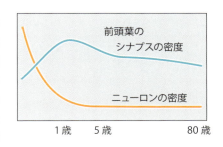

- ◆ 樹状突起スパインとは，神経細胞の樹状突起から突き出ている部分であり，興奮性シナプスである。樹状突起スパインの数，大きさ，形状の変化が，シナプスの可塑性に影響する。

サイレントシナプス

シナプスにおいて伝達物質の放出・拡散・受容のいずれかの段階が不完全になったもので，通常はシナプスとして機能していないが，ある刺激によって伝達可能となるものをいう。

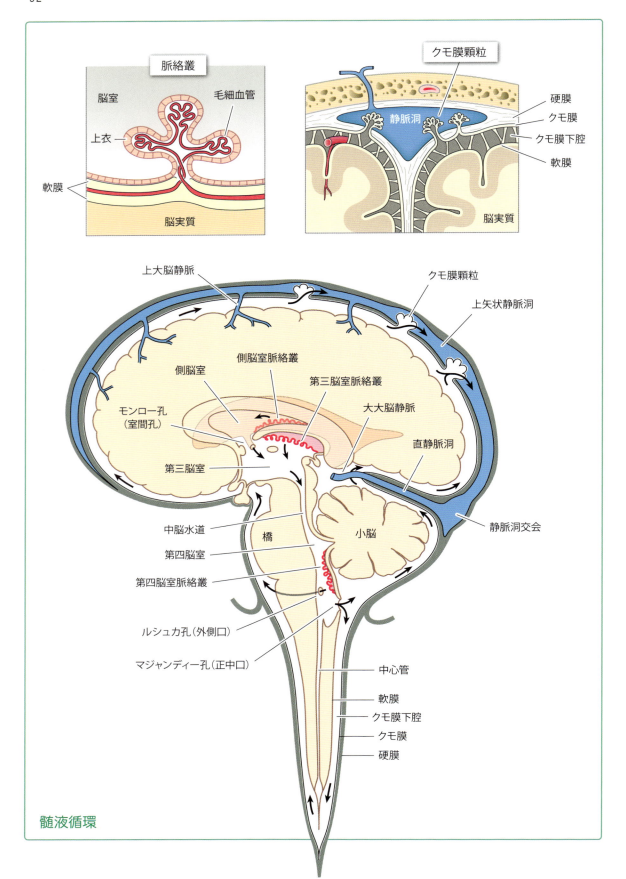

Q72 血液脳関門，髄液循環

- 脳組織は血液脳関門によって血液成分の変動から保護されている。
- グルコースやアミノ酸は輸送体によって脳組織に供給される。
- 髄液は，浮力によって脳を軽くし，クッションとしても働く。

血液脳関門

- 中枢神経（脳と脊髄）の毛細血管は他の組織と異なり，物質を透過しにくい。特に蛋白質，蔗糖，ヨードはほとんど透過しない。このバリアー機能を血液脳関門という。

- 脳の毛細血管では，内皮細胞間にタイトジャンクションが形成され，細胞どうしが密着している。さらに，内皮はグリア細胞の突起に裏打ちされており，物質の通過を阻止している。脂溶性物質は細胞膜を介して拡散するが，水溶性物質は拡散できない。取り込み輸送により，グルコース，中性アミノ酸，塩基性アミノ酸，有機カチオンが取り込まれる。排出されるものには，有機アニオン（パラアミノ馬尿酸，タウロコール酸），興奮性アミノ酸，抑制性アミノ酸がある。

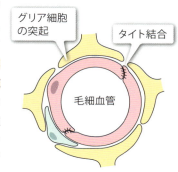

- 脳室周囲器官：脳弓下器官，終板脈絡器官，交連下器官，最後野をいう。これらの部位には血液脳関門がなく，血管透過性が高い。そのため，血液成分の変化を感知する化学受容器として機能している。脳弓下器官は飲水行動，終板脈絡器官はADH分泌，最後野はアンジオテンシンIIによる血圧上昇をもたらす。

脳脊髄液

- 脳脊髄液の容量は成人で約150 mLあり，その中に脳が浮いている。脳の重さは約1,400 gであるが，浮力によって軽くなる。また，脳脊髄液は外力から脳を守るクッションの役目を果たしている。

- 脳脊髄液は側脳室，第三脳室，第四脳室の脈絡叢で産生される。1日の産生量は450 mL/日であり，第四脳室のマジャンディ孔やルシュカ孔からクモ膜下腔へ流れ，クモ膜顆粒から静脈洞へ吸収されている。脳脊髄液の圧は腰椎穿刺により測定され，12〜15 cmH$_2$Oである。

- 脳脊髄液は無色透明である。浸透圧は血漿と同じであるが，糖は血糖の7割程度で，蛋白質はきわめて少ない。もし蛋白質が多ければ，黄色調（キサントクロミー）を呈する。クモ膜下出血や脳出血では血液が混入する。髄膜炎では白血球が顕著にみられ，結核性髄膜炎ではフィブリンが析出する。

- 脈絡叢の毛細血管も物質の通過を制限する（血液髄液関門）。水，O_2，CO_2は自由に通過する。

タイト結合（tight junction）
上皮細胞間にみられる結合様式。その密着性は胃・大腸・腎遠位尿細管では高い。小腸・近位尿細管では密着性が低く，電解質や水が単純拡散により移動する。

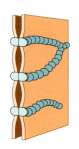

脈絡叢
毛細血管が上衣細胞とともに脳室内に突出している部位。

7 血液

Q73 体液と血液の組成

◉ 血液は体重の 8%を占め，その電解質組成は細胞外液を反映している。

- 体重の 60%は水分であり，40%が細胞内液，20%が細胞外液である。
- **細胞内液**の組成の特徴は，K^+（150 mEq/L）とリン酸 PO_4^{3-}（120 mEq/L）が多く，Na^+ は少なく，Ca^{2+} 濃度はずっと低い。pH は 7.0 である。
- **細胞外液**は血漿（5%）と組織間液（15%）に区分されるが，電解質は相互に交通しほぼ同じ組成とみなせる。血清電解質の目安は，Na^+ 140，K^+ 5，Ca^{2+} 5，Cl^- 100，HCO_3^- 24 mEq/L であり，pH は 7.4 である。血清 Ca（4.2〜5.2 mEq/L，8.4〜10.4 mg/dL）は血清中の全 Ca を意味し，半分はイオン化（2.1〜2.6 mEq/L）し，残りは蛋白質と結合している。
- 血液は体重の 8%（1/13，比重 1.0 として）を占め，血球成分と**血漿** plasma に区分される。採血後，放置しておくと凝固する（血液凝固系が作用し，フィブリンが析出する）。遠心分離後の上澄み成分を**血清** serum という。
- 血球成分の大部分は赤血球が占め，その容積の全血に対する比率を**ヘマトクリット** Ht（♂45%，♀40%）という。赤血球数の目安は♂500万/μL，♀450万/μL である。血小板と白血球の容積は 0.5%に過ぎない。どちらも正常域は幅広く，血小板数 15〜35 万，白血球数 4,000〜9,000/μL である。白血球の大半は好中球とリンパ球である（狭義の白血球は好中球，好酸球，好塩基球をいう）。

体液の区分

血漿 5%
組織間液 15%
細胞内液 40%

（% は体重に占める割合）

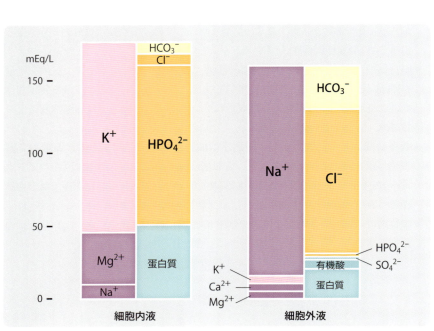

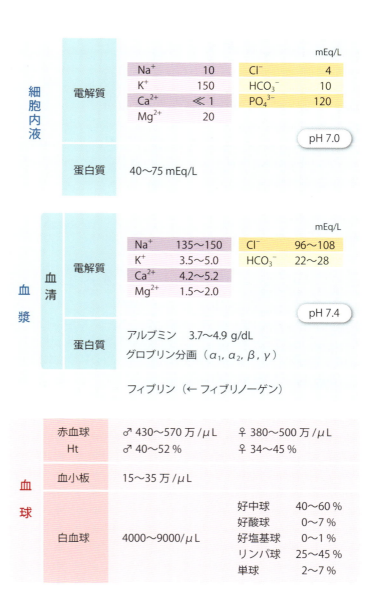

全血の比重測定は安価で簡便であり，献血の適否判定（全血比重 1.052 以上，またはヘモグロビン 12 g/dL 以上）に用いられる。

粘度測定法（Hess 法）

2 本のガラス毛細管の一端に蒸留水と検体血液を満たし，同一圧力で吸引し，試料が移動した距離を測定し，その比をとる。

- 血漿には 6.5 ～ 8 g の蛋白質が含まれている。血漿蛋白質は電気泳動法により区分され，分子量の小さい順からアルブミン，α_1-グロブリン，α_2-グロブリン，β-グロブリン，φ-グロブリン（＝フィブリノーゲン），γ-グロブリンと名付けられている。蛋白質と結合した物質は，腎糸球体で濾過されず血中に保持され，運搬される。
- 全血の比重は硫酸銅法で♂ 1.057，♀ 1.053，血漿の比重は 1.025 ～ 1.06，血清の比重は 1.024 ～ 1.028 である。これらの比重は，ヘマトクリット，ヘモグロビン，蛋白質濃度が増加すると大きくなり，逆に貧血では小さくなる。
- 全血の粘度（蒸留水のそれに対する比）は♂ 4.74，♀ 4.40，血漿粘度は 1.72 ～ 2.03，血清粘度は 1.7 ～ 2.0 である。赤血球数の増加，蛋白質濃度の上昇，血液水分量の減少により血液の粘度は高くなり，心ポンプ機能への負担となる。

Q74 アルブミンと膠質浸透圧

- アルブミンは肝臓で産生される蛋白質であり，膠質浸透圧を維持する。
- アルブミンは様々な物質を結合して運搬する。

血漿蛋白質

- アルブミンは分子量6.6万の小さな蛋白質であるが，血漿蛋白質の半分以上を占める（約4.5 g/dL）。アルブミン/グロブリン比（A/G比）は1.4～2.4である。アルブミンは肝臓で産生（0.2 g/kg/day）され，半減期は約17日である。

- アルブミンの4割は血中に存在し，6割は血管外（組織間液）にある。血中のアルブミンは，アミノ酸，脂肪酸，Ca，ビリルビンなどを結合し運搬している。細胞内に取り込まれた血漿蛋白質はアミノ酸まで分解され，蛋白合成の素材として利用される。

- グロブリン分画の中には種々の蛋白質が存在する。α_1-グロブリンにはサイロキシン結合グロブリン（甲状腺ホルモンの運搬），α_2-グロブリンにはハプトグロビン（ヘモグロビンと結合），セルロプラスミン（銅の運搬），β-グロブリンにはトランスフェリン（鉄の運搬），β-リポ蛋白質（脂質の運搬），C3（補体第3成分），γ-グロブリンには免疫グロブリン（IgG，IgA，IgM）が含まれている。

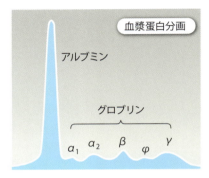

血漿蛋白分画

血漿膠質浸透圧

- 浸透圧とは，溶質（物質）の通過を制限する半透膜で隔てられた状態で，溶媒（水分子）が拡散する圧力をいう。浸透圧は溶質粒子の個数（モル濃度）に比例し，理想溶液1モルの浸透圧を1オスモルOsmという（通常はmOsmが使用され，1 mOsm/kgH$_2$Oは19.3 mmHgに換算される）。

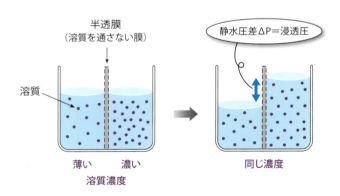

- 血清電解質による浸透圧を晶質浸透圧といい，約290 mOsmである（290 mOsmの圧力は5,600 mmHgに相当する）。これと等しい浸透圧を持つ溶液を等張性といい，0.9%食塩水（生理食塩水），5%グルコース液が該当する。晶質浸透圧は細胞膜や血液脳関門での水分の移動を左右する。

- 血漿蛋白質による浸透圧を膠質浸透圧といい，約28 mmHgである。浸透圧は溶質の個数に依存するため，グロブリンよりも粒子の数が多いアルブミンが膠質浸透圧の主役である。アルブミン1 gは水20 mLを保持できる。

膠質

膠質とは"colloid"の訳で，コロイド溶液を指している。すなわち溶質が溶媒中に均一に分散した状態をいう。

等張液

体液と浸透圧が等しい溶液。体液と比較して浸透圧が高い溶液は高張液，低い溶液は低張液という。

浸透圧性下剤

浸透圧勾配を利用して腸管内に水分を保持し，便を軟らかくする。酸化マグネシウムが下剤として使われている。

◆膠質浸透圧は，毛細血管（血液 ⇔ 組織間液，腎糸球体）での水分の移動を左右する。間質の蛋白質は血漿蛋白質濃度の40％足らずであり，これによる膠質浸透圧は8 mmHgである。アルブミンの産生が低下する肝硬変では，膠質浸透圧が低下し組織間質に水が移動し，浮腫が生じる。

浸透圧の算出法

◆浸透圧は，溶質の粒子間の相互干渉がない場合には，次式で表せる。

$$P = 濃度 C（モル / 体積）\times 気体定数 R \times 絶対温度 T$$

$$R = 0.082 \quad (1 atm) / (deg \cdot mol)$$

たとえば0.9％食塩水（Na 0.155 mol/L，Cl 0.155 mol/L），体温37℃では，

$$P = (0.155 + 0.155) \times 0.082 \times (273 + 37) = 7.88 atm$$
$$= 5989 mmHg$$
$$= 310 mOsm/kgH_2O$$

となる。

◆NaClの75％は解離しイオンとして，25％はNaClとして溶存する。したがって[$0.75 Na^+ + 0.75 Cl^- + 0.25 NaCl$]の浸透圧活性を持つ。血清の7％が蛋白や脂肪で占められ，水分は93％であることを考慮すると，[$(1.75/0.93) \times Na = 1.88 \times Na^+$]と算出される。$K^+$，$Ca^{2+}$，$Mg^{2+}$は[$0.12 \times 各電解質$]により算出する。

◆浸透圧は溶質の濃度に比例するので，高血糖や高BUN血症では，

$$血漿浸透圧 = ([Na^+] + [K^+]) \times 2 + [グルコース] / 18 + [BUN] / 2.8$$

として算出できる。ただし，BUNは細胞膜を容易に透過するので，細胞内外の浸透圧差には影響しない。

BUN

blood urea nitrogen
血中尿素窒素

✏️ NOTE 溶液の濃度を表す単位

- **モル（mol）**：物質の量を表す単位。グラム分子量で示す。 1 mol = 6×10^{23} 分子
- **アボガドロ数**（6.023×10^{23}）は，0℃，1気圧下で22.4 Lの気体に含まれる分子数であり，気体の種類によらず一定である。
- **モル濃度**（mol/L；M）：溶液1 L中の溶質をモル数で表した濃度。
- **当量**（equivalent；Eq）：イオンのモル数をイオンの原子価で割った値。電気的にみたモルに相当する量である。通常はmEqを用いる。電荷を考慮して，モルに価数（イオンが持っている電荷の数）をかける。Na^+，K^+，Cl^-は1価，Ca^{2+}，Mg^{2+}は2価である。
  - **Na** 原子量23，1価；322 mg/dL = 14 mmol/dL = 140 mM = 140 mEq/L
  - **Ca** 原子量40，2価；10 mg/dL = 0.25 mmol/dL = 2.5 mM = 5 mEq/L

- **オスモル**（osmole）：1モルの理想溶液と等しい浸透圧を示す濃度を1オスモルという。通常はmOsmを用いる。血漿中の陽イオンと陰イオンの濃度の和から血漿浸透圧は300 mOsm/Lと算出されるが，実際の血漿浸透圧は290 mOsm/Lである。この差は，血漿が理想溶液ではなく，イオン相互干渉により自由に動ける粒子の数が減少することによる。
  - 容量オスモル＝全粒子の全モル数／溶媒1 L
  - 重量オスモル＝全粒子の全モル数／溶媒1 kg
- **水の硬度**：WHOでは，Ca^{2+}とMg^{2+}の量を炭酸カルシウム $CaCO_3$ に換算した濃度として表す。
  - 硬度 [mg/L] = （Ca [M] + Mg [M]）× 100（$CaCO_3$分子量）=（Ca [mg/L] ／ 40（Ca原子量）+ Mg [mg/L] ／ 24.3（Mg原子量））× 100
  - 軟水 0〜60，中等度軟水 60〜120，硬水 120〜180，非常な硬水 180以上

Q75 血液の酸・塩基平衡

- エネルギー代謝の結果生じた酸は，肺と腎臓から排泄される。
- 血液 pH は 4 つの緩衝系により一定に保たれている。

◆ 細胞呼吸により 1 日 15,000 〜 20,000 mEq の CO_2 が生成される。CO_2 は H_2O と反応して炭酸 H_2CO_3 となり，これが解離して H^+ が生じる。また，代謝の中間産物として不揮発性の酸（リン酸や硫酸，乳酸など）が 1 日約 50 mEq 生成される。CO_2 は肺から，不揮発性の酸は腎臓から排泄され，血液が酸性に傾かないようにしている。

◆ 血液の pH は 7.35 〜 7.45 である。pH は常用対数で表される。pH = − log [H^+] であり，水素イオン濃度 [H^+] で表すと 35 〜 45 nM/L である。血清 Na（135 〜 150 mM/L）などの電解質と比較して，pH は非常に狭い範囲に維持されている。

◆ H^+ の変動分を吸収する緩衝系には，①炭酸–重炭酸系，②血漿蛋白質系，③ヘモグロビン系，④リン酸系（主に細胞内）がある。炭酸–重炭酸系の緩衝作用により増加した CO_2 は肺から排出されるので，CO_2 は揮発性の酸，炭酸–重炭酸系は開放系とも呼ばれる。

酸・塩基平衡

◆ 酸についての反応式は，HB ⇌ H^+ + B^- と表される。酸 HB は H^+ を放つことのできる物質をいい，H^+ を結合する物質を塩基 B^- という。生体内では平衡状態にあり，解離定数 k は一定の値をとる。

$$k\,(解離定数) = \frac{[H^+][B^-]}{[HB]}$$

この式の対数をとり変形すると，次の式が得られる。

$$pH = pK + \log \frac{[B^-]}{[HB]}$$

この関係式を Henderson-Hasselbalch の式という（弱酸の解離）。

◆ 外部から Δ 分の酸 [H^+] が追加されると，一部の ΔH$^+$ が ΔB$^-$ と結合し，H^+ の増加分が (Δ − ⊿) に抑えられる。この働きを緩衝作用という。

◆ 緩衝作用は B^- が多いほど大きいと思えるが，その分 H^+ も多くなることを考慮すると，緩衝作用が最大になるのは 50%解離した状態，[HB] = [A^-] = [B^-] の場合である。このとき pH = pK であり，pK は，緩衝作用が最大になるときの pH であるともいえる。pH 7.40 に近い pK を持つ系が有用な緩衝系となる。弱酸が併存することにより，H^+ の増減が緩衝される。

◆ 緩衝作用の大きさは，緩衝価 β で評価される。

$$\beta = \frac{\Delta B\,(加えた酸，塩基の量)}{\varDelta pH\,(pHの変換分)} \quad (mmol/L/pH)$$

β の値は，炭酸–重炭酸系 2.22，血漿蛋白質系 4.22，ヘモグロビン系 21.24，リン酸系 2.19 である。

常用対数

10 を底とする対数
$x = \log_{10} A$, $10^x = A$
10 を省略して単に log と書くことが多い。

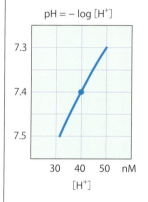

pH = − log [H^+]

水の解離定数

水はわずかに解離している。$H_2O \Leftrightarrow H^+ + OH^-$ の解離定数 k は 10^{-14} であり，[H^+] は 100 nM/L，pH = 7.0 である。

pK = − log k

炭酸–重炭酸系の pK	6.1
リン酸の pK	6.8
乳酸の pK	3.9

体液の電荷

体液の電荷は，陽イオン（カチオン）＝陰イオン（アニオン）の状態にある。主な陽イオンは Na^+，陰イオンは Cl^- と HCO_3^- である。そのほか「測定されない微量なイオン」として，陰イオンは有機酸，無機リン酸，アルブミン，陽イオンは K^+，Ca^{2+}，Mg^{2+}，IgG などがある。

アニオンギャップ（AG）

$[Na^+]-[Cl^-]-[HCO_3^-]$ により算出する（正常値 ＝ 12±2 mEq/L）。アニオンギャップの増加は，アルブミンの増減がなければ，「測定されない陰イオン」の増加である。実質的には有機酸の増加を意味し，代謝性アシドーシス（糖尿病性アシドーシス，乳酸アシドーシス，尿毒症など）の状態にある。

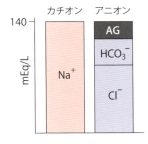

血漿中のイオン化無機リンは $H_2PO_4^-$（8割），HPO_4^{2-}（2割）の形で存在している。

血液の緩衝作用

(1) 炭酸−重炭酸系

◆ CO_2 が炭酸を生じる反応は，<u>炭酸脱水酵素</u>（carbonic anhydrase ; CA）が触媒する。

$$CO_2 + H_2O \underset{}{\overset{CA}{\rightleftharpoons}} H_2CO_3 \rightleftharpoons H^+ + HCO_3^-$$

◆ この反応は実質的に $CO_2 + H_2O \rightleftharpoons H^+ + HCO_3^-$ と表され，次の式が得られる。

$$pH = pK + \log \frac{[HCO_3^-]}{[CO_2]} \quad (pK\ 6.10)$$

◆ CO_2 を P_{CO_2} による溶解度（37℃で 0.03 mmol/L/mmHg）で書き改めると，

$$pH = 6.1 + \log \frac{[HCO_3^-]}{P_{CO_2} \times 0.03}$$

◆ この系に酸 H^+ が追加された場合，その影響は緩衝され，CO_2 は増加し，HCO_3^- は減少する。P_{CO_2} が 40 mmHg（CO_2 1.2 mmol/L）以下では，CO_2 は通常の換気によって肺から排出される。もし，CO_2 が増加し P_{CO_2} が上昇すると，換気量が増大し CO_2 の排出が促進され，pH の低下はより是正される（<u>呼吸性代償</u>）。

> **計算例**：pH 7.4（$[H^+]$ 40 nM/L），P_{CO_2} 40 mmHg（$[CO_2]$ 1.2 mM/L），$[HCO_3^-]$ 24 mM/L の状態に，$[H^+]$ が 0.639 mM/L 追加された場合を考える。
> $CO_2 + H_2O \rightleftharpoons H^+ + HCO_3^-$ の平衡状態では，
> k ＝ $[H^+][HCO_3^-] / [CO_2][H_2O]$　が一定値となり，
> $[H^+]$ ＝ k $[H_2O][CO_2] / [HCO_3^-]$　（k $[H_2O]$ は 800 nM/L）
> 　　　＝（800 × $[CO_2]$）/ $[HCO_3^-]$　設定条件を代入すると
> 　　　＝（800 × 1.2 mM/L）/（24 mM/L）　となる。
> ここに 0.639 mM/L の酸が追加されると，反応式は左へ進み，HCO_3^- は 0.639 mM 減少し，CO_2 は 0.639 mM 増加する。その結果，
> 　　$[H^+]$ ＝（800 ×（1.2 ＋ 0.639））/（24 − 0.639）＝ 62.8　　pH ＝ 7.2 となる。
> $[H^+]$ 40 nM/L の溶液に 639 nM/L の酸が追加された場合の $[H^+]$ の変化は，679 nM/L ではなく，緩衝系によって 62.8 nM/L へ変化するのみである。また，P_{CO_2} は（1.2 ＋ 0.639）＝ 0.03 × P_{CO_2} から，61.3 と算出される。正常値の 40 mmHg を越えるため換気量が多くなり，P_{CO_2}，$[CO_2]$ は是正される方向に変化する。

(2) 血漿蛋白質系

◆ カルボキシル基では $COOH \rightleftharpoons H^+ + COO^-$，アミノ基では $NH_2 + H^+ \rightleftharpoons NH_3^+$ の反応が生じる。いずれも $[H^+]$ の緩衝系として作用する。

(3) ヘモグロビン系

◆ $Hb \rightleftharpoons H^+ + Hb^-$（pK 7.6）と表される。ヘモグロビンのヒスチジンに H^+ が結合することによる。

(4) リン酸系

◆ $H_2PO_4^- \rightleftharpoons H^+ + HPO_4^{2-}$（pK 6.80）と表され，リン酸濃度が高い細胞内で作用する緩衝系である。pH ＝ pK + log（$[HPO_4^{2-}] / [H_2PO_4^-]$）（4 : 1）

Q76 赤血球の構造

- ◉ 赤血球はヘモグロビンを含み，肺から組織へ O_2 を運び，組織から肺へ CO_2 を運搬する。
- ◉ 赤血球膜は収縮性蛋白質で裏打ちされ，弾力性がある。

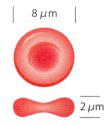

- ◆ 赤血球は，直径 $8\mu m$，厚さ $2\mu m$ の円盤状の細胞である。中央部は凹んでおり，内容量に対して表面積が大きく，ガス拡散に都合がよい。赤血球には核や細胞内小器官はないが，細胞質の嫌気性解糖系により ATP が産生される。ATP のエネルギーによって円盤状の構造が維持されている。また，赤血球膜は弾力性があり容易に変形し，狭い毛細血管を通り抜けることができる。
- ◆ 赤血球の成分の65％は水分であり，34％がヘモグロビンである。O_2 はヘモグロビンと結合して運搬される。CO_2 は，6割が重炭酸イオン HCO_3^- として，3割がヘモグロビンとのカルバミノ化合物として運搬される。
- ◆ 赤血球膜の内側には，スペクトリンという蛋白質が網目状の細胞骨格を形成し，円盤状の形態を維持している。スペクトリンは，バンド4.1蛋白，トロポミオシン，アクチンを介して膜蛋白のグリコフォリンCと結合し，またアンキリンを介して膜蛋白のバンド3蛋白と結合している。バンド3蛋白は，HCO_3^- を排出し Cl^- を取り込む輸送体である。☞ Q98

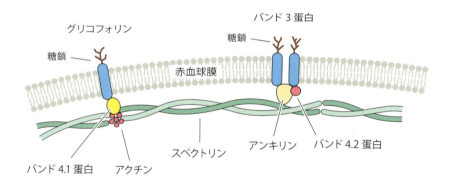

赤血球の基準値

赤血球数	♂ 430〜570万/μL	♀ 380〜500万/μL
ヘモグロビン Hb	♂ 14〜18 g/dL	♀ 12〜16 g/dL
ヘマトクリット Ht	♂ 40〜52 %	♀ 33〜45 %
平均赤血球容積 MCV	80〜100 fL（性差なし）	
平均血色素量 MCH	27〜34 pg（性差なし）	
網状赤血球の割合	赤血球の1%未満	

Ht ＝血液に対する血球成分の割合
MCV ; mean corpuscular volume ＝ Ht / 赤血球数
MCH ; mean corpuscular hemoglobin ＝ Hb / 赤血球数

Price-Jones 曲線

横軸に赤血球の直径，縦軸にその出現頻度を示したもの。正規分布に近く，平均 $7.5〜8.0\mu m$ である。鉄欠乏性貧血では左方移動（小球性貧血），悪性貧血では右方移動（大球性貧血）を示す。

遺伝性球状赤血球症

膜蛋白（スペクトリン，アンキリン，バンド3および4.2蛋白）の先天異常による。球状赤血球は脾臓を通過する際に破壊される。

赤血球のエネルギー源

赤血球にはミトコンドリアがなく，解糖系により産生される ATP が膜の裏打ち構造の維持に使われている。また，NADPH（六炭糖-リン酸塩回路により生じる）の抗酸化作用（H_2O_2 産生の防止）により膜構造やヘモグロビン機能が維持されている。

貧血

赤血球・ヘモグロビンが減少した状態。病態により赤血球の大きさ（小球性，正球性，大球性），ヘモグロビン濃度（低色素性，正色素性）は様々である。

Q77 赤血球の分化・成熟

● 赤血球の産生はエリスロポエチンにより調節されている。

- 赤血球は，5歳まではどの骨髄でも産生されているが，成人では胸骨，肋骨，椎体などの扁平骨（赤色骨髄）に限られてくる。他の骨髄は脂肪で置換され，黄色骨髄となる。
- 赤血球は，骨髄系幹細胞由来の前駆細胞である **CFU-E** から，前赤芽球，赤芽球を経て，脱核して網状赤血球となり血中に放出される。1～2日以内にミトコンドリアやリボソームが消失し，成熟した赤血球となる。網状赤血球の割合は赤血球の1%未満であるが，赤血球の産生が増加すると，この割合が高まる。
- 赤血球の産生はエリスロポエチンにより調節されている。エリスロポエチンは腎臓（9割）や肝臓で産生され，その組織の酸素分圧が低下することにより分泌が亢進する（☞Q134）。エリスロポエチンはCFU-Eの分裂・増殖を促進する。
- 前赤芽球は3～5回分裂（8～32個に増殖）する。この際，DNA合成に葉酸とビタミン B_{12}（コバラミン）が必要であり，ヘモグロビンの合成に鉄が必要である。これらが不足すると，巨赤芽球性貧血（悪性貧血），鉄欠乏性貧血となる。

CFU-E
colony forming unit-erythroid
赤芽球コロニー形成単位

エリスロポエチン受容体
エリスロポエチンが赤芽球前駆細胞の受容体に結合すると，JAK2，STAT5のリン酸化が生じ，STAT5が核内に移行し転写因子として作用する。

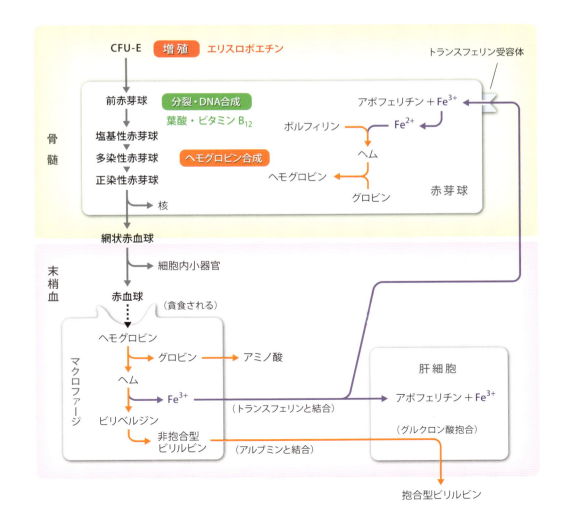

Q78 ヘモグロビンの合成

● ヘモグロビンの原料は、グロビン蛋白、プロトポルフィリンと鉄である。

- ヘモグロビン Hb は分子量 65,000 の蛋白質である。血色素とも呼ばれ、O_2 と CO_2 の運搬、血液の酸塩基平衡に働いている。
- ヘモグロビンは、4本のグロビン蛋白（α鎖、β鎖各2本）に4分子のヘムが組み込まれたものであり、ヘムはプロトポルフィリンに鉄原子が組み込まれたものである。各鉄原子に酸素分子が結合し、1つの Hb で4分子の O_2 を結合できる。胎児ヘモグロビン HbF は α鎖、γ鎖のグロビン蛋白からなり、成人ヘモグロビン HbA よりも酸素を結合しやすい。
- ヘモグロビンの鉄が2価であるものをデオキシヘモグロビン（還元ヘモグロビン）といい、これに酸素分子が結合したものをオキシヘモグロビン（酸素ヘモグロビン HbO_2）という。3価の鉄（酸化されたもの、メトヘモグロビン）は酸素結合能がない。3価の鉄は、赤血球中のメトヘモグロビン還元酵素により2価へ還元され、酸素を結合できるようになる。
- 一酸化炭素は、酸素よりもはるかにヘモグロビンと結合しやすい（CO中毒）。

ヘモグロビンの合成過程

- 赤芽球のミトコンドリア内で、スクシニル CoA（TCA回路の中間代謝物）とグリシンが重合し、δ-アミノレブリン酸（δ-ALA）が合成される。δ-ALA は細胞質へ移行し、2分子が縮合してポルホビリノーゲンが生成される。4分子のポルホビリノーゲンの縮合によりコプロポルフィリノゲンが生成され、ミトコンドリアへ移行してプロトポルフィリンとなる。ヘム合成酵素によって鉄が組み込まれ、ヘムが生成される。ヘムは細胞質へ移行し、グロビン蛋白と結合し、ヘモグロビンが完成する。

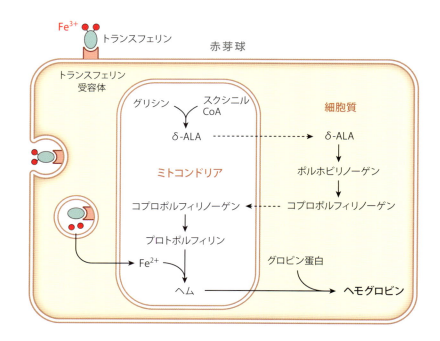

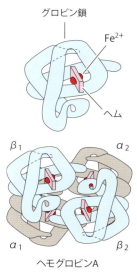

HbA ; adult hemoglobin
HbF ; fetal hemoglobin

鉛中毒
無機鉛は、チオール基（SH基）に強く結合しアミノレブリン酸脱水酵素とヘム合成酵素を阻害し、貧血を引き起こす。

サラセミア
遺伝子の機能低下によりグロビン蛋白の合成が低下し、貧血をきたす。

鎌状赤血球症
β鎖の6番目のアミノ酸が置き換わった異常ヘモグロビン（HbS）が生じる。酸素分圧が低いと、HbS は凝集し、赤血球は鎌状に変形してしまう。

Q79 赤血球の寿命とヘモグロビンの分解

- ● 赤血球の寿命は120日で，主に脾臓で破壊される。
- ● マクロファージ内でヘムはビリルビンに変換される。
- ● ヘモグロビンから放出された鉄は，骨髄で再利用される。

◆ 老化した赤血球は変形能が低下し，脾臓の赤脾髄や肝臓の類洞で捕捉され，マクロファージによって貪食，破壊される。赤血球膜が破れ，ヘモグロビンが放出されることを溶血という。

◆ ヘモグロビンは，血漿中ではハプトグロビンと結合して運ばれ，マクロファージに取り込まれる。マクロファージ内でヘムとグロビンに分解され，ヘムはさらに鉄とビリベルジンに分解される。ビリベルジンは還元され非抱合型ビリルビンとなり，アルブミンと結合して運ばれる。肝細胞に取り込まれグルクロン酸抱合を受け，水溶性の抱合型ビリルビンとなり胆汁中へ放出される。☞101ページ図

◆ ハプトグロビンと結合しないヘモグロビンは，腎糸球体で濾過され尿中に排泄される。非抱合型ビリルビンは，水に不溶性であり尿中には排泄されない。

鉄の体内動態

◆ 赤血球の崩壊により1日20～25 mgの鉄が放出され，骨髄でのヘモグロビン合成に再利用される。鉄は，血漿中ではトランスフェリンに結合して運搬される。赤芽球はトランスフェリン受容体を持ち，Fe・トランスフェリン複合体を取り込む。Fe^{3+}はミトコンドリアに送られ還元されFe^{2+}となり，ヘムの合成に使われる。

◆ 鉄は，細胞内ではアポフェリチンに取り込まれ，フェリチンとして貯蔵されている。アポフェリチンは数千個のFe^{3+}を収納することができるが，鉄が多いとヘモジデリンとして組織に沈着してしまう。

◆ 全身の鉄（4g）の7割はヘモグロビン中に存在し，3割はフェリチンの形で肝臓や脾臓に蓄えられている。そのほか3％がミオグロビン中に存在する。食物中の鉄はFe^{3+}であるが，胃酸により還元されFe^{2+}となり，小腸から吸収される（1 mg/日）。一方，便や尿中に1 mg/日が排泄され，出納のバランスが保たれている。

赤脾髄
特殊な洞様血管からなり，血液を濾過するザルのような構造となっている。老化赤血球や病的赤血球はここを通過できずに貪食される。

フェロポーチンとヘプシジン
血清鉄の調節は，鉄を細胞外へ放出するチャネル（フェロポーチン）と，これを制御するヘプシジン（肝臓で産生される）によって行われる。血清鉄が過剰になると，ヘプシジンが増加する。そのため，腸上皮細胞やマクロファージのフェロポーチン発現が抑制され，鉄の血中への放出が減少する。

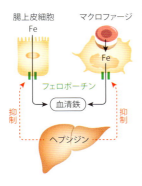

慢性疾患に伴う貧血
感染症，自己免疫疾患，炎症性腸疾患，悪性腫瘍などに伴う貧血はヘプシジン増加による。これらの慢性疾患では炎症性サイトカインが過剰に分泌されるが，なかでもIL-6は肝臓に働いてヘプシジン産生を促す。逆に，赤芽球はヘプシジン抑制因子（エリスロフェロン）を分泌し，利用可能な鉄を増加させる。

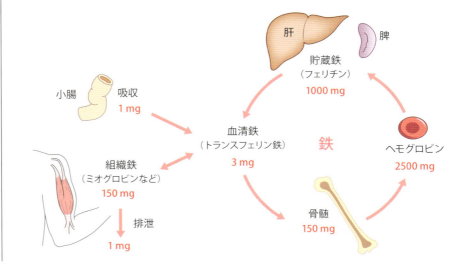

Q80 止血機序

◉ 止血は，血管収縮 ⇒ 血小板血栓の形成 ⇒ 血液凝固の順に起こる。

◉ 血小板が応急の血栓を作り，そこにフィブリンと赤血球が付着して強固な血栓となる。

◆ 血管が損傷を受けると，①血管の収縮，②血小板血栓の形成，③血液凝固が生じ，秒～分の単位で血栓が生じる。血栓は，日の単位でゆっくりと溶解される。血栓の形成と溶解は絶えず生じており，通常はこのバランスが保たれている。

血管の収縮

◆ 血管収縮は，疼痛や組織損傷による神経反射，損傷血管の直接的・局所的な収縮，血小板から放出されたトロンボキサン A_2，損傷組織から放出された液性因子などにより生じる。

血小板血栓

◆ 血管壁が損傷すると，内皮下のコラーゲン線維が露出する。コラーゲンに接触した血小板は活性化し，偽足を出して相互に結合し，収縮蛋白により収縮する。活性化した血小板は，ADP やトロンボキサン A_2 を放出する。これらの因子が他の血小板を活性化することで，より多くの血小板が凝集し，血小板血栓（一次血栓）が形成される。☞Q81

血液凝固

◆ 血漿には血液凝固因子が溶け込んでいる。第 I ～ XIII 因子があり，その多くは肝臓で合成される蛋白質である。血液凝固はこれらの因子が次々に活性化される連鎖反応であり，最終的にプロトロンビンがトロンビンに変換される。トロンビンはフィブリノーゲンをフィブリン（線維素）に変換する。析出したフィブリンが赤血球を巻き込んで赤色血栓（二次血栓）ができる。☞Q82

◆ 凝固因子の活性化には Ca^{2+} と血小板第 3 因子（リン脂質）が必要であり，血小板血栓を足場として凝固反応が進行する。クエン酸や EDTA は，Ca^{2+} を吸着し，採血後の凝固を防ぐために用いられる。

◆ 血管内に突出した血栓は，線維素溶解系（線溶系）により溶かされる。血中のプラスミノーゲンは，組織プラスミノーゲンアクチベータ（t-PA）により活性化され，プラスミンとなる。プラスミンがフィブリンを分解し，可溶性のフィブリン分解産物が生じる。t-PA と同様の作用を持つものに，ウロキナーゼやストレプトキナーゼがある。

◆ 血管壁の修復が終わった頃に血栓が溶解し，止血機序が完了する。

フィブリン分解産物

FDP : fibrin/fibrinogen degradation products

フィブリン分解産物はフィブリノーゲンやフィブリンがプラスミンにより分解されたもの（可溶性）である。D-dimer はフィブリンが分解されたものであり，血栓が生成されたことを意味している。体内では常に凝固・線溶の現象が生じており，D-dimer はゼロにはならない。

Q81 血小板血栓の形成機序

◉ 血小板膜に存在する糖蛋白が接着因子として働く。

◆ 血小板は骨髄巨核球の細胞質の一部分が血中に放出されたものである。核はないが，**濃染顆粒**（密顆粒），**α顆粒**という分泌顆粒を含む。寿命は約10日である。血小板は流血中では円形であるが，コラーゲン線維に接触すると活性化する。

血小板の活性化

◆ 濃染顆粒には ADP，ATP，セロトニン，Ca^{2+} が含まれ，α顆粒には血小板第4因子，トロンボスポンジン，フィブロネクチン，PDGF が含まれる。**von Willebrand 因子**（フォン ウィルブランド）は骨髄巨核球で産生され，血小板のα顆粒に貯蔵され，活性化により分泌される。また，血管内皮細胞でも産生され，刺激によって血中に放出される。

◆ 血小板が活性化されると脱顆粒が起こり，これらが放出される。放出された **ADP** により ADP 受容体が刺激され，血小板が活性化される。活性化した血小板では細胞膜リン脂質からのアラキドン酸代謝が進み，**トロンボキサン A_2** が放出される。トロンボキサン A_2 は血小板をさらに活性化させるとともに，血管を収縮させる。**PDGF** は，血管平滑筋や線維芽細胞の増殖を促し，血管壁の修復に働く。**血小板第4因子**はヘパリンを中和し，トロンビンの活性を維持する。**血小板第3因子**（リン脂質）は，凝固系の反応の場を提供する。

血小板の粘着と凝集

◆ 血小板は**接着因子**である糖蛋白（glycoprotein；**Gp**）を持つ。Gp Ib-IX-V 複合体は von Willebrand 因子（vWF）の受容体であるが，通常は結合していない。vWF はコラーゲンに結合すると立体構造が変化し，Gp Ib と結合する。これによりコラーゲン線維－vWF－血小板が架橋され，血小板の**粘着**が始まる。活性化された血小板は，Gp Ia/IIa によりコラーゲン線維と直接的に結合する。

◆ Gp IIb/IIIa は，活性化されるとフィブリノーゲンと結合する。フィブリノーゲンの他端が別の血小板の Gp IIb/IIIa に結合することで，血小板が**凝集**する（血小板－フィブリノーゲン－血小板）。また，vWFを介しての結合（血小板－vWF－血小板）もある。

血小板は，小腸の EC 細胞で産生されたセロトニンを腸管の血管内で取り込み，濃染顆粒に蓄積している。

PDGF
platelet-derived growth factor
血小板由来成長因子

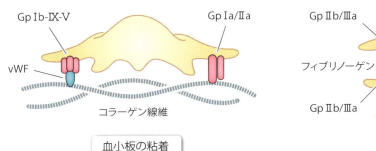

血小板の粘着

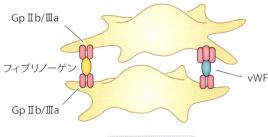

血小板の凝集

Q82 凝固系と線溶系

● 血液凝固の過程は内因系と外因系に区別されるが，プロトロンビンがトロンビンに変換される反応は共通である。

血液凝固系

◆ 内因系では，コラーゲン線維との接触により，第 XII 因子が活性化され XIIa となり，XI が活性化され XIa が生じる。XIa，Ca^{2+}，血小板第 3 因子（リン脂質）により，IX が活性化され IXa が生じる。IXa，Ca^{2+}，第 3 因子，補酵素として機能する VIIIa により，X が活性化され Xa が生じる。Xa，Ca^{2+}，第 3 因子，補酵素として機能する Va により，プロトロンビンからトロンビンが生じる。

◆ 外因系では，傷害された血管内皮細胞が組織因子を放出し凝固を開始させる。組織因子は VII と反応して VIIa・組織因子の複合体を形成し，IX，X を活性化する。

◆ トロンビンは，フィブリノーゲンをフィブリンモノマーに加水分解するとともに，XIII を活性化する。フィブリンモノマーは重合してフィブリンポリマーとなり，XIIIa によりフィブリン間に架橋が形成される。こうして強固なフィブリン網が形成され，赤血球を巻き込んで赤色血栓が完成する。

◆ トロンビンの血小板に対する作用は，①トロンビン受容体に結合し血小板を活性化する。②ビタミン K 依存性凝固因子を血小板に結合させる。③血小板の Gp Ib に結合し，その場で V, VIII, X 因子を活性化し，凝固反応を増大させる。

線維素溶解系

◆ プラスミンは，フィブリノーゲンおよびフィブリンを分解する。血中に溶けているフィブリノーゲンが溶解されることを一次線溶といい，凝固したフィブリンが溶解されることを二次線溶という。線溶系を抑制するものには，プラスミノーゲンアクチベータ・インヒビター（PA-I），プラスミンインヒビター，アンチプラスミンなどがある。

凝固阻止

◆ トロンビンが，血管内皮細胞のトロンボモジュリンに結合すると，血中のプロテインC が活性化される。活性化プロテイン C は，プロテイン S を補酵素として結合し，この複合体は VIIa と Va の分解を促進する（凝固系を抑制する）。また，活性化プロテイン C はプラスミノーゲンアクチベータ・インヒビターを阻害し，線溶系を亢進させる。

◆ アンチトロンビンは分子量 65,000 の蛋白質で，肝臓や血管内皮細胞で産生され，特に Xa，トロンビンの作用を阻害する。ヘパリンはアンチトロンビンを活性化させる。また，低分子のヘパリンは von Willebrand 因子の活性を低下させる。

◆ 正常な血管内皮細胞は，血小板機能や血液凝固系を抑制し，血栓形成を抑制している。① NO，プロスタサイクリン（PGI_2）を放出し血小板の粘着・凝集を抑制する。②細胞表面の ADPase は，血小板が放出する ADP を分解し，血小板の粘着・凝集を抑制する。③トロンボモジュリンを産生し細胞表面に発現する。④細胞表面のヘパリン様物質（ヘパラン硫酸）がアンチトロンビンの活性を促進する。⑤ t-PA を産生・放出し線溶系を亢進させる。

動脈硬化と血栓

太い動脈の粥状硬化巣（プラーク）が破綻すると，血液は組織因子と接し，外因系による凝固が始まり，一気に赤色血栓が形成される。

ビタミン K 依存性凝固因子

第 II, VII, IX, X 因子は，肝臓でビタミン K の存在下で合成される。ビタミン K が不足すると，これらの因子が正常に機能しない（乳児ビタミン K 欠乏性出血症）。

プロテイン C，プロテイン S もビタミン K 依存性の因子である。

抗凝固薬

ワーファリンは，肝臓でのビタミン K 依存性凝固因子の産生を抑制する。そのため作用発現はヘパリンよりも遅い。これに対し，トロンビン阻害薬，Xa 阻害薬の作用発現はより速やかである。

凝固因子はI〜XIIIのローマ数字で表す。aは活性化activationを意味する。これらの蛋白質の多くは肝臓で作られる。

血液凝固因子

第I因子	フィブリノーゲン
第II因子	プロトロンビン
第III因子	組織因子：組織トロンボプラスチン（マクロファージ，血管内皮細胞）
第IV因子	Ca^{2+}
第V因子	不安定化因子：プロアクセレリン
第VI因子	欠番
第VII因子	安定化因子：プロコンベルチン
第VIII因子	抗血友病因子（X染色体長腕，欠損は血友病A）
第IX因子	クリスマス因子（X染色体長腕，欠損は血友病B）
第X因子	スチュアート因子
第XI因子	血漿トロンボプラスチン前駆物質
第XII因子	ハーゲマン因子
第XIII因子	フィブリン安定化因子
von Willebrand因子	（血管内皮細胞，骨髄巨核球）

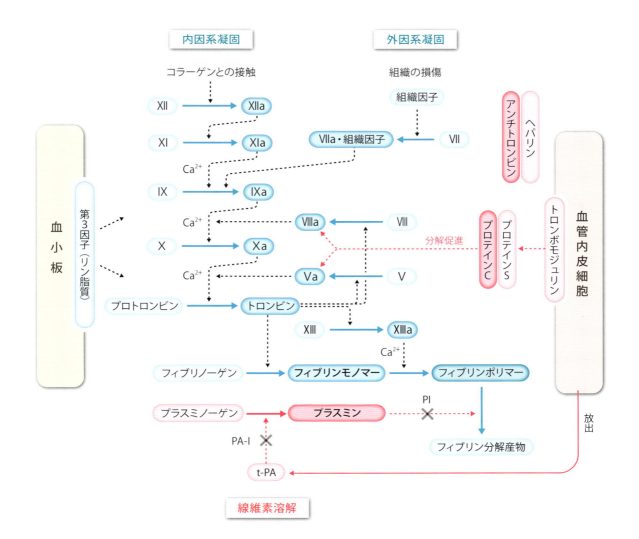

Q83 血小板の活性化とアラキドン酸代謝

● トロンボキサン A_2 は血小板凝集・血管収縮作用。

● プロスタサイクリンは血小板凝集抑制・血管拡張作用。

◆ 血小板が von Willebrand 因子と接触すると，ホスホリパーゼ A_2 が活性化され，細胞膜リン脂質からアラキドン酸が遊離する。アラキドン酸はシクロオキシゲナーゼによりプロスタグランジン（PG）に変換され，さらにトロンボキサン合成酵素によりトロンボキサン A_2 が産生される。血小板から放出されたトロンボキサンは TXA_2 受容体を刺激し，血小板をさらに活性化し凝集を促進する。また，血管平滑筋を収縮させる。☞ Q117

◆ 血管内皮細胞では，血小板と同じ経路で，アラキドン酸からプロスタサイクリン（PGI_2）が産生される。プロスタサイクリンはトロンボキサンと相反する作用をもち，血小板凝集を抑制し，血管を拡張させる。

◆ 血小板活性化因子（PAF）は，血小板の活性化のほか，白血球のローリング・接着の活性化，活性酸素の産生といった作用を持つ。

トロンボキサン A_2（TXA_2）

◆ TXA_2 受容体は G 蛋白質の一種 Gq を介してホスホリパーゼ C（PLC）を活性化し，細胞膜のホスファチジルイノシトール二リン酸（PIP_2）からイノシトール三リン酸（IP_3）とジアシルグリセロール（DG）が産生される。IP_3 は細胞質の貯蔵 Ca^{2+} を放出させ，ホスホリパーゼ A_2 を活性化し，トロンボキサン産生を増加させる。

◆ 細胞質の Ca^{2+} 濃度上昇によりミオシン軽鎖キナーゼ（MLCK）がリン酸化され活性化されると，血小板の細胞骨格が収縮し，顆粒内容物が放出される。また，DG による C キナーゼ（PKC）の活性化も顆粒放出に作用する。

◆ 血小板には TXA_2 受容体〔TP α〕があり Gq, Gs と関連し，血管内皮細胞には〔TP β〕があり Gi, Gq と関連する。血管平滑筋には両方の受容体がある。

アデノシン二リン酸（ADP）

◆ ADP は濃染顆粒に含まれており，血小板の活性化により放出され，さらなる活性化と凝集を引き起こす。また，トロンボキサン A_2 の産生を高める。

◆ ADP 受容体〔P_2Y_1〕は，Gq 蛋白によりホスホリパーゼ C を活性化し，IP_3 を生成し Ca^{2+} を上昇させ，血小板の形態変化，Gp IIb/IIIa の露出を促す。ADP 受容体〔P_2Y_{12}〕は，Gi によりアデニル酸シクラーゼ（AC）を抑制し，cAMP を減少させ，血小板の凝集を促進する。

プロスタサイクリン（PGI_2）

◆ PGI_2 受容体〔IP〕は，Gs を介して AC を活性化し，血小板内の cAMP 濃度を上昇させる。この作用は PGE_2 や PGD_2 よりもはるかに強力である。cAMP は PLC 系を間接的に抑制し，血小板内の Ca^{2+} 濃度を低下させる。そのためミオシン軽鎖キナーゼは不活化され，血小板凝集は抑制される。

アラキドン酸からは，ロイコトリエン，リポキシンも産生される。これらの生理活性物質は局所ホルモンとも呼ばれる。半減期は短い。

ブラジキニン

9 個のアミノ酸からなるペプチド。ホスホリパーゼ A_2 を活性化しアラキドン酸を遊離させ，プロスタグランジンを産生する。プロスタグランジンはブラジキニンの発痛作用を増強する。

プロスタノイド受容体

プロスタグランジンとトロンボキサンを合わせてプロスタノイドという。それぞれ特異的な受容体を持ち，細胞内の G 蛋白質と共役してシグナル伝達系を活性化する。

PGD_2 受容体＝ DP
PGE_2 受容体＝ EP1, EP2, EP3, EP4
$PGF_{2\alpha}$ 受容体＝ FP
PGI_2 受容体＝ IP
TXA_2 受容体＝ TP

GTP 結合蛋白質（G 蛋白質）

アデニル酸シクラーゼ（AC）を促進，抑制するものをそれぞれ Gs, Gi という。ホスホリパーゼ C（PLC）を促進するものを Gq という。
☞ Q7

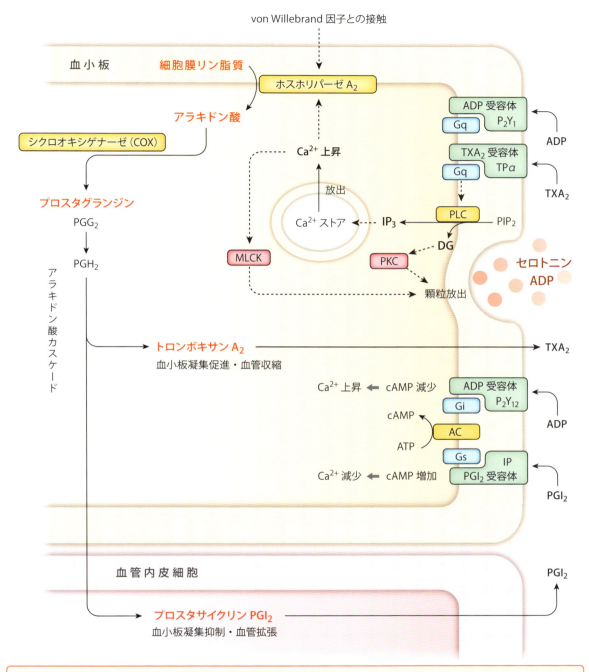

NOTE アスピリンとシクロオキシゲナーゼ

- シクロオキシゲナーゼ（COX）には2種類のサブタイプ **COX-1** と **COX-2** がある。COX-1 は大部分の組織（特に血小板，血管内皮細胞，腎集合管，胃粘膜に多い）に常時発現し，血管の恒常性を調節している。COX-2 は炎症時にマクロファージ，好中球，線維芽細胞などの炎症細胞に発現する。
- アスピリンは COX-1 を阻害し TXA_2 の産生を不可逆的に抑制し，血小板凝集を抑制する（抗凝固作用）。血管内皮細胞では，核内の情報をもとに COX が合成され続ける。
- **アスピリンジレンマ**：低用量のアスピリンでは抗凝固作用が生じるが，大量のアスピリンでは血管内皮細胞の COX 合成が抑制され，相対的に PGI_2 の産生が低下し，血栓症が生じることがある。

Q84 顆粒球および単球の分化・成熟

◉ 赤血球や血小板と同じ骨髄系幹細胞から分化する。
◉ 微生物の処理にあたるのは主に好中球とマクロファージである。

◆ 血球には，赤血球，顆粒球（好中球，好酸球，好塩基球），単球，リンパ球，血小板がある。各血球は，骨髄の多能性幹細胞から分化・成熟し，血中へ移動する。
◆ 骨髄系幹細胞は，リンパ球を除くすべての血球系のコロニー形成単位 CFU（前駆細胞）に分化する。各前駆細胞にそれぞれのコロニー刺激因子 CSF が作用し，増殖・分化を促す。
① CFU-G，CFU-Eo，CFU-Baso からは，骨髄芽球→前骨髄球→骨髄球→後骨髄球→杆状核球を経て，好中球，好酸球，塩基球が分化する。これらの血球は細胞質内に顆粒（それぞれ性状は異なる）を持ち，一括して顆粒球と呼ばれる。
② CFU-M からは単芽球→前単球を経て，単球が分化する。
③ CFU-Meg は，巨核芽球→前巨核球を経て巨核球を産生する。巨核球は DNA 合成が 3 ～ 5 回行われるが，細胞分裂はしない。巨核球の細胞質がちぎれたものが血中に放出され，血小板となる。そのため血小板は核を持たない。

顆粒球

◆ 好中球は白血球の 4 ～ 7 割を占め，大きさは赤血球より大きい。1 日推定 10^{11} 個以上の好中球が産生され，半日ほど血中を循環したのち，組織に移行する。寿命は 2 ～ 3 日である。顆粒にはアルカリフォスファターゼなどが含まれる。好中球はアメーバ運動を行い，化学走性により微生物に向かって移動し，能動的に取り込む（貪食）。貪食した微生物を活性酸素により殺菌し，異物を加水分解酵素により分解する。
◆ 感染巣や炎症組織では顆粒球コロニー刺激因子（G-CSF）が分泌され，骨髄に到達して好中球の放出を促す。骨髄で好中球の産生が盛んになると，血中で好中球が増加し，しかも杆状核球が多くみられるようになる（核の左方移動）。
◆ 好酸球は白血球の 3％程度である。化学走性，貪食能をもち，脱顆粒により抗寄生虫作用，抗ヒスタミン作用を発揮する。寄生虫病やアレルギー性疾患で増加する。
◆ 好塩基球は白血球中最も少なく 1％程度である。顆粒には，ヒスタミン，セロトニン，ヘパリン，好中球化学遊走因子などを含む。細胞膜には IgE 受容体を持つ。この受容体に IgE が結合し，さらに IgE に抗原が結合すると，脱顆粒が生じヒスタミンなどが放出され，アナフィラキシーを引き起こす。肥満細胞（マスト細胞）も同様の顆粒や IgE 受容体をもち，好塩基球とともにアレルギー反応を引き起こす。

単球

◆ 単球は白血球の 5％であり，好中球よりも高い貪食・殺菌能を持つ。血中から組織に移行すると 5 倍ほどに大きくなりマクロファージと呼ばれる（肺胞マクロファージ，肝クッパー細胞，脳ミクログリアなど）。寿命は数ヵ月～数年と長い。マクロファージは壊死組織や死んだ好中球を貪食処理する。また，病原菌を貪食し，その断片を膜外に表出することで，抗原提示細胞として機能する。
◆ 好中球やマクロファージのように貪食作用を持つ細胞を食細胞という。

CFU ; colony forming unit
CSF ; colony stimulating factor

造血因子

血球を分化・増殖させる因子。エリスロポエチン，トロンボポエチン，CSF，IL（インターロイキン）をいう。トロンボポエチンは肝細胞，一部は腎近位尿細管で産生される。

杆状核球

くびれのない棒状の核を持つ顆粒球のことで，主に好中球をさしている。成熟するにつれ核は 2 ～ 5 葉に分かれ，分葉核または多形核球という。

核の左方移動

核の分葉数を横軸に，好中球数を縦軸としてグラフに描いたとき，ピークがグラフの左側，つまり分葉数の少ない方にシフトすること。幼若な好中球の割合が増加していることを示す。

骨髄液中の血球の割合

赤血球系	15 ～ 25％
骨髄系細胞	40 ～ 50％
リンパ球系	20％
単球	1 ～ 5％

マクロファージの泡沫化

マクロファージや血管平滑筋細胞は，スカベンジャー受容体をもち，酸化 LDL を盛んに取り込む（LDL は取り込まない）。その結果，泡沫細胞となり死滅し，動脈の粥状硬化を引き起こす。SA-A（CD204）は炎症抑制性に，CD36 は炎症促進性に作用する。

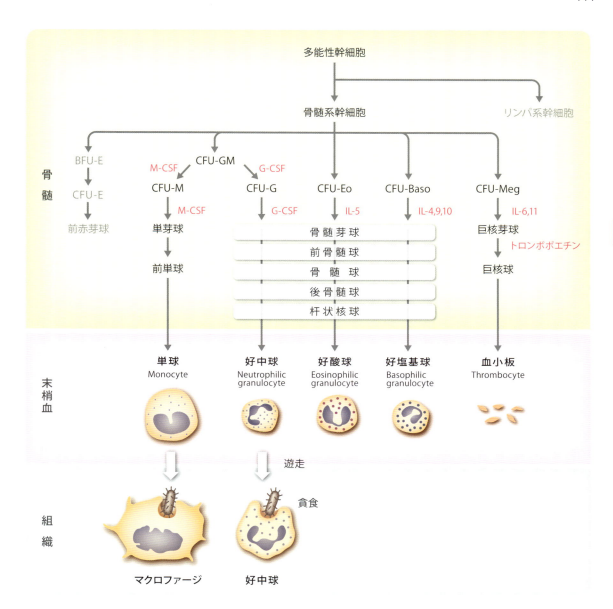

NOTE 好中球の遊走と接着分子

- 感染が起きると，その局所に好中球が集まってくる。好中球が血管外に出るためには，細胞表面の接着分子が関与している。
- 感染組織が産生するサイトカインの一種 TNF-αによる刺激を受け，血管内皮細胞はセレクチンという接着分子を発現する。**セレクチン**が好中球表面の糖鎖と弱いながらも結合をするので，血流に流されていた好中球は血管内皮の上を転がるようになる（ローリング）。次いで，好中球は IL-8 により活性化され，膜表面に**インテグリン**という接着分子を発現する。インテグリンは血管内皮細胞の免疫グロブリン関連分子 **ICAM-1** と結合し，好中球が固定される。そして好中球は，内皮細胞間を通り抜けて組織へ侵入する。
- 組織に侵入した好中球は，細菌成分や補体 C5a，ロイコトリエンなどの化学物質に刺激され，その化学物質の濃度の高いほうへ移動する。この性質を**化学走性**（chemotaxis）という。

Q85 リンパ球の分化・成熟

- ◉ T・Bリンパ球はそれぞれ胸腺と骨髄で成熟したのち，リンパ組織に移行する。
- ◉ リンパ球は，抗原と接触すると活性化し，機能を発揮する。

◆ 骨髄の**リンパ系幹細胞**はプレT細胞とプレB細胞に分化し，それぞれからTリンパ球とBリンパ球が産生される。これらのリンパ球は，血中を循環しながら全身のリンパ組織に移行し，抗原を待ち受ける。個々のリンパ球は1種類の抗原しか識別できず，無数の抗原に対して無数のリンパ球が生成される。

T細胞とB細胞の分化

◆ プレT細胞は骨髄から胸腺に移行し，**ヘルパーT細胞**や**細胞障害性T細胞**（cytotoxic T lymphocyte；CTL，キラーT細胞）に分化する。その後リンパ節に移行し，皮質と髄質の境界付近（胸腺依存域）に集まる。抗原を認識すると活性化し，それぞれの機能を発揮する。T細胞は数年の寿命であり，血中のリンパ球の7割を占める。

> **胸腺**
> 胸腺は小児期に最も発達し，成人では萎縮し脂肪に置き換わる。T細胞のTは胸腺thymusの頭文字である。

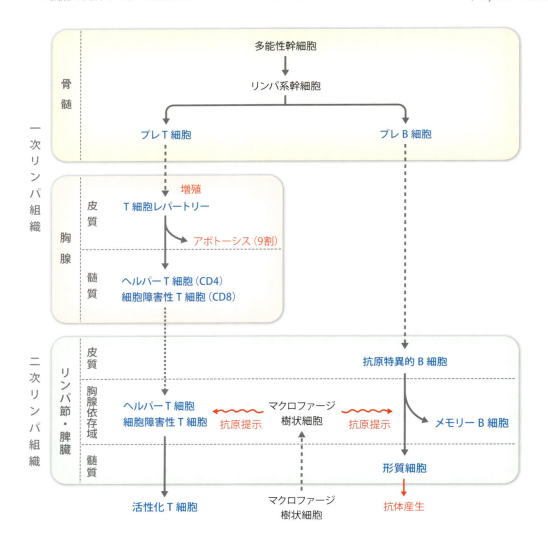

◆プレB細胞は骨髄である程度成熟し，血行を介してリンパ組織に移行する。リンパ節に移行したB細胞は，抗原提示細胞とT細胞によって活性化され，分裂・増殖して形質細胞になり，抗体を産生する。形質細胞は数日の寿命である。B細胞の一部は，抗原の記憶を保持したメモリーB細胞となり，次回の抗原侵入に備える。B細胞表面には，抗原を識別する受容体として細胞膜結合型IgMやIgDが表出している。

胸腺におけるT細胞の成熟

◆胸腺の皮質でプレT細胞が増殖し，それぞれが個別の抗原を識別するT細胞レパートリー（無数のT細胞）が産生される。この時点で細胞表面にCD4とCD8が出現する。また，T細胞受容体（TCR）が出現し，抗原を識別できるようになる。

◆T細胞は胸腺の皮質から髄質へ移動する。その際，自己の細胞を認識できないTCR，あるいは自己の細胞を強く認識するTCRを持つT細胞は，アポトーシスに陥り除去される。また，一方のCD分子が消退し，CD8を持つ細胞障害性T細胞，CD4を持つヘルパーT細胞に分化する。この選別過程をくぐり抜けたT細胞のみがリンパ組織へ移行し，該当する抗原を待ち受ける。

◆B細胞の場合も，骨髄でプレB細胞から分化・成熟する過程で，胸腺でのT細胞の成熟過程と同様の選別が行われる。

自己と非自己の識別

◆MHC（主要組織適合遺伝子複合体）は第6染色体短腕にある遺伝子群であり，主要組織適合抗原（HLAと同義）をコードしている。MHCからMHC分子（蛋白質）が生成される。MHCクラスⅠ分子は，すべての有核細胞表面に出現し，自己と非自己（正常状態でない，感染しているなど）の判別に用いられる。細胞表面のMHCクラスⅠ分子が少ないと，ナチュラルキラー（NK）細胞によって破壊される。

◆MHCクラスⅡ分子は抗原提示細胞に出現し，抗原をMHCクラスⅡに結合した（乗せた）形でリンパ球へ提示する。この抗原はTCRによって認識される。

CD分子

cluster of differentiation の略で，白血球の細胞表面に発現する分子の分類法。

TCR

T-cell receptor

MHC

major histocompatibility complex

HLA

human leukocyte antigen

7

血液

NOTE アポトーシス

- アポトーシスは，細胞内から始まる細胞死である。細胞外の環境変化による壊死とは異なり，炎症反応は生じない。

- 遺伝子時計で予め予定された「プログラムされた細胞死」も，アポトーシスによる。個体発生における形態変化，たとえばオタマジャクシからカエルへの変態，イモムシから蝶への変態は，アポトーシスの働きによる。

- そのほか生殖細胞の選択的細胞死，余分な神経細胞の除去，皮膚や粘膜上皮の剥離，子宮内膜の剥離，癌細胞の除去，赤芽球からの脱核などもアポトーシスによる。

- アポトーシスを生じる経路は，細胞膜にある死受容体を介する経路（Fas/Fasリガンド系）と，ミトコンドリアからシトクロムCを介する経路（Bcl-2/Bax系）がある。いずれの経路でも，下流のカスパーゼと呼ばれる一連のプロテアーゼが順次活性化される。

- 活性化されたカスパーゼは核内に移行し，DNAはエンドヌクレアーゼによって断片化される。また，カスパーゼによって細胞質内のアクチンが分解され，細胞骨格が崩壊し，細胞膜は膨隆する。

Q86 抗体と補体

- ● 抗体と補体は血漿蛋白質である。
- ● 異物に結合し，食細胞の貪食作用を助ける。

◆ **免疫グロブリン**（immunoglobulin；Ig）は，γ-グロブリン分画に存在する血漿蛋白質である。リンパ球や形質細胞で合成・分泌され，感染防御に働く。特定の抗原に結合することにより，①抗原の毒性を中和し，②貪食されやすくする（オプソニン作用），③補体を活性化する。

◆ **補体**（complement）は，抗原抗体複合物に一定の順序で結合・反応する蛋白質の一群（C1 〜 9 および B, D 因子）をいう。溶菌作用，オプソニン作用のほか，アナフィラキシーを引き起こす。補体は肝臓で作られる。

抗体の構造と種類

◆ 抗体は，4 本のポリペプチド（L 鎖と H 鎖が S-S 結合し，さらにその 2 組が S-S 結合している）からなり，Y 字型の構造をしている。抗原と結合する部分を **Fab** といい，対応する抗原ごとに構造が異なる（可変領域）。

◆ 補体や細胞と結合する部分を **Fc** という。Fc 部分の違いにより 5 つのクラスに分類される。血中濃度は IgG が最も多く，IgG 1,200 ＞ IgA 200 ＞ IgM 120 ＞ IgD 3 ＞ IgE 0.03 mg/dL である。

◆ **IgG**（分子量 15 万，血中半減期 20 日以上）の作用は，ウイルスや毒素の中和，細菌に対するオプソニン作用である。胎盤を通過するのは IgG のみである。

◆ **IgA** は分泌型 Ig とも呼ばれ，2 量体の形で気管や消化管の粘膜，乳汁（初乳）へ分泌される。

◆ **IgM** は補体結合能が強い。B 細胞の表面では単体で存在するが，血中では 5 量体（分子量 97 万）の形である。

◆ **IgD** は B 細胞の表面抗原として存在するが，作用は不明である。

Fab
antigen-binding fragment

Fc
crystallizable fragment

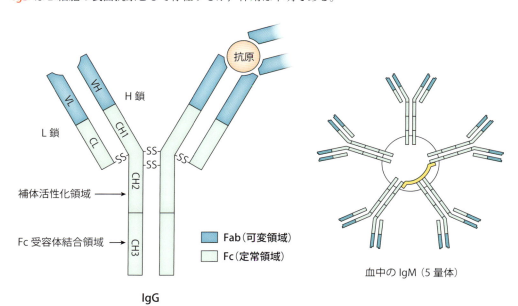

IgG

血中の IgM（5 量体）

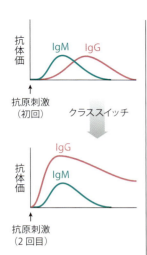

- IgE は寄生虫病やアレルギーで増加する。抗原と結合した IgE は，肥満細胞や好塩基球に結合し脱顆粒を引き起こし，アナフィラキシー（即時型アレルギー）を発症させる。

抗体の産生機序

- 抗原に初めて接触した B 細胞は，ヘルパー T 細胞によって活性化され形質細胞に分化し，初期には IgM を，遅れて IgG を産生・分泌する。このように 1 つの B 細胞において，同一抗原に対して産生される抗体のクラスが変化することを**クラススイッチ**という。
- IgG へのクラススイッチは IL-4 によって促進され，次回の感作では早期から IgG が分泌される。IgE へのクラススイッチには IL-4, 13 が関わる。

補体の活性化経路と作用

- 補体の活性化は 3 つの経路で生じる。**古典経路**では，抗体の Fc 部分に補体 C1 が結合することにより，C2 → C4 → C3 → C5 → C6 → C7 の連鎖反応が生じる。反応物 C5b67 は細菌の細胞膜に結合し，さらに C8 が結合すると複数個の C9 が重合し細胞膜に穴をあけ，細菌を破壊する。この作用を**溶菌**といい，C5b6789 を膜侵襲複合体という。
- C3 から C3b への反応は，D 因子・B 因子によって反復増幅される。生じた大量の C3b は細菌表面に結合し，これが食細胞の C3b 受容体と結合し，菌は貪食される（**オプソニン作用**）。食細胞（好中球やマクロファージ）は C3b 受容体と Fc 受容体をもち，補体複合物を貪食する。C3b 受容体は赤血球にもあり，赤血球と結合した異物は肝臓で処理される。
- C3a, C5a は，肥満細胞や好塩基球を刺激し脱顆粒（ヒスタミン遊離）により，局所的なアナフィラキシーを引き起こす。この反応を惹起させるもの（C3a, C5a）を**アナフィラトキシン**という。また，C5a は好中球を呼び寄せる（ケモカイン）。
- **第二経路**は，C3 が血中で加水分解されることにより誘起される。**レクチン経路**は，血中のレクチンが細菌表面の糖鎖に結合することでセリンエステラーゼとして作用し，C4 から反応が誘起される。

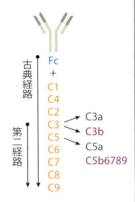

エクリズマブ
補体 C5 に対するモノクローナル抗体。C5 の活性化による作用（白血球遊走，アナフィラトキシン，膜侵襲複合体）を抑制する。

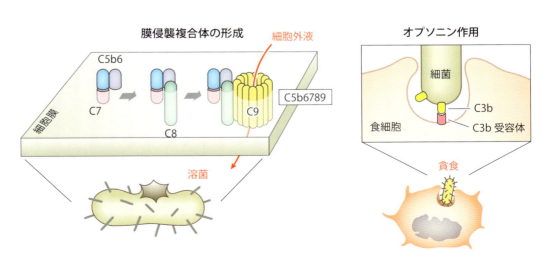

Q87 細胞性免疫と液性免疫

- ◎ 細胞が主役となるものを細胞性免疫，抗体が主役となるものを液性免疫といい，互いに補い合って感染防御を行っている。
- ◎ ヘルパーT細胞は，他の免疫細胞の分化・活性化を誘導する。
- ◎ リンパ球の分化・活性化には，特定のサイトカインが作用している。

◆ マクロファージ，樹状細胞，B細胞は，病原菌などの異物を貪食し，その構成成分を抗原として細胞表面に提示することから抗原提示細胞と呼ばれる。抗原提示細胞はリンパ組織に移動し，抗原特異的なリンパ球を活性化し免疫応答が発動する。

ヘルパーT細胞による免疫応答の調節

◆ 抗原提示を受けたヘルパーT細胞は，種々のサイトカインを分泌して免疫細胞の分化・活性化を誘導し，免疫応答を調節する。産生するサイトカインの種類によって，ヘルパーT細胞はいくつかのサブセットに分類される。

◆ Th1細胞はIL-2，IFN-γを産生し，細胞障害性T細胞やNK細胞，マクロファージを活性化させる。これらの細胞が標的細胞を直接的に障害する（細胞性免疫）。

◆ Th2細胞は主に好酸球を活性化し，寄生虫に対抗する。

◆ Tfh（濾胞ヘルパーT細胞）はIL-4，IL-21を産生し，B細胞を活性化して抗体産生を促す（液性免疫）。

◆ 血液中の病原体（化膿菌）に対しては液性免疫が，細胞内の病原体に対しては細胞性免疫が機能する。細胞内寄生する微生物には，ウイルス，結核菌，サルモネラ，クラミジア，リケッチアなどがある。

◆ 活性化された細胞障害性T細胞は，やがてPD-1と呼ばれる免疫チェックポイント分子を発現する。PD-1がリガンド（PD-L1）と結合すると細胞障害性T細胞の活性は低下し，過剰な免疫応答が抑制される。

◆ レギュラトリーT細胞（Treg；制御性T細胞）はCTLA-4と呼ばれる免疫チェックポイント分子を常時発現しており，免疫応答にブレーキをかける。

抗原特異的な免疫応答

◆ 抗原提示細胞は，抗原をMHCクラスII分子に乗せて細胞表面に提示する。T細胞受容体はMHC分子と抗原をペアで認識するため，MCH分子と抗原のどちらかがマッチしなければ，T細胞の活性化は起こらない。ヘルパーT細胞は，MHCクラスIIにより提示された抗原を認識することができる。

◆ ウイルス感染細胞や癌細胞は，MHCクラスI上に抗原を表出する。細胞障害性T細胞は，このような標的細胞を識別し攻撃する。一部の癌細胞はMHCクラスIを発現しないことで細胞障害性T細胞の攻撃を免れるが，このような細胞はNK細胞によって攻撃される。

◆ B細胞表面の受容体（細胞膜結合型Ig）は，抗体の原型として利用される。活性化されたB細胞はクローン増殖して胚中心を形成するが，このとき遺伝子変異によって抗体の可変領域（抗原との結合部位）にバリエーションが生じる。その中で，抗原に対しより親和性の高い抗体を発現したB細胞のみが選抜され，形質細胞に分化する。B細胞の選抜にあたるのが，濾胞樹状細胞や濾胞ヘルパーT細胞である。

樹状細胞

特有の細胞突起を持ち，樹状の形態を呈する。造血幹細胞を起源とする免疫細胞で，全身に分布する。皮膚ではランゲルハンス細胞，リンパ節ではinterdigitating cellなどと呼ばれる。

サイトカイン

種々の細胞から分泌される蛋白質で，近くの細胞に情報伝達をするものをいう。インターロイキン（IL），インターフェロン（IFN），腫瘍壊死因子（TNF）などがある。

Tfh細胞

濾胞ヘルパーT細胞（follicular helper T cell）。リンパ濾胞の胚中心に存在し，B細胞の抗体産生を指揮する。

Th17細胞

近年新たに発見された，ヘルパーT細胞のサブセット。IL-17, 21, 22を産生し，炎症を促進する。

免疫チェックポイント分子

T細胞が発現するPD-1やCTLA-4は，リガンドと結合することでT細胞自身を抑制する。本来は自己を攻撃しないためのメカニズムであるが，一部の癌細胞はこれを利用してT細胞の攻撃を免れている。

HIV（ヒト免疫不全ウイルス）

HIVはヘルパーT細胞を傷害し，細胞性免疫・液性免疫ともに低下する。この現象はアポトーシスによって説明される。HIVに感染すると，大量のFasリガンドがT細胞表面に出現する。ヘルパーT細胞自身がFasを発現しているので，感染したT細胞のFasリガンドがFas受容体に作用し，アポトーシスに陥る。

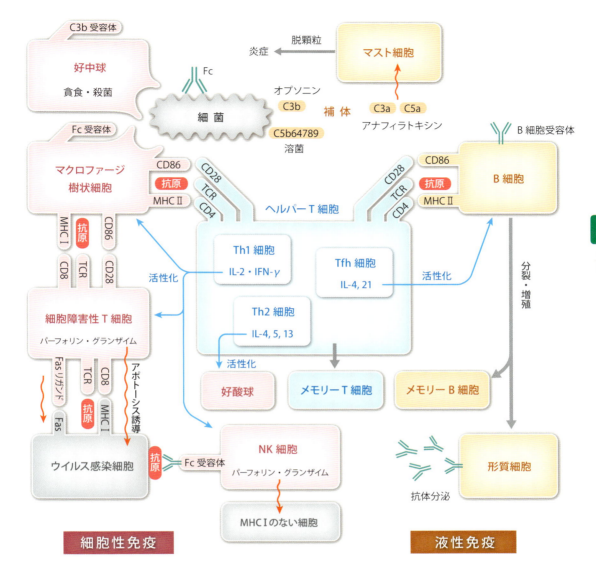

NOTE: T細胞の活性化機構

- マクロファージ，樹状細胞，B細胞は抗原提示細胞として働き，抗原をMHC分子に結合した形で細胞表面に提示する．抗原＋MHC分子はT細胞受容体（TCR）によって識別される．
- **細胞障害性T細胞**（CD8を発現）は，MHCクラスIで提示される抗原をTCRで識別し，かつ抗原提示細胞のCD86による刺激をCD28で受けることにより，活性化する．細胞障害性T細胞が感染細胞を識別できるのは，細胞質内で増殖したウイルスの一部がMHCクラスIにより細胞表面に提示されるためである．
- 細胞障害性T細胞は，**パーフォリン**という蛋白質を放出して標的細胞に穴をあけ，**グランザイム**という酵素を送り込み，アポトーシスを誘導する．細胞障害性T細胞の**Fasリガンド**が標的細胞のFasに結合することによっても，アポトーシスが誘導される．
- **NK細胞**（CD4やCD8の発現なし）は，細胞障害性T細胞とは異なり，MHCクラスIを提示していない細胞を攻撃する．また，Fc受容体を持つので，抗原・抗体を介して細胞に結合し，傷害する．
- **ヘルパーT細胞**（CD4を発現）は，MHCクラスIIで提示される抗原を識別し，かつCD86の刺激を受け，活性化する．

Q88 血液型

◉ 血液型は赤血球膜にある抗原（凝集素）によって分類される。

◆ 赤血球膜には，抗原（凝集原）となる糖蛋白が発現している。これに対する抗体（凝集素）は血清中には存在しない。抗原となる型は 250 種類以上発見されているが，臨床上，ABO 式血液型と Rh 式血液型が重要である。

ABO 式血液型

◆ A 型であれば赤血球表面には A 抗原があり，血清中には抗 A 抗体は存在しない。ABO 式血液型の抗体は IgM である。抗原とこれに対する抗体が交われば，赤血球は IgM 抗体を介して次々と凝集してしまう。さらに溶血が起こり，放出されたヘモグロビンのために黄疸，腎不全をきたす。

◆ 母体と胎児は胎盤を介して栄養分をやり取りしている。胎盤では母と児の血液成分が混じり合うことはなく，IgM は胎盤を通過しないので，母体と胎児の血液型は同一でなくとも不都合は生じない。

◆ 輸血の際には，供血者・受血者の血球と血清を分離し，相互に混和し（交叉適合試験：受血者血清×供血者血球，受血者血球×供血者血清），凝集が起こらないことを確認する。

◆ ABO 式血液型は第 9 染色体短腕の遺伝子により決まる。A 遺伝子にコードされている転移酵素が H 物質に作用し A 抗原が合成され，B 遺伝子による転移酵素が H 物質に作用し B 抗原が合成される。O 遺伝子による転移酵素は活性がなく，H 物質を変化させない。結果として赤血球表面には H 抗原と，A 型では A 抗原，B 型では B 抗原が表出する。

ABO 式血液型

表現型	A 型	B 型	AB 型	O 型
遺伝子型	AA, AO	BB, BO	AB	OO
赤血球の抗原（凝集原）	A	B	A, B	—
血清中の抗体（凝集素）	抗 B	抗 A	—	抗 A, 抗 B
日本人での割合	4	2	1	3

Rh 式血液型

◆ アカゲザル（Rhesus monkey）の血球に存在した D 抗原を，赤血球に持つものを Rh（＋）という。Rh 型の抗体は IgG であり，胎盤を通過する。抗原を持たないものを Rh（－）といい，通常は抗 D 抗体も持たない。

◆ Rh 式血液型不適合妊娠は，Rh（－）の母体が Rh（＋）の胎児を妊娠した場合をいう（父親は Rh（＋））。出産時に，胎児血の D 抗原が母体に入り感作が起こり，母体に抗 D 抗体（IgG）が産生されてしまうことがある。次回の妊娠では，この抗 D 抗体が胎盤を通過し，胎児の赤血球を溶血させてしまう。胎児血による感作を抑える目的で，抗 D ヒト免疫グロブリンが投与される。

成人では各血液型の抗体が生じているが，新生児では抗 A，抗 B 抗体はまだない。

IgM は初期抗体，自然抗体であり，補体との結合力が強く 1 分子で赤血球を溶血させる。IgG は極期抗体，免疫抗体であり，補体と結合しオプソニン作用を示す。溶血させるには 2 分子を要する。

Bombay 型

H 物質がなく，A 抗原，B 抗原が合成されない。O 型と判定される。

cisAB 型

AB 型の親からは O 型の子は生まれないはずであるが，例外として cisAB 型では H 物質の抗原活性が強く，反応性は弱いが抗 A 抗体，抗 B 抗体が存在する。

A・B・H 抗原は赤血球だけでなく上皮組織にも存在し，一個体内では同一型である。赤血球上の抗原は水に溶解しないが，唾液や胃粘液に分泌される A・B・H 抗原は水溶性である。

8 呼吸

Q89 呼吸に関する物理法則

◉ 気体の体積や圧力は，温度によって変化する。

◆ 大気の組成は窒素 N_2 78％，酸素 O_2 20.9％，二酸化炭素 CO_2 0.04％であり，**1 気圧は 760 mmHg** = 760 Torr = 1,013 hPa である。各成分の圧力（分圧）はその割合に比例し，酸素分圧は 760×0.209 = 158 mmHg である。

◆ 肺胞内は水蒸気で満たされており，その飽和水蒸気圧は 37℃で 47 mmHg である。

◆ 気体は，その成分によらず，温度 T（絶対温度）と圧 P が同じならば容積 V は同じであり，下の関係式が成り立つ（**ボイル・シャールの法則**）。

$$P = \frac{nRT}{V}$$

n：気体のモル数，R：気体定数 8.314 J/（度・モル）

圧力の単位

1 Torr（トール）= 1 mmHg（水銀柱ミリメートル）= 1.333224 hPa（ヘクトパスカル）

呼吸気量の換算

◆ 気体の体積や圧力は温度に依存して変化する。生理学では 3 つの測定条件を区別して扱う。

① **STPD** standard temperature and pressure： 0℃，760 mmHg，乾燥状態（水蒸気を含まない）。酸素摂取量，炭酸ガス排泄量などを表す場合に用いる。

② **BTPS** body temperature and pressure, saturated with water vapor： 37℃，760 mmHg，水蒸気飽和状態（37℃で 47 mmHg）。肺活量や換気量に用いる。

③ **ATPS** ambient temperature and pressure, saturated with water vapor： 測定環境の温度と圧，水蒸気飽和状態。スパイロメータやダグラスバッグに集めた呼気の容量に用いる。

◆ 2 つの状態 A，B における容量の変換は，水蒸気圧 P_{WA} を除いて，ボイル・シャールの法則を適応して行う。

$$(P_A - P_{WA}) \times V_A/T_A = (P_A - P_{WA}) \times V_B/T_B$$
$$(760 - 0) \times V_{STPD}/273 = (760 - 47) \times V_{BTPS}/(273 + 37)$$
$$V_{STPD} / V_{BTPS} = 0.826$$

NOTE✏ 呼吸生理学で用いられる記号

基本記号

P pressure 圧，**V** volume 容積

C content 血液中の濃度（含量），Q 血液量

S saturation ヘモグロビンの酸素飽和度

R respiratory exchange ratio 呼吸商

D diffusion capacity 拡散能

$\dot{V}$, $\dot{Q}$, $\dot{D}$ は時間当たりの変化量

ガスの存在部位

I 吸気，E 呼気，A 肺胞

B 大気，D 死腔

T 一回の（tidal）

a 動脈血，v 静脈血

c 毛細血管，t 全量

s シャント，aw 気道

ガスの種類 O_2：酸素，CO_2：炭酸ガス，N_2O：笑気ガス

例

P_{AO_2}：肺胞の酸素分圧

P_{aO_2}：動脈血の酸素分圧

$A\text{-}aD_{O_2}$：肺胞と動脈血間の酸素の差

Q90 呼吸器の構造

- ● 呼吸器の基本構造は枝分かれである。
- ● 気管支平滑筋は迷走神経（アセチルコリン）刺激で収縮する。

- ◆ 気管および気管支は、線毛上皮、平滑筋、軟骨からなる。
- ◆ 細気管支は平滑筋を多く含み、コリン作動性迷走神経の興奮により収縮する。
- ◆ 呼吸細気管支および肺胞管は、のべ20回の二分枝を繰り返し、肺胞に連なる。
- ◆ 肺胞の全面積は約 $70\,m^2$（テニスコートの広さ！）である。肺胞の内面は扁平な上皮細胞で覆われている。肺胞は基底膜を介して網目状の毛細血管に覆われており、気体は拡散によって容易に移動する。

気管支平滑筋の収縮・弛緩

- ◆ 気管支の緊張度には日内変動があり、朝方強く緊張（収縮）する。気道が冷却されても収縮が引き起こされる。また、感覚受容器が刺激されると、コリン作動性神経の反射により気管支の収縮が生じる。
- ◆ 気管支平滑筋はムスカリン M_3 受容体を持ち、迷走神経刺激（アセチルコリンのムスカリン様作用）により細胞内 Ca^{2+} 濃度が上昇し収縮する。一方、気管支平滑筋は β_2 受容体を持ち、交感神経刺激や血中のカテコールアミンにより弛緩する。

気道粘液の分泌

- ◆ 気管支上皮細胞は Cl^- チャネルを持ち、Cl^- を気管支内に分泌する。これに伴い、Na^+、水が気管支内に拡散する。囊胞性線維症では Cl^- チャネルの異常により Cl^- 輸送が障害され、水の分泌も減少するため、痰の粘度が高まる。

肺胞上皮細胞
ガス交換に関与するⅠ型細胞と、表面活性物質を分泌するⅡ型細胞がある。

肺胞マクロファージ
気道・肺胞内の異物を除去している。活性酸素や一酸化窒素 NO を産生し、細菌や腫瘍細胞を障害するが、正常肺組織も障害される。

気道平滑筋の受容体分布
M_3 受容体は中枢気道側（区域＞亜区域気管支）に多く、β_2 受容体は末梢気道側（区域＜亜区域気管支＜肺）に多い。

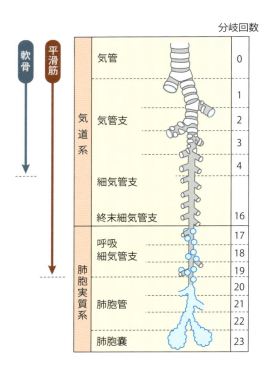

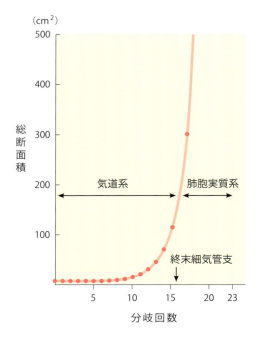

Q91 肺気量の区分

● 肺気量は，病態の違い（肺の伸展障害か呼出障害か）を反映する。

全肺気量 ＝ 肺活量 ＋ 残気量
肺活量 ＝ 予備吸気量 ＋ 一回換気量 ＋ 予備呼気量
機能的残気量 ＝ 予備呼気量 ＋ 残気量

肺気量の目安（成人男性）
肺活量 4.2 L
 予備吸気量 2.7 L
 一回換気量 0.5 L
 予備呼気量 1.0 L

1 秒率
[FEV_1/FVC] をゲンズラーの 1 秒率，[FEV_1/VC] をティフノーの 1 秒率という。

◆ **肺活量** VC；vital capacity は性別，年齢，身長に依存して変化する。その予測式は，

男性の予測肺活量 VC ＝（27.63 − 0.112 × 年齢）× 身長 cm
女性の予測肺活量 VC ＝（21.78 − 0.101 × 年齢）× 身長 cm

実測肺活量の予測肺活量に対する割合（**%VC**）を求め，80 % 以上を正常とする。80 % 未満を **拘束性障害** といい，肺の線維化，胸膜疾患，横隔膜の運動障害などのために肺を広げられない病態を反映している。

◆ 最大吸気位から努力呼出したときの量を **努力性肺活量** FVC；forced vital capacity という。初めの 1 秒間に呼出した量を **1 秒量** FEV_1 という。FEV_1 の FVC に対する割合を **1 秒率** $FEV_{1\%}$ といい，70 % 以上を正常とする。$FEV_{1\%}$ は気道抵抗を反映し，気管支喘息や閉塞性肺疾患のような **閉塞性障害（呼出しにくい病態）** で低下する。

◆ **機能的残気量** FRC；functional residual capacity は全肺気量の約 40 % を占める。

◆ 肺気腫では肺胞が破壊され弾性線維が減少し，呼気時の気道閉塞が生じる。RV および FRC が増加し，TLC は増加する。肺線維症では膠原線維が増加し，RV および FRC が減少し，TLC は低下する。気管支喘息では気管支平滑筋が収縮し，気道内抵抗が増大する。呼気時には，さらに気道が狭くなる。

TLC；total lung capacity
VC；vital capacity
RV；residual volume
FRC；functional residual capacity
TV；tidal volume
FEV_1；forced expiratory volume in 1 second

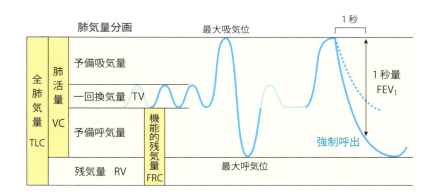

換気量の算出法

◆ **肺換気量・毎分呼吸量 ＝ 一回換気量 × 呼吸数**
◆ **肺胞換気量** $\dot{V}_A$ ＝（一回換気量 − 死腔）× 呼吸数
浅く速い呼吸よりも，深くゆっくりした呼吸のほうが $\dot{V}_A$ が大きい。
◆ **最大換気量** MVV；maximum voluntary ventilation（L/min）は 1 分間に最大の努力をして換気したときの呼気の量をいう。ボールドウィンの予測式は，

男性の最大換気量 MVV ＝（86.5 − 0.522 × 年齢）× 体表面積 m²
女性の最大換気量 MVV ＝（71.3 − 0.474 × 年齢）× 体表面積 m²

呼吸数
成人で毎分 12 〜 16 回

気流-容量曲線（フロー・ボリューム曲線）

◆ 1回の呼吸について気流量と肺容積との関係を描いたものである。強制的な努力呼吸では，吸息では曲線はより深くなるが，呼息の後半部分は一定の線を描く。

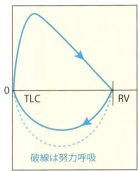

死腔の算出法

◆ **死腔**とは血液とのガス交換に関与しない肺容量をいう。正常では機能的死腔は解剖学的死腔とほぼ同じである。

◆ 排出されたCO_2量は，肺胞でガス交換された量と等しいので，下式が成り立つ。

$$一回換気量 \times 呼気のCO_2分圧 = (一回換気量 - 死腔) \times 肺胞のCO_2分圧$$

これを変形して，ボーアの式が得られる。

$$死腔 = 一回換気量 \times (1 - (呼気のCO_2分圧 / 肺胞のCO_2分圧))$$

一回換気量，呼気のCO_2分圧を実測し，肺胞のCO_2分圧を動脈血CO_2分圧で代用すれば，死腔を求めることができる。

残気量の測定法

◆ **開放回路法**：最大呼気位（肺内には残気量のみ残った状態）に達した後に，窒素N_2を含まないガスで呼吸を行い，肺内に残ったN_2を洗い出す。このとき，呼出したガスをすべて集積しておき，呼気の全N_2量を測定する。［呼気の全N_2量＝残気量×大気中のN_2濃度］であるから，残気量を求めることができる。

◆ **閉鎖回路法**：最大呼気位に達した後に，10％ヘリウムHeを含む容器（2,000 mL）を使い7分間呼吸を行うと，肺と容器内のHe濃度はほぼ一定となる。このときの容器（＝肺）内のHe濃度を測定すれば，［容器内のHe量（2,000 mL × 10％）＝（2,000 mL ＋ 残気量）× He濃度］であるから，残気量を求めることができる。

NOTE クロージングボリューム

- **一回呼吸N_2曲線**は，最大呼出後に純酸素を最大吸気位まで吸入させ，その後ゆっくりと同じ速さで呼出させ，N_2濃度と呼気量の関係をみたものである。
  第Ⅰ相：死腔のガスが呼出され，N_2濃度はゼロである。
  第Ⅱ相：死腔と肺胞のガスが混合して呼出される。N_2濃度は次第に上昇する。
  第Ⅲ相：肺胞ガスが呼出される。
  第Ⅳ相：肺尖部～肺中部の肺胞ガスが呼出される。肺尖部のガス濃度が肺底部よりも高いので，N_2濃度は濃くなる。

- **クロージングボリューム**とは，第Ⅲ相から第Ⅳ相への移行時の容量をいい，肺底部の末梢気道が圧排閉塞された程度を表す。

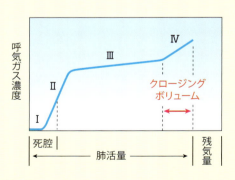

- **末梢気道**とは内径2 mm以下の気道をいい，細気管支に相当する。この部の気道抵抗は全気道抵抗の2割に過ぎず，通常のスパイロメトリーでは検出しがたいうえ，症状が顕著に現れない（加齢や喫煙で増大する）。

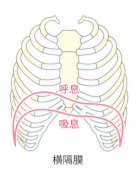

横隔膜

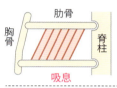

吸息

呼息

外肋間筋

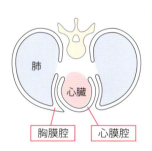

Q92 換気運動と仕事

● 胸腔内圧-肺容積曲線は，胸郭・肺の物理的特性を表す。

- 安静時の吸息運動は，主に横隔膜（7割）と外肋間筋によって行われる。横隔膜の収縮は腹腔内臓器を押し下げ，胸郭の上下径を拡げる。外肋間筋の収縮は肋骨を引き上げ，胸郭の前後左右径を拡げる（反対に内肋間筋は肋骨を引き下げる）。
- 吸息により拡張された胸郭，腹壁，肺は，元の大きさに戻ろうとする。安静時の呼息は，この性質（弾性）により行われる。
- 運動時や努力呼吸の際には，上記以外の吸息筋（胸鎖乳突筋，小胸筋）や呼息筋（腹直筋，内肋間筋，胸横筋，下後鋸筋，腰方形筋，腸腰筋）も働く。

肺の圧-容量曲線

- 肺は胸壁と横隔膜に囲まれた胸郭内にあり，胸郭の運動は胸膜腔を介して肺に伝わる。胸膜腔内圧（＝胸腔内圧）は常に陰圧であり，肺を拡張させる。正常値は安静吸気時 $-6 \sim -7\,cmH_2O$，呼気時 $-2 \sim -4\,cmH_2O$ である。
- 呼吸運動における胸腔内圧と肺容積の関係は，吸息期には下に凸の曲線，呼息期には上に凸のヒステレシスループを持つ曲線で描かれる。吸息時に行われる仕事は，粘性仕事量（肺の粘性および気道抵抗に対する仕事）＋全弾性仕事量（肺および胸郭の弾性に対する仕事）である。
- 肺胞内圧と口腔内圧の差が $\varDelta P$ のとき，気流（$\varDelta V/dt$，換気量の時間的変化）との関係は，$\varDelta P = k_1 V' + k_2 V'' + \cdots\cdots$ で表される。実際上，気流が $0.5\,L/sec$ のときの $\varDelta P/V'$ をもって気道抵抗としている。正常値は $1.5\,cmH_2O/L/sec$ で，気道狭窄があれば値は高くなる。

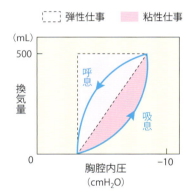

肺・胸郭コンプライアンス

- 一般に，容積変化 $\varDelta V$ の圧変化 $\varDelta P$ に対する比 $C = \varDelta V / \varDelta P$ をコンプライアンスといい，柔らかさ，拡がりやすさを表す。
- 肺コンプライアンスとは，肺容量変化 $\varDelta V$ の胸腔内圧変化 $\varDelta P$ に対する比であり，正常値は $0.2\,L/cmH_2O$ である。胸腔内圧は食道内圧で代用される。
- 胸郭コンプライアンスを計測するには，胸郭の筋を完全に弛緩させた状態で，外気圧を人為的に加え，外気圧と胸腔内圧との差 $\varDelta P$ を設定し，換気量の変化 $\varDelta V$ を求める。正常値は $0.2\,L/cmH_2O$ である。
- 肺・胸郭系全体のコンプライアンスは，両者が直列に連なっているので，

$$\frac{1}{\text{全体のコンプライアンス}} = \frac{1}{\text{肺のコンプライアンス}\ 0.2} + \frac{1}{\text{胸郭のコンプライアンス}\ 0.2}$$

の関係が成り立ち，$0.1\,L/cmH_2O$ と算出される。コンプライアンスの低下は肺・胸郭が硬くなったことを意味する（肺線維症，肺胞表面活性物質の減少）。

弾性係数
コンプライアンスの逆数であり，硬さを表す。

Q93 肺胞表面活性物質

● 表面活性物質は，水の表面張力を減少させ，肺胞を膨らみやすくする。

- 肺胞表面活性物質（サーファクタント）はⅡ型肺胞上皮細胞が分泌するリポ蛋白複合体であり，その50%はジパルミトイルレシチンである。表面活性物質は，水のちぢまろうとする力（表面張力）を減じる。
- 肺胞の内面は薄い水の層で覆われている。水の表面張力70 dyne/cmに対し，表面活性物質は20 dyne/cmである。表面活性物質があることによって肺胞は膨らみやすくなり，より小さな力で肺胞を膨らませることができる。コンプライアンスは大きくなり，肺全体のコンプライアンスは3〜4倍大きくなる。

ラプラスの法則

- 薄い壁を持つ球体において，球の半径 r，壁の張力 T，内腔の圧力 P の間には

$$P = \frac{2T}{r}$$ の関係が成り立つ。

- 大小2つの肺胞が連結していて，壁に同じ張力が加わる場合を考えてみよう。肺胞内圧は，小さい肺胞より大きい肺胞のほうが小さな値となる。この圧力差によって気体が移動し，小さい肺胞はさらに縮み，大きな肺胞はより大きくなる。肺胞内圧が同じ圧力であった場合には，壁の張力に差が生じ，片方の肺胞はつぶれてしまう。
- 実際の肺胞では，肺胞が小さくなると表面活性物質が濃くなり壁の張力は減少する。そのため内圧が低下し，気体の流出は止み，肺胞は維持される（つぶれない）。

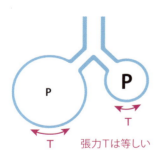

表面活性物質がない場合
大小の肺胞で内圧差が生じる

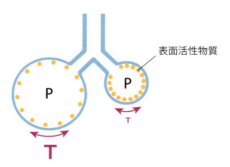

表面活性物質が張力を減ずるため
内圧差は生じない

表面張力

液体は表面積をできるだけ小さくし，球形にまとまろうとする。その際に作用する力を表面張力という。

dyne/cm

1gの液体を1cm引き離すのに必要な力

肺胞蛋白症

マクロファージの貪食能を活性化するサイトカイン（GM-CSF）に対する自己抗体が出現する。マクロファージの貪食能が低下し，余分な表面活性物質が除去されずに，肺胞内に貯留してしまう。

肺循環で活性が変わらないもの

アドレナリン，ドーパミン，ヒスタミン，バゾプレッシン。

NOTE 肺循環における物質代謝

- 肺循環で賦活されるもの：肺血管内皮細胞にはアンジオテンシン変換酵素（ACE）が存在し，アンジオテンシンⅠはアンジオテンシンⅡに変換される。
- 肺から血中に放出されるもの：プラスミン，ヘパリンとヒスタミン（肥満細胞），エンドセリン。
- 肺で血中から除去されるもの：ACEはブラジキニンの不活化酵素と同一であり，ブラジキニンが不活化される（ACE阻害薬はブラジキニンの不活化を抑制するため，副作用として咳がみられる）。プロスタグランジン E_1, E_2, $F_{2\alpha}$ も血中から除去される。セロトニンは7割，ノルアドレナリンは2割が血中から除去され，肺血管内皮細胞に貯蔵される。

Q94 換気血流比と肺循環

- 換気血流比はガス交換の効率をみる指標である。
- 肺全体として換気血流比が0.8になるように、肺の各部分の血流が調節されている。

換気血流比

- 換気血流比 $\dot{V}_A/\dot{Q}$ は、肺胞換気量の肺循環血流量に対する割合をいう。肺胞換気量は 4 L/min、肺血流量は 5 L/min であるから、正常値は 0.8 となる。しかし、肺の血流は重力の影響を受け、肺尖部では少なく、肺底部では多く流れる（<mark>不均等分布</mark>）。そのため換気血流比は肺尖部で大きく、肺底部では小さくなる。
- 換気血流比の低下は、<mark>血流効率の悪化</mark>、<mark>シャント量の増大</mark>を意味する。換気血流比の上昇は、<mark>換気効率の悪化</mark>（肺循環血流量の低下）、<mark>死腔の増大</mark>を意味する。

低 $\dot{V}_A/\dot{Q}$ 領域が存在するとき

CO_2 の蓄積は過換気で代償され、$PaCO_2$ は正常にとどまる。一方、PaO_2 の低下は過換気では代償しえず、PaO_2 は低下する。

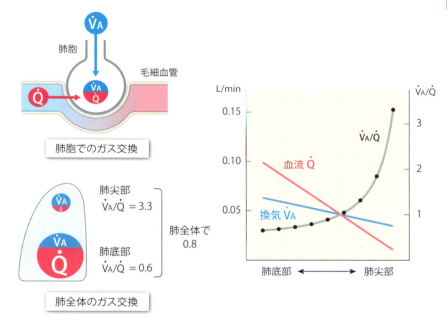

肺循環の特徴

- 肺循環系は体循環系に比べ低圧であり、重力の影響を受けやすい。肺動脈圧は 25/10 mmHg（平均 15 mmHg）、肺毛細血管圧は 10 mmHg である。赤血球が毛細血管を通過する時間は安静時 0.75 秒であるが、運動時にはさらに短縮する。
- O_2 分圧の低下と CO_2 分圧の上昇は、<mark>肺血管を収縮させる</mark>。<mark>低酸素性肺血管攣縮</mark>といい、血管を拡張させる体循環系の反応とは逆の反応である。
- <mark>生理的短絡</mark>（ガス交換が行われなかった静脈血が混合する）が存在する。また、胸大動脈の枝（気管支動脈 → 気管支静脈）からの静脈血が肺循環に流入する。
- 肺内の血液量は立位では約 1 L である（毛細血管内に 100 mL）。立位から臥位になると 400 mL が体循環から流入する。
- リンパ管が他の臓器よりも密である。肺の間質液は気管支周囲のリンパ管によって回収される。

Q95 肺におけるガス交換

● ガス交換の駆動力は，肺胞気と静脈血のガス分圧差である。

◆ 肺胞気と血液の間のガス交換は，ガス分圧較差による拡散によって行われる。

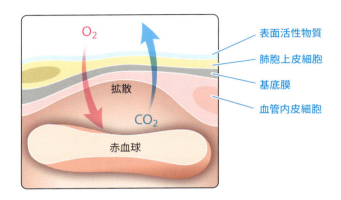

肺毛細血管の内径は約5μmであり，赤血球（直径8μm）より小さい。赤血球膜は変形しながら毛細血管に接し，血漿を介さずにガス交換を行うことができる。

◆ ガスの拡散のしやすさを拡散能といい，単位時間（1分間）に肺胞から血流へ移行するガス量で表す。分圧差1mmHgのときの拡散量を拡散係数という。

◆ O_2の拡散能は20 mL/(mmHg×min)であり，肺胞気O_2分圧100 mmHg－静脈血O_2分圧40 mmHgの較差60 mmHgでは，60×20＝1,200 mL/minの拡散が可能である。

◆ CO_2の拡散能はO_2の25倍とはるかに高く，毛細血管を通過する間に血中CO_2分圧は肺胞CO_2分圧に等しくなる。

$PaCO_2$は肺胞換気量に反比例する。

呼吸器系のガス分圧（mmHg）

	吸気（大気）	肺胞	動脈血	静脈血	呼気
O_2	158	100	95	40	116
CO_2	0.3	40	40	46	32
N_2	596	573	573	573	565
H_2O	5.7	47	47	47	47

NOTE 喫煙の呼吸器への影響

- 喫煙によりCOやNOなどのガス，ニコチンやタールなどの粒子が発生する。
- 喫煙者のCO-Hbは非喫煙者の4～8倍高い。COは胎盤を容易に通過し，胎児に移行する。
- ニコチンは肺から吸収され8秒以内に脳に達し，血中濃度は30分以内に20～50 ng/mLとなる（生物学的半減期2時間）。ニコチンは血管を収縮させ，子宮の血流量を減少させる。
- 喫煙は気道炎症を引き起こし，肺胞マクロファージを気道に集簇させる。ニコチンは好中球走化因子の作用を強める。集簇した好中球の崩壊によりエラスターゼが放出され，肺組織が破壊される。長期間の曝露により，扁平上皮化生や粘液分泌細胞の増加，線毛輸送の障害が起こり，結果的に喀痰の増加，1秒率の低下をきたす。

Q96 血液による酸素の運搬

● O_2 は化学的溶解（ヘモグロビンとの結合）によって運搬される。

◆ ガスが血液に溶けるには，物理的溶解（分子状態のまま溶液中に分布する）と化学的溶解（溶液中の物質と結合する）の2種類がある。物理的には血液100mLあたり0.29mLの O_2 しか溶け込めない（O_2 分圧95mmHgのとき）。

◆ 1gのヘモグロビンは1.39mLの O_2 と結合しうる。4分子のヘムに酸素分子が1つずつ結合し，最終的に HbO_2 となる。この反応は0.01秒以内で完結する。

$$O_2 + Hb_4 \rightarrow Hb_4O_2$$
$$O_2 + Hb_4O_2 \rightarrow Hb_4O_4$$
$$O_2 + Hb_4O_4 \rightarrow Hb_4O_6$$
$$O_2 + Hb_4O_6 \rightarrow Hb_4O_8$$

◆ 酸素と結合したヘモグロビンを**オキシ（酸素）ヘモグロビン**といい，結合していないものを**デオキシ（還元）ヘモグロビン**という。オキシヘモグロビンの全ヘモグロビンに対する割合を**酸素飽和度**という。酸素分圧100mmHg以上では酸素飽和度はほぼ100%である。

組織における酸素消費

◆ 動脈血 O_2 分圧（PaO_2）は95mmHgであるが，組織へ運ばれる間に細動脈で O_2 が拡散するため，毛細血管では O_2 分圧は20～40mmHgまで低下する。末梢組織における細胞内 O_2 分圧は平均6mmHg（心筋や骨格筋では2mmHg）である。O_2 は最終的にミトコンドリアで消費される。

◆ 動脈血100mL中の O_2 含量は，ヘモグロビン量15g×1.39mL/g×酸素飽和度97%+物理的溶解0.29mL ≒ 20mLと計算される。同様に，静脈血についても算出できる。両者の差は組織で消費されたことになる。

◆ 組織により酸素の消費量はかなり異なる。心筋や骨格筋は最も消費量が多く，これらを10とすると，脳6，肝臓4，腎臓2である。

血液ガス分析値（Hb 15g/dLのとき）

		動脈血	静脈血	
O_2	O_2 分圧	95	40	mmHg
	酸素飽和度	97	75	%
	Hbとの結合	20.22	15.64	
	物理的溶解	0.29	0.12	mL/dL
	O_2 含量	20.51	15.76	
CO_2	CO_2 分圧	40	46	mmHg
	HCO_3^- として	43.8	46.3	
	カルバミノ化合物	2.6	3.4	mL/dL
	物理的溶解	2.6	2.98	
	CO_2 含量	49.0	52.68	
	pH	7.4	7.36	

ヘモグロビンの酸素結合量
従来はHb 1g当たり1.34ないし1.36mLとされていたが，最大1.39mLであることが明らかになっている。

パルスオキシメータの原理
デオキシヘモグロビンの吸光度（660nm付近）とオキシヘモグロビンの吸光度（880nm付近）の比から相対濃度，酸素飽和度を推定する。

チアノーゼ
デオキシヘモグロビン濃度が5g/dL以上になると，口唇や皮膚が青紫色になる。

呼吸商
呼吸商 ＝ CO_2 排泄量（産生量）／ O_2 消費量
代謝性アシドーシスでは CO_2 排泄量が増大し，呼吸商は大きくなる。**代謝性アルカローシス**では小さくなる。☞ Q156

ヘモグロビンは酸素だけでなく，H^+ や CO_2 とも結合する。

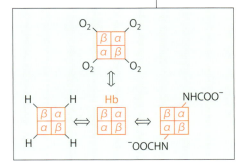

Q97 ヘモグロビンの酸素解離曲線

● 酸素飽和度は酸素分圧，pH，温度，2,3-DPG に依存する。

◆ ヘモグロビンの酸素飽和度は S 字状の**酸素飽和度曲線**で表される。**酸素解離曲線**ともいい，O_2 との結合（あるいは解離）のしやすさを表している。酸素飽和度は周囲の O_2 分圧に依存し，100 mmHg（肺に該当する）では 100%のオキシヘモグロビンである。40 mmHg（末梢組織）では 60%となり，その差 40%分の O_2 がヘモグロビンに結合できずに放出されることになる。

◆ 酸素飽和度曲線は，pH が下がる（酸性になる）と右方へ移動する（**ボーア効果**）。CO_2 分圧が増加すると pH が低下し，酸素をより離しやすくなる。そのほかに温度の上昇，2,3-DPG の増加も酸素飽和度曲線を右方へ移動させる。

◆ **2,3-DPG**；2,3-ジホスホグリセリン酸（2,3-BPG；2,3-ビスホスホグリセリン酸）は解糖系の代謝産物から作られる。赤血球中に多量に含まれ，下記の反応の平衡が保たれている。

$$HbO_2 + 2,3\text{-}DPG \rightleftarrows Hb\text{-}2,3\text{-}DPG + O_2$$

2,3-DPG の増加は，デオキシヘモグロビンの酸素化を阻害し，末梢組織での**酸素放出量を増やす**。赤血球膜にはグルコース輸送体 GLUT1 があり，グルコースが取り込まれ，嫌気性解糖によりエネルギーが産生されている。

◆ 2,3-DPG は高地環境，甲状腺ホルモン，成長ホルモン，アンドロゲンにより増加し，O_2 を放出しやすくする。アシドーシスでは赤血球中の解糖系が抑制され，2,3-DPG が減少し，O_2 放出が抑制される。輸血用の保存血では 2,3-DPG が減少する。

◆ **ミオグロビン**は骨格筋中に存在する。ミオグロビン 1 分子は 1 分子の O_2 を保持できる。ミオグロビンの酸素解離曲線はヘモグロビンのものより左上にあり，直角双曲線（左上に凸）である。**ヘモグロビンから O_2 を受けとって保持し，より低い O_2 分圧で O_2 を放出する**。

メトヘモグロビン

ヘム中の鉄原子が 2 価から 3 価へ酸化されたヘモグロビンであり，酸素を結合することはできない。ヘモグロビンの 1.5%を占める。

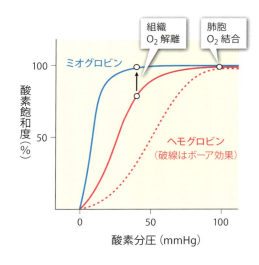

ヘモグロビンの酸素解離曲線の近似式

$$\frac{y}{100} = \frac{k \cdot x^n}{1 + k \cdot x^n} \qquad k = \frac{[HbO_2 n]}{[Hb][O_2]^n}$$

y：酸素飽和度（解離度），x：酸素分圧

k：1 分子の Hb に O_2 が n 分子結合する場合の平衡定数　$Hb + nO_2 = HbO_2 n$

n：Hill 係数 2.5～2.8（実験的に求められた値）

NOTE 一酸化炭素中毒

- CO がヘモグロビンと結合する親和性は酸素の 200 倍以上であり，かつ解離しがたい（CO-Hb の半減期は 3～4 時間）。そのため，吸気中の CO が増加すると，血中の酸素含有量の低下，酸素解離曲線の左方移動により，組織への酸素供給は激減する。
- 還元ヘモグロビンが青紫色を呈するのに対し，CO ヘモグロビンは cherry-red 色である。そのため CO 中毒ではチアノーゼは示さない（爪は cherry-red 色）。O_2 分圧は低下せず，換気促進は生じないため，ついには死に至る。
- 空気中 CO 濃度 0.1%では分圧は 0.7 mmHg になる。タバコの排煙には 4%の CO が含まれ，CO-Hb は 1 割を占める。CO 分圧 0.4 mmHg では Hb の 5 割が CO-Hb となる。

Q98 血液による CO_2 の運搬

● CO_2 は血漿, 赤血球に拡散し HCO_3^- として運搬される。

- CO_2 運搬の約1割は物理的溶解によるものであり, CO_2 分圧 40 mmHg では血液 100 mL 当たり 2.6 mL が溶存する。9割は化学的溶解による。
- CO_2 運搬の65%は HCO_3^- による。組織で産出された CO_2 は拡散により血漿, 赤血球に入り, HCO_3^- に変換される。

$$CO_2 + H_2O \longrightarrow H_2CO_3 \longrightarrow H^+ + HCO_3^-$$

この反応は炭酸脱水酵素によって数百倍に加速される。炭酸脱水酵素は赤血球中に多量に存在している。H^+ は還元ヘモグロビンと結合し, 減少するので, この反応は右へ進む。生じた多量の HCO_3^- の7割が, チャネル(バンド3蛋白)を介して血漿中に放出され, 代わりに Cl^- が血球中に入ってくる(クロライドシフト)。

- 一部の CO_2 は蛋白質(ヘモグロビン)の NH_2 基と結合し, カルバミノ化合物(カルバミノヘモグロビン)を作る。カルバミノ化合物による運搬は25%以下である。

$$CO_2 + Hb\text{-}NH_2 \longrightarrow H^+ + Hb\text{-}NHCO_2^-$$

生じた H^+ は還元ヘモグロビンに取り込まれるので, 反応は右へ進む。

- 肺では, CO_2 が体外へ排出され続けているので, これらの反応が逆方向に進む(反応は1秒以内で終了する)。

炭酸脱水酵素

すべての酵素の中でも反応速度が速いものの1つであり, 組織で産生された CO_2 は直ちに処理される。逆反応は相対的に遅い。唾液中にもこの酵素が含まれている。

CO_2 解離曲線

血液の CO_2 含有量は CO_2 分圧に依存し, CO_2 分圧の上昇に伴って単調に増加する。酸素分圧が低下すると, CO_2 結合度は増加する(ホールデン効果)。オキシヘモグロビンよりも還元ヘモグロビンの方が CO_2 を結合しやすい。

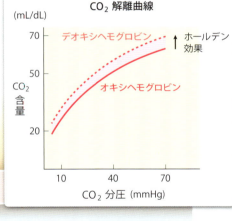

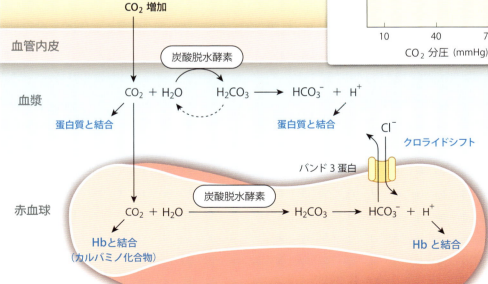

Q99 呼吸の調節

- 呼吸運動は延髄の呼吸中枢によって制御されている。
- 化学受容器は PaO_2 の低下, $PaCO_2$ の増加によって興奮する。

呼吸中枢

- 呼吸中枢は延髄の網様体にあり, 延髄背側呼吸ニューロン群 **DRG**（吸息ニューロンが多い）や延髄腹側呼吸ニューロン群 **VRG**（呼息ニューロンを含む）を一括していう。それらのニューロンにより呼吸のリズムが形成され, 脊髄の運動神経によって呼吸筋を収縮させる。横隔神経（頚髄C3〜5）が横隔膜を支配し, 肋間神経（胸髄Th1〜11）が肋間筋を支配している。
- 呼吸中枢は化学受容器だけでなく, 大脳皮質（息こらえ, 過換気, 痛み, 情動）や橋の**呼吸調節中枢**からの修飾も受けている。

化学受容器

- 末梢の化学受容器は**頚動脈小体**（舌咽神経）, **大動脈小体**（迷走神経）である。動脈血酸素分圧（PaO_2）の低下により興奮し, 呼吸中枢を刺激して呼吸促進を引き起こす。CO_2 増加, pH低下によっても興奮するが, その効果は弱い。
- 中枢の化学受容器（**中枢性化学感受野**）は延髄腹側にあり, pH低下, CO_2 増加によって興奮し, 呼吸促進を引き起こす。血中の H^+ は血液脳関門を通過しにくいが, CO_2 は容易に通過し, H^+ を増加させる（pHを低下させる）。
- PaO_2 低下時の換気量は, $PaCO_2$ が正常範囲ではあまり増加せず, $PaCO_2$ が高い場

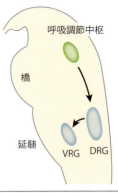

DRG ; dorsal respiratory group
VRG ; ventral respiratory group

PaO_2 低下の感受

頚動脈小体は毛細血管に富み, I型細胞とII型細胞からなり, 舌咽神経終末が分布している。低酸素時にはI型細胞の PO_2 感受性 K^+ チャネルが閉じ, 膜電位が脱分極するため Ca^{2+} チャネルが開き, Ca^{2+} が流入し神経伝達物質が放出される。

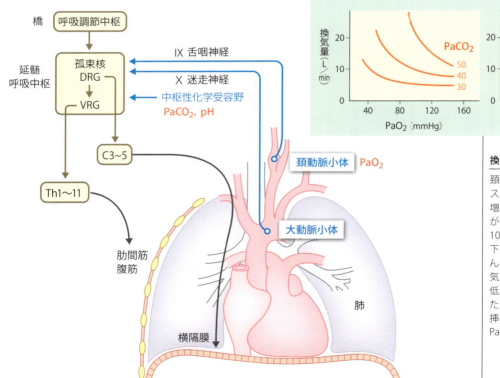

換気応答のグラフ

頚動脈小体の神経インパルスは, PaO_2 低下に伴って増加する。しかし, $PaCO_2$ が低いときには, PaO_2 が100mmHgから60mmHgに下がっても, 換気量はほとんど増加しない。若干の換気量の増加により $PaCO_2$ が低下し, 呼吸が抑制されるためであろう。グラフを外挿すると, 換気量0になる $PaCO_2$ が一点に集まる。

過換気症候群

発作性に生じる過換気とそれに伴う症状をいう。過換気により$PaCO_2$は減少する。脳血管は収縮し，脳血流の低下により意識障害をきたす。呼吸性アルカローシスとなり，血漿 Ca イオン濃度が低下し，テタニー様痙攣をきたす。CO_2分圧を増加させる目的で，紙袋を使った再呼吸が行われる。

神経因性炎症

刺激によって生じたインパルスが軸索側枝を介して末梢に伝導され，神経ペプチド（サブスタンス P，ニューロキニンなど）が放出される。それらが血管に作用し，炎症反応が生じる。気道分泌も亢進し，異物は排出される。

高所適応

アンデス高地住民の Hb 濃度は 19.2 g/dL（男性平均）と高い。

1 気圧

$= 760 \text{ mmHg/cm}^2$
$= 1033.6 \text{ g 重}$
$= 1.0336 \text{ kg} \times 9.8 \text{ ms}^{-2}$
$= 10.1293 \text{ N}$
$= 101.293 \times 10^3 \text{ N/m}^2$
$= 101.3 \text{ kPa}$
$= 1013 \text{ hPa}$

合に双曲線状に増加する。$PaCO_2$ 増加時の換気量は直線的に増加し，その傾きは PaO_2 に影響される。

◆ 化学受容器の感度が鈍かったり，呼吸中枢への伝達に時間的遅れがあると，呼吸は周期性を示すようになる。その代表例が**チェーン・ストークス呼吸**であり，一回換気量が次第に増加し，次いで次第に減少し無呼吸に至ることを周期的に繰り返す。**心不全や中枢神経障害時にみられる**。心不全では血流が遅いため，換気による血液ガスの変化が呼吸中枢に達するまでの時間が延び，応答が遅れる。そのため，呼吸促進や呼吸抑制が必要以上に持続してしまう。

機械受容器

◆ 気管，気管支には**肺伸展受容器**があり，肺が膨らむと刺激される。そのインパルスは迷走神経を介して延髄に送られる。これにより吸息中枢が抑制され，同時に呼息中枢が興奮し，肺の過度の膨張を防ぐ（**ヘーリング・ブロイエル反射**）。

◆ 末梢気道には無髄神経の C 線維が分布している。C 線維は**侵害受容器**として作用し，感染症や炎症，有害ガスなどに反応する（神経因性炎症）。肺胞近傍の J 受容器もこの一種であり，吸息反射を生じる。

Q100　高山病と潜水病

● 大気圧が低い所では肺胞内酸素分圧が低下する。
● 高圧環境下では窒素が血中に溶存する。

高山病

◆ 高地では肺胞内 O_2 分圧が低下し，呼吸は促進される。しかし CO_2 分圧も低下するため，呼吸中枢の興奮性は低下し，呼吸促進が不十分となる。さらに運動が加われば，呼吸性アルカローシスの病態になる。低酸素による呼吸困難，頭痛，めまい，悪心・嘔吐が生じる。

◆ 慢性の低酸素時には，赤血球 2,3-DPG の増加，エリスロポエチン増加による**赤血球増多**，心肥大が生じる。ヒトが順応しうる限界は海抜 6,000 m であるという。

◆ 低高度では，10 m の上昇につき大気圧は約 1 hPa（0.75 mmHg）低下する。高度が上がるに従い空気の密度が低下するので，高度と大気圧は比例しなくなる。

高度（m）	大気圧（mmHg）	吸入気酸素分圧 P_IO_2（mmHg）	肺胞内酸素分圧 P_AO_2（mmHg）
1,000	667	132	89
（富士山頂）3,773	478	91	53
10,000	158 *		

* 0.2 気圧（飛行機内は 0.8 気圧に与圧され，$P_IO_2 = 126$ である）

潜水病

◆ 高圧環境下では，窒素が血液中により多く溶存する。窒素は神経細胞にも溶存し麻酔作用をもたらし，呼吸・脈拍は緩徐になる。この状態から一気に通常の大気圧に戻ると，血管内で窒素が気泡となり，塞栓が生じてしまう。

9 循環

Q101 循環に関する物理法則

- ●壁にかかる張力は内圧と管径に比例する。
- ●圧力差が一定のとき，流量は管径の4乗に比例する。

◆循環系の役割は，細胞が必要とする物質や体温を運び，老廃物を排泄器官に送ることにある。血液の流れは下記のような物理学の法則に従う。

◆**ポワズイユの法則**　　$P = (8\eta l / \pi r^4) \cdot Q$

（η：液体の粘性，r：管の半径，l：管の長さ）

2点間の圧力差 P，管径と流量の関係を表す。流量 Q は，2点間の圧力差が一定であっても，管径が大きくなればその管径の4乗に比例して大きくなる。また，液体の粘性と管の長さに反比例する。

◆**ベルヌーイの法則**　　$E = P + (\rho v^2)/2 + \rho gh$

（ρ：血液の密度，v：流速，g：重力加速度，h：高さ）

血液のエネルギー E は，圧エネルギー P と運動エネルギー（動圧），位置エネルギーの和である。心収縮末期の左心室内圧は大動脈圧よりわずかに低いが，それでも血液は駆出され続けている。そのエネルギーは第2項の動圧による。なお，血流を止めて測定している血圧は，側圧である。

◆**ラプラスの法則**　　$T = P \cdot r$

内圧が P のとき，半径 r の容器の壁にかかる張力 T を表す。同じ内圧であっても，管径が太いほうが壁に生じる張力が大きくなる。

◆**レイノルズ数**　　$R = v\rho D/\eta$

（ρ：液体の密度，η：液体の粘性，v：平均流速，D：管の直径）

乱流の生じる条件を定量化するために使われる。管中の流速が遅いときの流れは層流であるが，流速がある限界速度を超えて速くなると乱流が起こる。生じた渦が流れに対する抵抗となり，流量は激減する。また，乱流は血管壁を傷害する一因ともなる。限界速度のレイノルズ数は大動脈で約2,000である。

◆**コンプライアンス**　　$C = \Delta V / \Delta P$　（弾性の逆数である）

内圧の変化分に対する内容積の変化分の比をいい，動脈や静脈，心室（拡張期）などの柔らかさを表す。圧−容積曲線の傾きであり，実験的に血管の内圧を高くすると，より硬くなる（C は小さな値となる）。

球と管

ラプラスの法則は，球体の場合は $P = 2T/r$ と表される。☞Q93

管の場合は，長軸方向の半径が直線（無限大）になるので，$P = T/r$ となる。

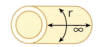

Q102 血流量の測定法

● 心拍出量の測定は物理学の法則を応用する。

◆ **フィックの原理**：呼吸によって身体に取り込まれた酸素量は，[動脈血と静脈血の酸素含量の差×心拍出量]で求められる。

吸気と呼気の酸素量の差（mL）
　＝動脈血と静脈血の酸素含量の差（mL/dL）×心拍出量（L/min）

◆ **色素希釈法**：血管内で分解代謝されにくい物質Aを一気に注入し，その物質が循環系内で希釈される濃度Cの時間的推移Tから求める。CはT時間における平均濃度である。

A（mg）＝心拍出量（L/min）×C（mg/L）×T（min）

◆ **電磁血流計**：「ある磁場の中で導体が移動すると，導体の移動速度に比例する電流が流れる」というフレミングの法則を応用したものである。実際には，血管外壁に接する2つの電極と電磁石を内蔵したプローブ（探索子）を，露出させた血管に密着させる。電磁石により磁場を作り出し，2電極間に流れる電流を計測し，血流速度を得る。これに血管断面積を乗じ，血流量を求める。

◆ **超音波血流計**：ドップラー効果を応用したものであり，非侵襲的に測定できる。一定の周波数の超音波を血流にあて，赤血球や白血球で起こる反射波を検出する。反射波の周波数は，ドップラー効果により血流速度（＝血球の移動速度）に比例して変化するので，これを検出する。

◆ **左右の心拍出量はほぼ等しい**。厳密には，左心室から駆出された血液の約1％が気管支動脈に流れ左心房に還流しており（**解剖学的短絡**），左心拍出量のほうが若干多い。

解剖学的短絡（シャント）

気管支動脈は胸大動脈から出て，気管支に沿って分布する栄養血管である。その血液は気管支静脈を経て肺静脈に注ぐ。つまり，右心系をバイパスして（肺でガス交換をせずに），左心房に戻る。

NOTE 心臓の構成

- 心臓は左右の心房・心室からなり，2系統のポンプを構成している。右心房と右心室は，全身の静脈血を受け入れ，肺へ送るポンプである。左心房と左心室は，肺から戻った血液を全身へ送り出す。
- 心房と心室の境にある弁を**房室弁**といい，右は三尖弁，左は僧帽弁と呼ばれる。房室弁の先端はパラシュートのひものような腱索につながり，心室壁から突出した乳頭筋がこれを引っぱり，弁が心房側に反転しないようになっている。
- 心室の出口にある弁（右は肺動脈弁，左は大動脈弁）を**半月弁**という。半月形の弁が組み合わさり，逆流を防いでいる。

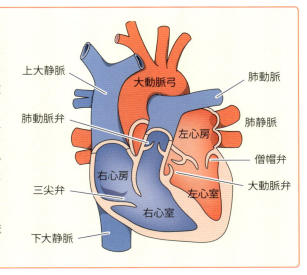

Q103 心筋線維の活動電位

◉ 心筋の活動電位の特徴はプラトー相にある（不応期が長く，強縮は起こらない）。

- 心室筋やプルキンエ線維の静止膜電位は−80～−90 mVであり，洞房結節の静止膜電位は約−40 mVである。静止膜電位は，細胞内外のK^+濃度から算出される平衡電位に近い。この静止電位は，内向き整流K^+チャネル，Na^+/K^+ポンプ，Na^+/Ca^{2+}交換輸送によって維持されている。
- イオンチャネルが開口すると，細胞外のNa^+，Ca^{2+}は流入し，細胞内のK^+は細胞外へ流出し，活動電位が生じる。活動電位の波形は，第0相（急速脱分極相），第1相（オーバーシュート），第2相（プラトー相），第3相（再分極相），第4相（静止電位相，緩徐脱分極相）に区別される。第0相ではNa^+の流入，第2相ではCa^{2+}の流入，第3相ではK^+の流出が生じており，これらイオンの出入りは第4相で復元される。
- 活動電位（脱分極）が生じると，その後の刺激に反応しない時期があり，これを不応期という。心筋はこの不応期が第4相まであるので，心筋では強縮は生じない。

Na^+/K^+ポンプ
2個のK^+を取り込み3個のNa^+を排出するため，細胞内は負の電位になる。

Na^+/Ca^{2+}交換輸送
3個のNa^+を取り込み1個のCa^{2+}を排出するため，細胞内は正の電位になる。

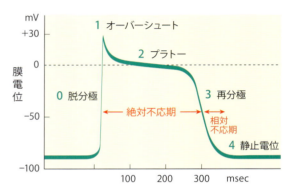

心筋の活動電位とイオンチャネル

- イオンの移動は電流として測定される。静止膜電位は，内向き整流K^+チャネルによる内向き整流K電流（I_{K1}）に依存する。
- 第0相では，電位依存性Na^+チャネルが開口し，Na^+が流入する（Na電流：I_{Na}，fast sodium current）。膜電位はNa^+の平衡電位（＋60 mV）へ向かって一気に陽性となる。Na^+チャネルは数ミリ秒で不活性化し，第1相以降Na電流は減少する。

Na^+チャネルの開口確率
Na^+チャネルの開口は確率的なものである。開口確率は電位に依存し，高い電位では細胞の全チャネルが開口する（確率1.0）。

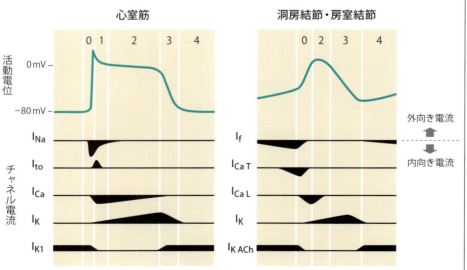

I_f
Funny current, hyperpolarization-activated

T型Caチャネル
Transient, low-voltage activated

L型Caチャネル
Long-lasting, high-voltage activated

Na⁺チャネルの不活性化

電位依存性 Na⁺ チャネルは2つのゲートを持つ。膜が脱分極している間は，電位依存性ゲートが開く。不活性化ゲートは静止状態では開いているが，電位依存性ゲートが開くとすぐに閉じてしまい，チャネルが不活性化される。

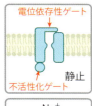

ATP 感受性 K⁺ チャネル

細胞内の ATP 濃度が非常に低下した場合に活性化され，K⁺ が流出し，活動電位持続時間は短縮する。膵臓の β 細胞にも存在し，インスリンの分泌に関与している。

- 第1相では，電位依存性 K⁺ チャネルが開口し，K⁺ が流出（一過性外向き K 電流：I_{to}）し，膜電位は 0 mV 付近へ戻る。
- 第2相では，Ca²⁺ チャネル（L 型，T 型）の開口により Ca²⁺ が流入する。この Ca 電流（I_{Ca}）は slow inward current と呼ばれ，活性化・不活性化がゆっくりである。I_{Ca} と，遅延整流 K⁺ チャネルによる K⁺ の流出（I_K）とがバランスし，プラトー相が形成される。
- 第3相では I_K が優勢になり，膜電位は再分極する。I_K は3種類の K 電流の合計である。① I_{Kur}；ultra rapid component（電位依存性，心房に多い），② I_{Kr}；rapid component（HERG チャネル，LQT2），③ I_{Ks}；slow component（KvLQT1 チャネル，β 刺激で増加する）。
- 第4相では，心室筋では I_{K1} により静止膜電位にある。プルキンエ線維では I_f により緩やかな勾配がある（自動能がある）。
- Na⁺ チャネルは閉状態（静止状態）→ 開口 → 不活性化の3つの状態を推移する。不活性化状態から閉状態に戻るには，膜電位が静止膜電位まで戻る必要がある。この間が不応期となる。☞ Q11

電流−電圧曲線

- 各チャネルの特性は，様々な膜電位における電流を測定しプロットした電流−電圧曲線でとらえると，理解しやすい。

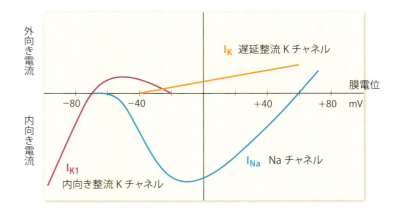

- 静止膜電位は**内向き整流 K⁺ チャネル**による I_{K1} に依存する。内向き整流性 K⁺ チャネルは，K⁺ の平衡電位以下（より過分極側）では内向きの電流を透過し，膜電位を浅くする方向に働く。平衡電位以上では外向きの電流を若干透過し，膜電位を深める方向に働く。つまり，膜電位がどちらの方向に変化しても，平衡電位に戻すように作用している。理論的な平衡電位と実際の静止膜電位の違いは，Na⁺/K⁺ ポンプによる。
- 膜電位が −60 mV 付近で Na⁺ チャネルが開口すると，Na⁺ の流入により膜電位は上昇する。Na⁺ の平衡電位 +60 mV に達するまで一気に正のフィードバックがかかり，I_{Na} が透過する。Na⁺ の脱分極に遅れて，**遅延整流 K⁺ チャネル**が開口し，外向きの電流 I_K が流れる。I_{Na} と I_K の電流の合算が 0 になる電位がピークの電位となる。

Q104 洞房結節の自動能

- 外部からの刺激がなくとも自動的に興奮する性質を自動能という。
- 洞房結節の発火頻度が，心拍数を左右する。

◆ 心筋細胞は通常，隣接する細胞に活動電位が発生しないかぎり，静止膜電位にとどまっている。ところが洞房結節では，ひとりでに脱分極が起こり，ある閾値に達すると活動電位を発生する。つまり，細胞が自動的に興奮する性質（自動能）を持っている。

◆ 洞房結節や房室結節では，最大分極電位が－40 mV程度であり，第4相の膜電位は緩やかな上向きを示す。この脱分極を歩調取り電位（ペースメーカー電位）という。膜電位が閾値に達すると，Ca^{2+}チャネルの活性化による脱分極が生じる。この脱分極（発火）は刺激伝導系により心臓全体へ広がり，心収縮が起こる。すなわち，洞房結節の発火頻度が心拍数を決めている。

◆ 洞房結節の発火は，①静止膜電位が深くなるほど，②歩調取り電位の勾配が緩やかであるほど，③閾膜電位が浅いほど，遅くなり，心拍数は減少する。

歩調取り電位の発生機序

◆ 洞房結節・房室結節では，第4相の膜電位は，I_K（外向きK電流）の減少とI_f（内向き電流）の増加により，緩やかな上向きを示す。

◆ 膜電位が閾値近くになると，T型Caチャネルとl型Caチャネル（ジヒドロピリジン感受性Caチャネル）が順次開口し，Ca^{2+}が流入し脱分極する。Na^+チャネルが少なく，かつ活性化されないので，脱分極の立ち上がりは緩やかである。その後，遅延整流K^+チャネルが活性化され，第3相を形づくる。

◆ 洞房結節には内向き整流K^+チャネルが少なく，静止膜電位が浅い。またNa^+チャネルは－50 mVでは不活化状態であり，開口し得ない。☞Q11

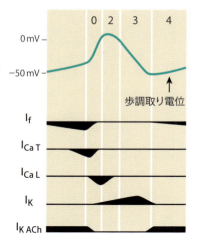

洞房結節の神経支配

◆ 洞房結節は副交感神経（迷走神経）の支配を受けており，迷走神経の興奮は心拍数を減少させる。交感神経の興奮（迷走神経の抑制）は心拍数を増加させる。

◆ 副交感神経（アセチルコリン）によって活性化されるK^+チャネルは，洞房結節，心房，房室結節にある。アセチルコリンがムスカリンM_2受容体に結合すると，Gi蛋白を介してK^+チャネルが活性化される。K^+がより多く流出し，膜電位は過分極し，第4相の勾配はゆるくなり，心拍数は減少する（徐脈）。房室結節は抑制され，房室伝導時間が延長する。

◆ カテコールアミンは，Gs蛋白を活性化しI_fを増加させ，第4相の勾配を急峻にさせる。また，K^+チャネルの不活性化を促進しI_Kを減少させる。

洞房結節
右心房の上大静脈との境界付近にある細胞集団。洞結節，キース・フラック結節とも呼ばれる。

房室結節
心房中隔の右心房側にある。田原（たわら）結節とも呼ばれる。

スタニウスの結紮
カエルの心臓を静脈洞－心房間，心房－心室間で結紮すると，静脈洞，心房，心室がそれぞれ固有の調律で興奮・収縮する。

I_f電流（funny current）
過分極によって活性化する内向きの電流をいい（神経細胞ではI_h電流と呼ばれる），HCN4（hyperpolarization-activated cyclic nucleotide-gated）チャネルによる。

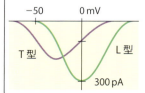

電流－電圧曲線でみると，Ca^{2+}チャネルのL型，T型の違い（閾値，ピーク）は明らかである。

アセチルコリン感受性Kチャネル
ムスカリン受容体刺激により，電流（$I_{K ACh}$）が増大する。

Q105 心臓の活動電位の伝播

◉ 洞房結節に生じた電気的興奮は，刺激伝導系を介して両心室へ伝わる。

- **洞房結節**で生じた電気的興奮は，左右の心房に放射状に伝わるとともに，房室結節→ヒス束→プルキンエ線維（右脚・左脚）を経て心室筋に伝わる。この伝播経路を**刺激伝導系**という。
- 刺激伝導系のいずれの細胞も自動能を持っているが，洞房結節の発火頻度（70〜80回/分）が速いので，他の部分がこれに追従する。もし，上位の組織が長時間停止すれば，下位の組織が補充的に発火しペースメーカーの役を果たす。
- **房室結節**の興奮伝導速度はやや遅い。房室結節の興奮伝導は迷走神経刺激により抑制〜阻止され，交感神経刺激で速くなる。房室結節の不応期は心房より長く，ある頻度以上の興奮は心室に伝導されない。
- **プルキンエ線維**の興奮伝導速度は，心筋の興奮伝導速度より速く，左右の心室筋をほぼ同時に興奮させる（0.03秒）。
- 心筋細胞間には**ギャップ結合**があり，細胞膜がきわめて接近しているため電気抵抗が小さい（電気シナプス☞Q22）。また，コネクソンチャネルにより K^+ の移動が容易である。病的な状態ではコネクソンが閉じ，伝導速度は低下する。

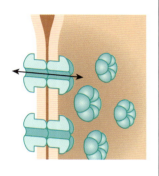

コネクソン
細胞膜どうしをリベットのように結合している膜貫通蛋白質。6量体のチャネル構造をもち，イオンなどが通過する。このチャネルは細胞内 Ca^{2+} や H^+ の増加により閉じる。

プルキンエ線維
ヒス束に始まる束状の太い線維。心室中隔を下行しながら右脚と左脚に分かれ，心室の内膜下を走る。

抗不整脈薬
ある種の抗不整脈薬は，静止膜電位を浅くし，脱分極の立ち上がりを遅くさせ，伝導を遅くさせる。

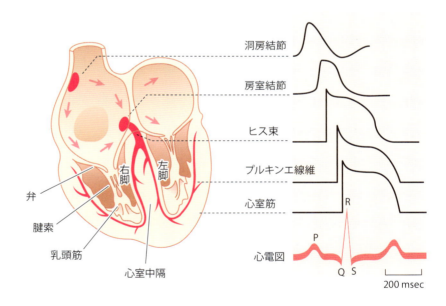

刺激伝導系の電気的特性

	静止膜電位 （mV）	活動電位持続時間 （msec）	V_{max} （V/sec）	伝導速度 （m/sec）
洞房結節	−40〜−60	100〜300	1	0.02
房室結節	−60〜−70	200〜300	1	0.05〜0.1
プルキンエ線維	−90〜−95	300〜500	500	2〜4
心室筋	−80〜−90	200〜400	200	0.5〜1

V_{max}：脱分極の立ち上がりの最大速度

Q106 心電図

- ●心電図は心臓の電気的興奮を体表から記録したもの。
- ●1心拍ごとに 1mV 程度の電位変化が生じる。

心電図は心ベクトルの各誘導への射影を見ている。

心電図の誘導法

- ◆**双極導出法**：2点間の電位差をみるもの。標準肢導出法には，第Ⅰ導出（右手－左手），第Ⅱ導出（右手－左足），第Ⅲ導出（左手－左足）があり，右手・左手・左足を頂点とする正三角形（**アイントーフェンの三角形**）の中心に心臓を想定している。
- ◆**単極導出法**：特定の部位の絶対的電位をみるもの。3点の電位から絶対ゼロ電位を想定し，各点の電位を測定する（Wilson の導出法）。単極肢導出法，単極胸部導出法（V_1～V_6）などがある。

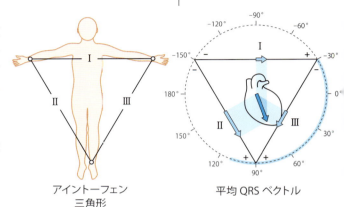

アイントーフェン三角形　　平均 QRS ベクトル

心電図の波形

- ◆**P 波**は心房の電気的興奮（脱分極）を表す。
- ◆Q，R，S 波はまとめて **QRS 群**と呼ばれ，心室の脱分極を表す。
- ◆**ST 部分**および **T 波**は心室の興奮，再分極を表す。
- ◆**PQ 時間**：洞房結節で発生した興奮が心室に伝わるまでの時間（0.12～0.20 秒）。
- ◆**QRS 時間**：心室の脱分極の時間（0.08 秒）。
- ◆**QT 時間**：心室の脱分極および再分極の時間。QT 時間は心拍数（1分/RR 間隔）により大きく変動するので，平方根で割って補正した値 QTc を用いている。正常値は 0.36～0.44 秒。

$$QTc = \frac{QT}{\sqrt{RR\ 間隔(sec)}}$$

- ◆**平均 QRS ベクトル**（**電気軸**）：心臓全体の電気的興奮の方向を表し，通常，-30°から+110°の範囲にある。近似的に標準肢導出の QSR 群の最大の正負のふれの代数和から求める。

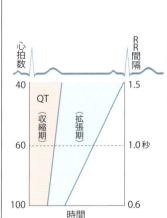

先天性 QT 延長症候群

心筋 Na チャネルの遺伝子の変異により，Na チャネルの開口時間延長や再開口が生じる。チャネル不活性化が遅れることにより活動電位の再分極が遅延し，特有の心室頻拍（torsade de pointes）がみられ，失神や突然死を引き起こす。

不整脈の波形

心房細動では P 波が乱れ，心室性期外収縮では QRS，T 波が変形する。

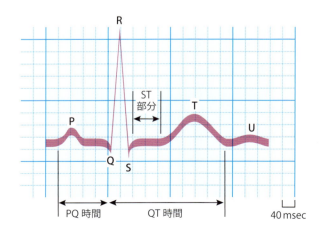

NOTE 不整脈の心電図

- 心電図は臨床的には「波形」と「脈」に分けてみると理解しやすい。
- **波形の異常**は主に活動電位の異常によるものであり、左室肥大のR波増高、心筋梗塞のST上昇、異常Q波（幅広く深いQ波）などがある。
- **脈の異常**は自動能・伝導の異常（異常発火、伝導経路の異常、伝導速度の異常）によるものであり、心房・心室の周期的リズムが乱された状態になる。伝導の異常はしばしば波形の異常を伴う。
- 脈の異常の理解には、ラダーダイアグラムが有用である。ラダーダイアグラムとは、各部位（洞結節、心房、房室結節、心室）の発火を時間軸上にとり、刺激の伝導経路をハシゴ状に線で結んだ図のことである。
- 前提条件として洞結節、心房、房室結節、心室は、①それぞれの自動能を持ち発火する。②刺激されると発火・伝導し、③不応期では発火しない。④タイミングによっては自己の調律が変動する。

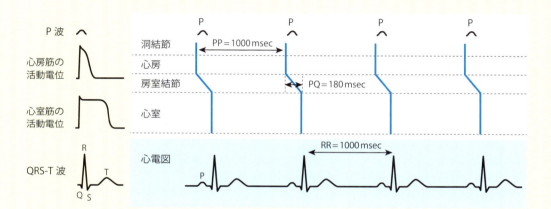

正常心電図の成り立ち

洞結節の発火（洞周期1000 msec）は、心房を興奮させるとともに房室結節に達する（時間を要しないのでラダーダイアグラムは垂直の線となる）。房室結節での伝導は遅いので傾斜がつき180 msecを要している。心室の固有周期は1500 msecと長いが、通常は刺激伝導系からの刺激を受けて興奮する。P波は心房全体の活動電位、QRS-T波は心室全体の活動電位の表れであり、両者を合算したものが心電図となる。

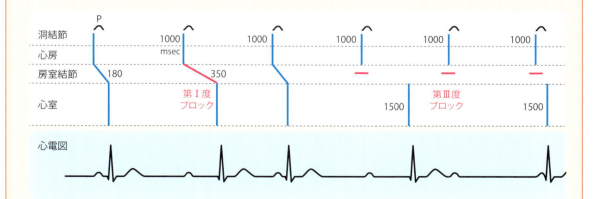

伝導の異常：房室ブロック

房室伝導系の障害によって伝導の遅れや途絶が生じる。ブロックの程度により3段階に分類される。
第Ⅰ度房室ブロック：PQが延長（0.20以上）するが、P波の後にQRS-T波が必ず続く（2拍目）。
第Ⅲ度房室ブロック：心房と心室はそれぞれ固有のリズムで動き、P波とQRS-T波の時間的関係は見いだせない（4拍目、5拍目）。

NOTE ✏️ 不整脈の心電図（続き）

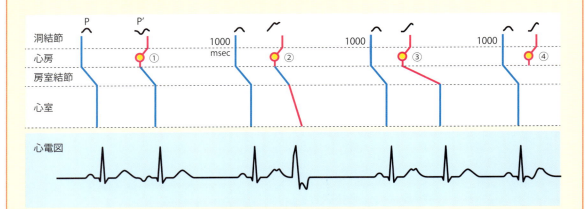

心房の異常発火：上室性（心房性）期外収縮

①心房の一部の異常発火（2拍目）が心房全体に広がるとともに，正常な刺激伝導系を刺激し心室を興奮させる．心電図では1拍目のT波の後に，波形の異なるP波（P'波），正常なQRS-T波が続いている．心房の異常発火は洞結節の固有周期をリセットさせ，1000 msec後に洞調律が生じる（3拍目）．

②変行伝導を伴う上室性期外収縮（4拍目）：心房の一部の異常発火が刺激伝導系を刺激するが，心室には直前の興奮の影響が残っている．そのため興奮伝導が遅延（傾斜）し，幅広くいびつなQRS-T波が生じる（心室内変行伝導といい，心室性期外収縮と間違えやすいので要注意）．

③P'Q間隔延長がある上室性期外収縮（6拍目）：心房・房室結節からの刺激が心室を興奮させる．しかし，房室結節には直前の興奮の影響が残っているため，伝導が遅延（PQ延長）する．心室内の伝導は正常であり，正常なQRS-T波を示す．

④伝導されない上室性期外収縮：房室結節が刺激されるが反応せず，興奮が伝導しない状態である．P'波のみが生じ，7拍目のT波に重なっている．

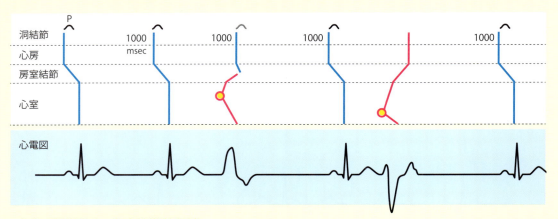

心室の異常発火：心室性期外収縮

心室の一部の異常発火（異所性発火）が心室全体に伝導したものである．先行するP波はなく，QRS波は一般に幅広くなる（3拍目）．この興奮は逆行性に房室結節へ伝導しているが，洞結節からの伝導と出会い途絶している．心房の正常なP波はQRS-T波に重なっている．
5拍目の期外収縮のように，発火部位が異なれば，異なった形のQRS波が生じる（多源性，多形性）．この伝導は逆行し洞結節をリセットしている．

Q107 心筋の興奮収縮連関

- 小胞体からの Ca^{2+} 放出に至る過程が骨格筋とは異なる。
- 心筋では，細胞外から流入した Ca^{2+} が Ca^{2+} 放出を誘発する。

◆ 電気的興奮（活動電位）によって筋収縮が引き起こされる一連の過程を**興奮収縮連関**という。心筋の興奮収縮連関は，骨格筋のそれと少し異なる。

◆ 心筋では，活動電位のプラトー相における Ca^{2+} 流入により，筋小胞体から大量の Ca^{2+} が細胞質に放出される。これを **Ca^{2+} 誘発性 Ca^{2+} 遊離**という。T細管の細胞膜にあるL型 Ca^{2+} チャネル（**ジヒドロピリジン受容体**）が開口し Ca^{2+} が流入すると，筋小胞体の Ca^{2+} 遊離チャネル（**リアノジン受容体**）が活性化され，Ca^{2+} が細胞質に放出される。細胞質の Ca^{2+} 濃度が 10^{-7} M を超えると，筋収縮が生じる。骨格筋では，ジヒドロピリジン受容体がリアノジン受容体に結合しており，直接活性化する点が異なる。☞ Q17

◆ 放出された Ca^{2+} が筋小胞体へ回収，あるいは細胞外へ放出されて，細胞質の Ca^{2+} 濃度が低下することにより，筋は弛緩する。Ca^{2+} の小胞体への回収は，Ca^{2+} ポンプである **SERCA** により行われている。SERCA のポンプ機能は，隣接する**ホスホランバン**によって調節されている。

◆ 心筋の収縮を増強する因子：
① 細胞外 Ca^{2+} の増加（Ca^{2+} 電流を増加させる）
② 細胞外 Na^{+} の減少（Na^{+}/Ca^{2+} 交換輸送を低下させ，Ca^{2+} が細胞内に蓄積する）
③ 温度の低下（筋小胞体からの Ca^{2+} の遊離が増える）
④ 心拍数の増加（遊離した Ca^{2+} の回収が不十分になる）

細胞内 Ca^{2+} 濃度は通常では $0.1\ \mu M$ 以下

SERCA
sarcoplasmic reticulum Ca^{2+} ATPase

Na^{+}/Ca^{2+} 交換輸送
3個の Na^{+} と1個の Ca^{2+} を交換する。この際エネルギーを必要としないが，細胞内に流入した Na^{+} をくみ出すには ATP を消費する。

ジギタリス
強心薬のジギタリスは心筋の Na^{+}/K^{+} ポンプを阻害し，細胞内 Na^{+} を増加させる。このため，Na^{+}/Ca^{2+} 交換輸送が減退し細胞内 Ca^{2+} 貯蔵量は増加し，心収縮性が高まる。

収縮機構そのものは骨格筋と心筋で差はない。Ca^{2+} がトロポニンCに結合することによりトロポニンの立体構造が変化し，アクチンとミオシンが連結する。また，ミオシン頭部の首振り運動によりアクチンがミオシンに引き寄せられる。

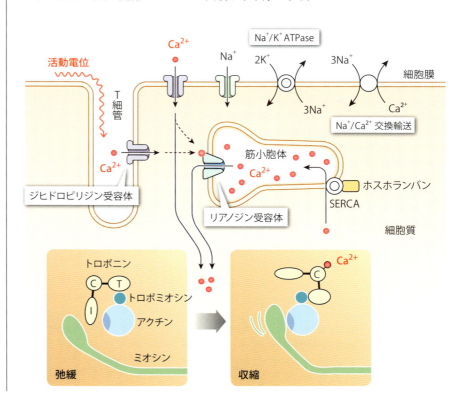

Q108 心筋線維の等尺性収縮と等張性収縮

● 筋の収縮様式には等尺性収縮と等張性収縮がある。
● 心筋は引き伸ばされるほど、張力を増す（強く収縮する）。

等尺性収縮：筋長が一定（短縮させない）という条件下での収縮
◆ 心筋片を初期の長さから徐々に伸ばすと、これに抵抗する力（静止張力）が生じる。そして、心筋片の両端を固定し筋長を一定にした状態で、刺激を加えると、張力（発生張力）が生じる。静止張力と発生張力の和を全張力という。様々な筋の長さにおける張力をプロットしたものが、長さ-張力関係である。
◆ 心筋の生理的範囲では、筋長が長いほど発生張力は大きくなる（スターリングの法則）。筋節長が 2.0〜2.2 μm のとき、最大の張力を生じる。☞ Q20

等張性収縮：収縮時の荷重（おもり）が一定という条件下での収縮
◆ 心筋片の一端に荷重を吊り下げた状態（等張性）で刺激を与えると、心筋片は短縮する。様々な荷重とその短縮速度の関係をプロットすると、直角双曲線を描く。荷重 0（自重 0）のときの短縮速度を最大短縮速度 V_{max} という。筋長により発生張力は増減し短縮速度は変化するが、いずれの場合でも V_{max} は一定である。

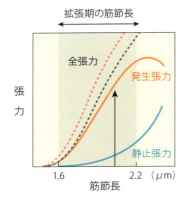
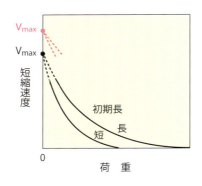

左の図で、心筋の収縮性が増した場合を赤線で示した。等尺性収縮では、各筋長において張力は増大し、長さ-張力曲線が増高する。等張性収縮では、各荷重において短縮速度は増大し、V_{max} が大きくなる。

Q109 心室の圧-容量曲線

● 心室の等容性収縮は、筋の収縮様式としては等尺性収縮である。

◆ 圧-容積曲線は、1回の拍動における心室内圧と心室容積の経時的変化をプロットしたもので、心筋の収縮様式の理解に役立つ。心収縮の開始は、拡張末期の点（EDP・EDV）から始まる。
① **等容性収縮期**：心室内圧が大動脈圧を越えるまでのごく短時間は、心室容積が不変のまま収縮する。等尺性収縮に相当する。
② **駆出期**：心室内圧が大動脈圧をしのぎ、血液を駆出する期間である。等圧性収縮（等張性収縮に相当する）と考えると理解しやすい。実際には大動脈圧が上昇するので凸のカーブを描く。拡張末期容積 EDV と収縮末期容積 ESV の差が、駆出量（一回心拍出量）である。

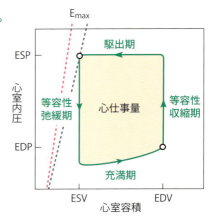

拡張末期圧
end-diastolic pressure ; EDP

拡張末期容積
end-diastolic volume ; EDV

収縮末期圧
end-systolic pressure ; ESP

収縮末期容積
end-systolic volume ; ESV

③**等容性弛緩期**：大動脈弁が閉じ，血液の出入りがない（心室容積は不変）状態で，心筋が弛緩する。ごく短時間である。

④**充満期**（流入期＋心房収縮期）：心房から血液が流入し，心室は拡張し，内圧も上昇し，EDP・EDVに戻る。

◆動脈圧（＝収縮末期圧 ESP）を上下させる実験により，収縮末期の点（ESP・ESV）は一直線上にのり，その直線の勾配が心室の収縮性を表すことがわかった。この勾配のことを E_{max} と呼び，心収縮性の指標となっている。

◆圧−容積曲線の内側の面積は，心室が外部に対しておこなった仕事量に対応する。仕事＝力×距離は，（力／面積）×（面積×距離）＝圧力×容積と変形できるからである。

Q110 心拍出量曲線

● 前負荷を増やすと，スターリングの法則により心拍出量は増大する。
● 後負荷が大きくなると心拍出量は減少する。

◆**心拍出量**は1分間に拍出された血液量をいう。

心拍出量 ＝ 一回拍出量 × 心拍数

◆**一回拍出量**は拡張末期と収縮末期の容積の差（EDV−ESV）であり，安静時心拍出量は 70 mL × 70 回/min ＝ 4,900 mL/min，約 5 L/min と算出される。個体間の比較には，体表面積当たりの心拍出量である**心係数**が使われる。

◆心臓が収縮する直前にかかる負荷を**前負荷**といい，拡張末期容積（圧）に代表される。臨床的には中心静脈圧，左心房圧（肺動脈楔入圧）として測定される。前負荷を規定する要因の1つが**静脈還流量**である。体循環から帰ってくる血液の量が多いほど拡張期の心室がより伸展し，心筋はより強い張力を発生する。

駆出率

［一回拍出量／拡張末期容積］を駆出率という。正常値は 60〜80%である。

◆左心室は大動脈圧，右心室は肺動脈圧に打ち勝って血液を駆出しなければならない。これらの動脈圧のことを**後負荷**という。後負荷が増えると，心拍出量は減少する。

◆**心拍出量は，前負荷，後負荷，収縮性の3者で決まる**。右図の赤線は，収縮性が増強した場合（たとえば交感神経を刺激したとき）を示している。負荷が同一条件であっても，拍出量は増加する。

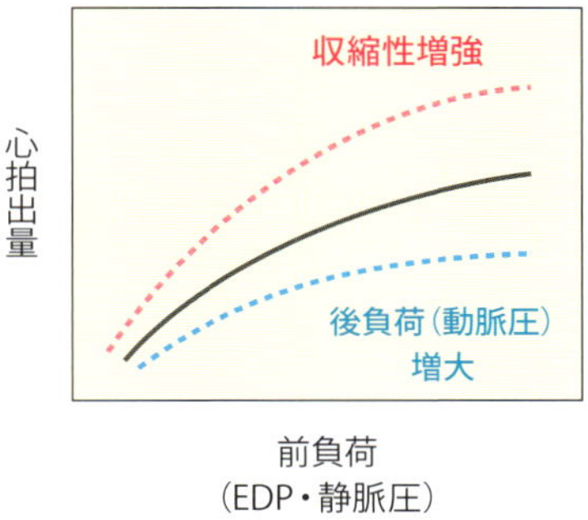

◆静脈還流量の増加はスターリングの法則により心拍出量を増加させるが，**同時に心拍数も増加する**。心房壁にある伸展受容器が興奮し，自律神経を介する反射により洞房結節の自動能が高まるためである。この神経反射を**ベインブリッジ反射**という（☞ Q120）。吸気時には，胸郭内がより陰圧となり静脈還流量が増加し，心拍数が増加する。

Q111 心周期

- 心周期は左心室の収縮・弛緩の経過を中心に考える。
- 聴診器で聞くのは第Ⅰ音と第Ⅱ音であり，弁が閉じる音である。

◆ 1回の拍動における収縮と弛緩のサイクルを**心周期**という。下の図は，大動脈圧，心室圧，心房圧，心音図，心電図を時間軸でみたものである。**収縮期**と**拡張期**の区分は，左心室の収縮・弛緩を基準としている。心室の収縮は，心房の収縮より約0.1秒遅れて始まる。

◆ 心電図のQRS群の始まりが心室の収縮の開始時期であり，**房室弁が閉じ第Ⅰ音を発する**。心室が収縮（**等容性収縮期**）し，左心室内圧が大動脈圧よりも高くなると，大動脈弁が開き，駆出が始まる（**駆出期**）。心室の収縮が終わると，**大動脈弁が閉じ第Ⅱ音を発する**。

◆ 心室が弛緩（**等容性弛緩期**）し，心室内圧が心房内圧を下回ると房室弁が開き，血液が心室へ流入する（**流入期**）。流入期の終り近くで心房の収縮が起こり，さらに血液が心房から心室へ送り込まれる（**心房収縮期**）。

心拍が速くなる（RR間隔が短くなる）と，収縮期（QT時間）よりも拡張期がより短くなる。☞ Q106

収縮末期の左心室圧は大動脈圧よりわずかに低いが，それでも血液は駆出され続けている。これは血液の運動エネルギーによるものである。（ベルヌーイの法則 ☞ Q101）

グラフでは等容性収縮期と等容性弛緩期は幅広く，左心室圧の上昇・下降は緩やかに描かれているが，実際には0.05秒程度のほんのわずかな時間である。

Ⅰ音
左右の房室弁（僧帽弁と三尖弁）はほぼ同時に閉鎖する。この閉鎖音がⅠ音であるが，実際には弁以外の音も含まれている。

Ⅱ音
大動脈弁（ⅡA）と肺動脈弁（ⅡP），それぞれの閉鎖音が組み合わさった音である。吸気時には胸腔内圧が低下し静脈還流量が増加するため，肺動脈弁の閉鎖が遅れる。注意深く聞くと2つの音が区別できる。

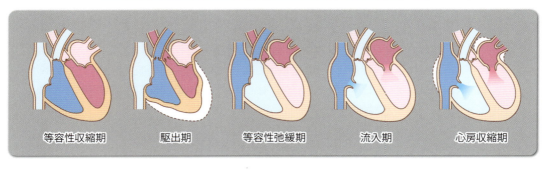

Q112 心臓の神経性調節

◉心臓は交感神経と副交感神経による二重支配を受けている。

◆心臓への作用は，**変時作用**（心拍数を変える），**変伝導作用**（房室伝導時間を変える），**変閾作用**（興奮性を変える），**変力作用**（収縮性を変える），**変弛緩作用**に分けて考える。

◆**交感神経**の興奮は，アドレナリンβ受容体を介して，心拍数増加，房室伝導時間（PQ時間）短縮，興奮性上昇（易興奮性），心筋収縮力増強，心筋弛緩速度上昇をもたらす。これらの結果，心拍出量は増加する。

◆**迷走神経**（副交感神経）の興奮は，ムスカリンM_2受容体を介して，心臓の活動を抑制する方向に作用する。心拍数減少とPQ延長をきたすが，心室筋に対する作用はわずかである。

自律神経による調節の機序

◆**アドレナリン受容体**にはα_1，α_2，β_1，β_2などがあり，存在部位や作用が異なる。心臓には主にβ_1受容体が分布する。**β_1受容体**の作用は，

①ペースメーカー細胞のI_{Ca}を増加させ，活動電位の第4相の勾配を急峻にし，心拍数を増加させる。

②I_{Ks}やcAMP依存性Cl^-チャネルを活性化し，活動電位の持続時間を短縮させる。

③心収縮性を増大させる。

◆β_1受容体にアドレナリン（ノルアドレナリン）が結合すると，促進性G蛋白質（Gs）が活性化され，細胞内シグナル伝達系が始動する（☞Q7）。最終的に**プロテインキナーゼA**が活性化され，標的蛋白質をリン酸化することで機能を発揮する。

①Ca^{2+}チャネルがリン酸化され，I_{Ca}が増加する（細胞内Ca^{2+}濃度が上昇する）。

②ホスホランバンがリン酸化され，Ca^{2+}の筋小胞体への取り込みが増す（次回収縮時にCa^{2+}放出量が増加する）。

③トロポニンIがリン酸化され，トロポニンCのCa^{2+}感受性が低下し，心筋の弛緩が速まる。

◆**ムスカリンM_2受容体**は細胞膜のK^+透過性を高める（K^+が流出し，細胞内はより負になる）。これにより活動電位の第4相の脱分極を抑制し，心拍数を減少させる。

心拍数を増加させる因子

興奮，性情動，疼痛，身体活動，発熱，アドレナリン，甲状腺ホルモン，血圧低下，低酸素症

心拍数を低下させる因子

恐怖，悲哀，血圧上昇（圧受容器の興奮），頭蓋内圧亢進

ダウンレギュレーション

受容体を連続的に刺激すると，受容体数が減少すること。アドレナリン受容体はダウンレギュレーションを受けやすい。

9

循環

NOTE✎ アドレナリン受容体の作用

- **α_1受容体**：血管平滑筋，前立腺，瞳孔散大筋に存在し，これらの平滑筋を収縮させる。
- **α_2受容体**：ノルアドレナリン神経のシナプス前膜に存在し，その神経末端からのノルアドレナリンの分泌を抑制する（分泌に対して負にフィードバックする）。

- **β_1受容体**：心筋に存在し，心収縮力増強，心拍数増加をもたらす。
- **β_2受容体**：血管平滑筋，気管支平滑筋，胃腸の平滑筋，子宮筋に存在し，これらの平滑筋を弛緩させる。
- 以上は，循環系に関わりのある作用のみをまとめたものである。その他の作用は各章を参照されたい。

Q113 血圧とは

- ● 心周期に由来する拍動はあるものの，血圧は一定に保たれている。
- ● 大動脈は弾性に富み，心収縮期には血液を受け止め，心拡張期には血液を末梢へ押し出す。

◆ 通常，マンシェットで簡便に測定できる上腕動脈圧を"血圧"という。正確を期す場合には，左心室圧，冠動脈圧，毛細血管圧，末梢静脈圧，中心静脈圧，右心房圧，肺動脈圧などと，測定部位を含めていう。

◆ 動脈の内圧は心周期に伴って変動するが，その最大値を**最高血圧**または**収縮期血圧**，最小値を**最低血圧**または**拡張期血圧**という。両者の差が**脈圧**である。

　　脈圧＝最高血圧－最低血圧

◆ 1心周期の血圧を平均したものを**平均血圧**といい，臨床的には次のように求める。

　　平均血圧＝脈圧/3＋最低血圧

◆ 動脈は，心収縮期に一気に駆出される血液を受け止め，なだらかな拍動流に変え，収縮期および拡張期を通じて組織・毛細血管へ流している。これは，**大動脈の弾性と抵抗血管の働きによる**。動脈硬化ではこれらの作用が損なわれ，拍動が大きくなり，最高血圧が高くなる。

◆ 大動脈とそれに続く太い動脈は弾性線維に富み，**弾性動脈**と呼ばれる。駆出により大動脈径は広がり，その壁の振動が末梢へ伝播する（**圧脈波**）。圧脈波の伝播速度は，壁の弾性率の平方根に比例する（大動脈で3〜5m/sec）。

　　伝播速度＝$\sqrt{(弾性率 \times 壁厚)/(2 \times 血液密度 \times 内径)}$

血圧が高まると，壁の弾性が減少し，圧脈波の伝播速度は速くなる。

水銀柱 mmHg

mmHg ＝ cmH$_2$O × 13.6（水銀の比重）

平均血圧の計算例

(120 − 80)/3 + 80 = 93 mmHg

圧脈波

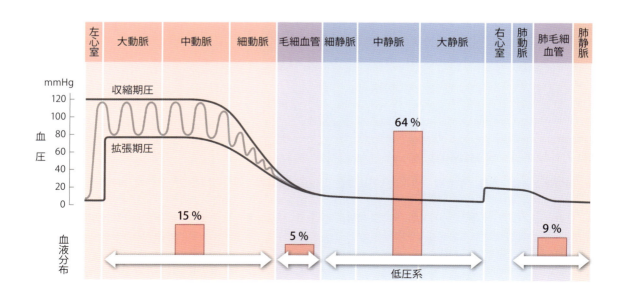

Q114 血液の分布

● 細動脈は血圧を調節し，低圧系は循環血液量を調節する。

抵抗血管と容量血管

- 血圧は細動脈での血圧降下の幅が大きい。細動脈の入口で約 85 mmHg あった血圧は，毛細血管の近くでは 30 mmHg まで下がる。細動脈の収縮・拡張により血圧の調節が行われており，機能的には細動脈を抵抗血管として考えてよい。抵抗血管の収縮は，上流（大動脈）の血圧を上げ，下流（毛細血管）の血圧を下げるように働く。各臓器の抵抗血管が収縮・拡張することにより，適時，血流が配分されている。

- 血液の約7割は低圧系すなわち静脈系にある（大動脈〜細動脈 15％，毛細血管 5％，細静脈〜大静脈 64％，肺循環 9％，心臓 7％）。低圧系は血液を大量に保持する機能があるので，容量血管と呼ばれる。容量血管の収縮は，容量血管中の血液を押し出し，有効循環血液量を増やし，静脈圧は上昇する。

臓器への血流の配分

- 安静時の各臓器の血流の割合は，脳 15％，気管支 5％，心臓（冠循環）5％，骨格筋 15％，腎臓 20％，消化器 30％，皮膚その他 10％である。
- 運動時には，骨格筋の動脈は拡張し，消化器への血管は収縮する。同時に容量血管は収縮し，有効循環血液量を増加させる。

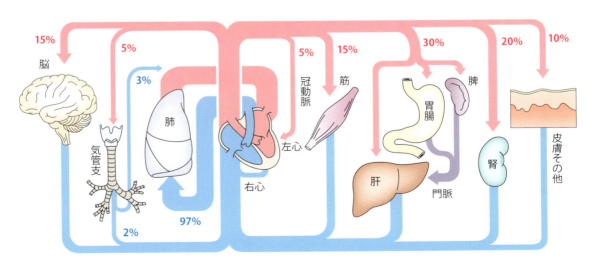

（大地陸男：生理学テキスト，第 4 版，文光堂，2003，p.275，改変）

Q115 循環の調節

- ●血圧は，心臓のポンプ機能，抵抗血管の径，容量血管の血液量によって決まる。

◆ 循環系は，心ポンプと抵抗血管，容量血管が連結した閉じた回路として考えられる（肺循環も同様である）。循環系の圧，流量の関係は，オームの法則を当てはめて考えればよい。

動脈圧 [mmHg] ＝ 心拍出量 [L/min] × 総末梢血管抵抗 [mmHg/(L/min)]

静脈圧は動脈圧に比して小さく，無視できる。抵抗血管は全血管による抵抗を意味し，容量血管には抵抗はないとする。

◆ 心拍出量は，心拍数と一回拍出量（心収縮性，前負荷，後負荷）で決定される。静脈圧（前負荷）は，全血液量が多いほど，容量血管が収縮するほど上昇する。静脈圧の上昇は心室拡張末期容積を増加させ，スターリングの法則により心拍出量は増える。

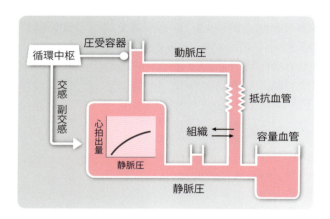

◆ 動脈圧は，心拍出量が多いほど，抵抗血管が収縮するほど，高くなる。動脈圧は圧受容器により常にモニターされ，循環中枢で調節されている。もし動脈圧が低下すれば，血圧を回復する反応が起こり，交感神経は興奮し，副交感神経は抑制される。心拍数は増加し，心収縮性は強まり，抵抗血管，容量血管は収縮する。

◆ 血圧の調節は，①自律神経による**神経性調節**（☞ Q116），②ホルモンなどによる**液性調節**（☞ Q117），③血管自身による**局所性調節**（☞ Q118）により行われている。

Q116 血管の神経支配

- ●交感神経は常時一定の興奮を保ち，持続的に血管を収縮させている。
- ●消化管，皮膚の血管は α_1，冠状動脈や肺，骨格筋の血管は β_2 優位。
- ●副交感神経の血管支配は限定的なものである。

①**交感神経**：交感神経終末からはノルアドレナリンが放出され，血管平滑筋の α_1 受

交感神経の興奮	
α₁ 受容体	収縮
β₂ 受容体	拡張

容体に作用して血管を収縮させる。交感神経は**持続的にある程度の興奮をしており，血管の緊張（tonus）を保っている**。α₁ 受容体は全身の血管に広く分布している。一方，冠状動脈や肺，骨格筋の血管は β₂ 受容体を優位に発現しており，ノルアドレナリンの作用により拡張する（副腎髄質から分泌されるアドレナリンはより強い β₂ 作用を持つ）。これらの臓器では，交感神経興奮（闘争か逃走）時に血管が拡張し，優先的に血流が配分される。なお，一部の骨格筋血管には例外的にコリン作動性線維が分布しているが，その役割は大きくない。

②**副交感神経**：唾液腺，膵外分泌腺，外性器などに限局して分布しており，血管を拡張させる。

NOTE 循環動態の考え方 〔Q109〜Q115 のまとめ〕

- 循環動態をより深く理解するために，5つの要素（心機能，動脈，抵抗血管，静脈，全血液量）で構成される回路を仮定して，考えてみよう。

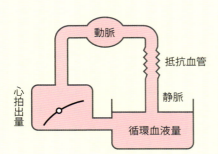

- 心臓のポンプ機能は **PV loop**（心収縮性 E_max，前負荷 EDP，後負荷 ESP，拡張期弾性）で表される。PV loop の前負荷を段階的に増加させると，一回拍出量 SV（EDV − ESV）は増加する。それらをプロットしたものが心拍出量曲線（前負荷と心拍出量の関係）であり，ポンプの性能を表している。

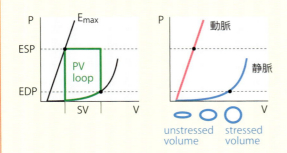

- 血管の物理的特性（圧−容量関係）は，直線的ではなく，非線形である。切り出した太い血管の両端を結紮し，液体を注入して内容量を漸増させると，静脈の断面は扁平から楕円，円形へと緊満する。この内圧がほぼ 0 mmHg である容量を **unstressed volume**，内圧が急峻に上昇している部分を **stressed volume** という。全血液量でみれば，unstressed volume は圧がゼロであり心臓の前負荷に関わらないので無効循環血液量，stressed volume は有効循環血液量である。

- **有効循環血液量**は心臓の前負荷として作用し，心拍出量を直接的に左右する。交感神経の緊張状態では血管が収縮し，グラフはより急峻になり，心拍出量は増加する。

- 動脈の特性は，原点近くからほぼ直線的である。動脈には全血液量の約1割しかない。動脈（細動脈）は血流に対する大きな抵抗として作用し，交感神経により動脈が収縮すると，動脈圧はさらに高まる。

- 循環系の圧，流量，抵抗の関係は，オームの法則（圧力＝流量×抵抗）が当てはまる。たとえば，動脈圧 100 mmHg ＝ 心拍出量 5 [L/min] × 総末梢血管抵抗 20 [mmHg/(L/min)] と表現される（簡便のために静脈圧はゼロとみなす）。総末梢血管抵抗の大部分は細動脈であり，仮定の回路では抵抗血管にあたる。静脈の抵抗は仮定していない。動脈，静脈のコンプライアンスはそれぞれ一定の値としている。

- 心臓の拍出ごとに血液が駆出され続けると，その大部分は静脈に流れるが，一部は動脈内にたまり動脈圧を高める。拍動が生じつつも安定した状態となる。

NOTE 平均体循環充満圧と静脈還流曲線

- 前ページに示した回路において，実験的に心臓の拍動を急に止めると，高圧である動脈内の血液は低圧の静脈へ流れ，動脈圧は低下する。では，静脈圧はどう変化するだろうか。動脈圧は速やかに低下するが，静脈圧は逆に上昇し，両者はついには同じ値に落ち着く。この圧のことを**平均体循環充満圧**（mean systemic filling pressure；MSFP）という。

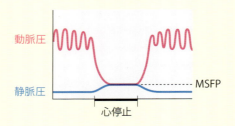

- このとき，回路内のどの部位でも，この MSFP の値である。イヌの動物実験では，MSFP は約 7～8 mmHg（約 9.5～10.9 cmH₂O）という値が得られている。心拍動を再開させると，血液は再び静脈から動脈に送り込まれ，静脈の血液量は減少し，静脈圧は MSFP よりも低くなる。
- 次に，循環流量をポンプで強制的に設定し，そのときの静脈圧を測定し，流量－静脈圧関係をプロットしてみよう。ポンプ流量がゼロの状態は，MSFP を求めた場合と同じである。ポンプ流量を漸増させると，静脈圧は MSFP から低下し，0 mmHg になる。これらの一連の点が**静脈還流曲線**（venous return curve）である。静脈還流曲線は血管系の特性を表している。

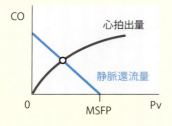

- このグラフの傾きから抵抗が算出でき，**静脈還流抵抗**という。たとえば，7 [mmHg] / 8 [L/min] = 0.875 [mmHg/(L/min)]）と計算できる。静脈還流抵抗が小さいとグラフは急峻になり，大きいと緩やかになる（静脈還流抵抗はヒトではあまり変化しない）。
- 「静脈還流抵抗」の名称から，あたかも静脈に特定の抵抗があるように思えるが，仮定した回路には静脈抵抗は設定されておらず，物理的な特定や実証はできない。概念的には大事なものであり，数理回路モデルを使うと数式で表現できる。
- 安定した循環状態では，心臓への入力（静脈還流量）と出力（心拍出量）が同じで，かつ持続する。グラフの横軸に前負荷（静脈圧，Pv）をとり，縦軸に流量（静脈還流曲線と心拍出量曲線）を描くと，「静脈還流量＝心拍出量，かつ静脈圧＝前負荷」の平衡点が得られる。
- 各要素の影響をグラフ上で考えてみよう。
  ① 心収縮性が低下した場合，心拍出量曲線が下方に下がり，交点は下方に移動する（心拍出量は低下，静脈圧は上昇）。
  ② 血液量が減少した場合，MSFP が低下し，静脈還流曲線は左方に移動し，交点は下方に移動する（心拍出量は低下，静脈圧は低下）。
  ③ 臥位で下肢を挙上させた場合，MSFP が上がり，交点は上方に移動する（心拍出量は増加，静脈圧は上昇）。
  ④ 心不全時の心収縮性 E_{max} の低下。
  ⑤ 高血圧による後負荷 ESP の増加。
  ⑥ 左右の心機能の間に肺循環を想定した左心不全の状態。
- MSP（mean systemic pressure），MCFP（mean circulatory filling pressure）はいずれも MSFP と同様の概念であり，MSFP は体循環を，MCFP は体・肺循環を対象にしたものである。

Q117 血管の収縮・弛緩

● 血管平滑筋の収縮・弛緩は，多くの液性因子により調節されている。
● 自律神経伝達物質，ホルモン，さらに局所で血管内皮・血小板から放出される因子が関与する。

◆ 血管平滑筋を収縮させるもの：ノルアドレナリン，アンジオテンシンⅡ，エンドセリン，セロトニン，トロンボキサン A_2
◆ 血管平滑筋を弛緩させるもの：NO，アセチルコリン，アドレナリン，アデノシン，キニン，ヒスタミン
◆ 血管内皮細胞はエンドセリン，NO，プロスタサイクリン，アデノシンを産生し，血管平滑筋の収縮・弛緩を調節している。セロトニン，トロンボキサン A_2 は血小板から放出される。
◆ 平滑筋においても細胞内 Ca^{2+} の上昇が収縮の引き金になるが，骨格筋とは異なりトロポニンはなく，ミオシン軽鎖が収縮に関わる。平滑筋の収縮速度は遅く，加重が生じやすい。

血管平滑筋の興奮収縮連関
◆ 細胞内 Ca^{2+} 濃度上昇の機構は，骨格筋の場合とやや異なる。
① 脱分極による電位依存性 Ca^{2+} チャネルからの流入
② ノルアドレナリンやホルモンなどのアゴニスト刺激による IP$_3$-induced Ca^{2+} release
③ 受容体作動性 Ca^{2+} チャネルからの流入
④ リアノジン受容体の活性化
⑤ 容量依存性 Ca^{2+} チャネルからの流入

IP$_3$-induced Ca^{2+} release

G 蛋白質（Gq）を介して PLC が活性化されて IP$_3$ が増加し，筋小胞体にある IP$_3$ 受容体が刺激され，Ca^{2+} が放出される。

容量依存性 Ca^{2+} チャネル

細胞膜に存在し，小胞体内の貯蔵 Ca^{2+} が減少すると開口する。

9

循環

NOTE 血管収縮・弛緩に関わる因子

• **アドレナリン受容体**：血管平滑筋の α_1 受容体は血管を収縮させ，β_2 受容体は弛緩させる。α_1 受容体は全身の血管に広く分布し，β_2 受容体は冠動脈や骨格筋血管に分布する。
• **アセチルコリン受容体**：ムスカリン受容体 M_3 は血管内皮細胞と血管平滑筋に，M_2 は心筋に存在する。
• **アンジオテンシンⅡ**：血漿蛋白のアンジオテンシノーゲンに由来するペプチドホルモン。血管平滑筋の AT_1 受容体に作用して，血管を収縮させ血圧を上げる。その作用はノルアドレナリンよりも強力である。☞ Q133
• **エンドセリン**：血管内皮細胞由来のペプチド。血管平滑筋のエンドセリン A 受容体に作用して，血管収縮を引き起こす。一方，血管内皮細胞にはエンドセリン B

受容体があり，エンドセリンの過剰放出の抑制，血管弛緩因子の放出を引き起こす。
• **NO**（一酸化窒素）：内皮由来血管弛緩因子 EDRF；endothelium-derived relaxing factor と呼ばれていたものの実体。L-アルギニンから生成され，半減期は数秒である。血管内皮が障害され NO の産生が減少すると，血管は攣縮しやすくなる。
• **トロンボキサン A$_2$**：血小板でアラキドン酸から生成され，血管平滑筋を収縮させる。☞ Q83
• **プロスタサイクリン**（PGI$_2$）：同じくアラキドン酸カスケードの産物である。血管内皮細胞で生成され，血管平滑筋を弛緩させる。☞ Q83
• **ブラジキニン**：汗腺，唾液腺，膵臓などの外分泌腺の血管を拡張させる。NO 産生促進による。

血管平滑筋の収縮・弛緩機序

- 細胞内 Ca^{2+} 濃度が上昇すると，Ca^{2+} とカルモジュリンの複合体がミオシン軽鎖キナーゼを活性化させる。この酵素によりミオシン軽鎖がリン酸化を受け，ミオシンとアクチンの相互作用が起こり，筋は収縮する。細胞内 Ca^{2+} が低下すると，ミオシン軽鎖キナーゼ活性は低下し，ミオシンホスファターゼによる脱リン酸化が起こり，筋は弛緩する。
- ノルアドレナリンは $α_1$ 受容体に結合し，G 蛋白質（Gq）を介してホスホリパーゼ C（PLC）を活性化し，IP_3-induced Ca^{2+} release により血管を収縮させる。アンジオテンシン II，血管内皮細胞で生成されるエンドセリンも同様に血管を収縮させる。
- アドレナリンやプロスタサイクリンはそれぞれの受容体に結合し，アデニル酸シクラーゼ（AC）に作用し cAMP を増加させ，血管を弛緩させる。
- アセチルコリンは血管内皮細胞のムスカリン受容体（M_3）に結合し，NO 合成酵素（NOS）を活性化する。NO は血管平滑筋のグアニル酸シクラーゼ（GC）に作用し，cGMP を増加させ，血管を弛緩させる。ナトリウム利尿ペプチドも GC に作用し血管を弛緩させる。
- cAMP，cGMP は，ホスホランバンを介して Ca^{2+} ポンプ（Ca^{2+} ATPase）を活性化させ，細胞質内の Ca^{2+} を低下させる。また，cGMP は，G キナーゼ（PKG）を介してミオシンホスファターゼを活性化させ，筋を弛緩させる。
- $β_2$ 受容体は G 蛋白質（Gs）を介して cAMP を増加させ，A キナーゼ（PKA）を活性化させる。PKA はミオシン軽鎖キナーゼを不活性化することで，筋を弛緩させる。

カルモジュリン

Ca 結合蛋白の一種。4 個の Ca^{2+} を結合し，Ca^{2+}・カルモジュリン複合体としてミオシン軽鎖キナーゼ，カルモジュリンキナーゼ II などを活性化する。

ミオシン軽鎖（調節軽鎖）

ミオシンの頭部に結合しているペプチドである。軽鎖がリン酸化されると，頭部の ATPase 活性が高まり，エネルギーが生じる。

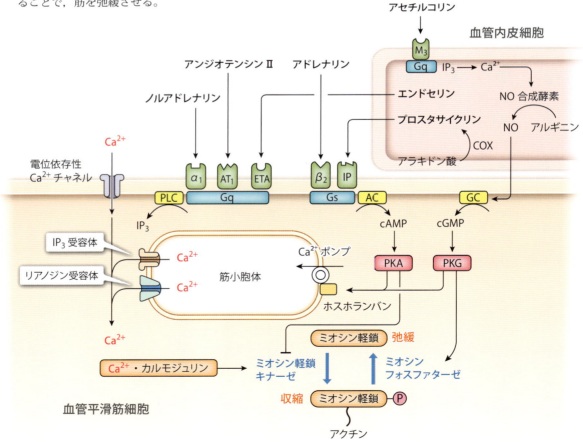

Q118 血管の局所性調節

● 組織には，一定の血流を保とうとする自己調節機能がある。

◆ 組織には灌流圧が変化したとき，血管抵抗を変えて血流を一定に保つ性質がある。この調節機能は，血管の神経支配を無くした状態でも生じる。

① 筋原説：平滑筋は急に伸展されると，これに対抗して収縮する性質がある（ベイリス効果）。血圧上昇により血管が拡張させられると，収縮して血流の増加を抑える。平滑筋細胞には機械受容チャネルがあり，伸展されるとチャネルが開口し脱分極を生じる。

② 代謝説：血流の減少により組織の代謝産物が滞留すると，それらの物質によって血管が拡張し血流が増え，代謝産物を洗い流す。血管を拡張させる因子として O_2 分圧低下，pH 低下，CO_2 分圧上昇，乳酸，K^+，アデノシン，ヒスタミンなどがある。結果として組織の代謝速度に見合う血流量が供給される。

③ 組織圧説：被膜で覆われた組織では，血圧の上昇に伴って組織への濾過量が増加すると組織圧が上昇し，血管を圧迫して血流を阻害する。

前毛細血管括約筋

細動脈と毛細血管をつなぐメタ細動脈は，神経支配のない平滑筋をもち，O_2，CO_2 などの局所因子によって収縮・拡張する。この平滑筋は，毛細血管の血流を調節していることから，前毛細血管括約筋という。

Q119 全身の血圧調節

● 反応速度と持続時間の異なる 3 つの調節機構がある。

数秒～分単位で起こる反射性の調節（急速血圧調節 ☞ Q120）

◆ 血圧や血液ガスの変動は，末梢の受容器から延髄の血管運動中枢へ伝達される。運動，精神的興奮，疼痛，血中 O_2 分圧低下，CO_2 分圧上昇，pH 低下は，血管運動中枢を興奮させ，血圧を上げる方向に調節が行われる。逆に，血圧の上昇は血管運動中枢を抑制し，血圧を下げる方向に調節が行われる。

数分～数時間単位の調節

◆ 容量血管が収縮すると，有効循環血液量が補充される。静脈圧の上昇により心拍出量が増大し，動脈圧が上昇する。

◆ 抗利尿ホルモン（バゾプレッシン）：血漿浸透圧の上昇，循環血液量の減少，動脈圧の低下は，視床下部からのバゾプレッシンの産生分泌を増加させる。腎の水再吸収を促進し，血液量を元に戻す調節が起きる。☞ Q178

数時間～日単位の調節

◆ 腎臓による体液調節：動脈圧が低下すると腎血流量が減少する。すると糸球体濾過量も減少し，尿量を減らして細胞外液量（循環血液量）を維持しようとする。循環血液量が元に戻れば，心拍出量も増加し，動脈圧も回復する。

◆ レニン・アンジオテンシン・アルドステロン系：腎血流量が減少すると，この系が亢進する。アンジオテンシン II は血管を収縮させ，血圧を上昇させる。アルドステロンは腎の Na^+ 再吸収を促進し，細胞外液量（循環血液量）を維持する。☞ Q133

加齢に伴う血管の変化

加齢により，①血管内皮細胞の内皮型 NO 合成酵素の発現が低下する。②血管収縮分子（アンジオテンシン II，エンドセリン，トロンボキサン A_2）が増加する。③線溶系が抑制され血栓が生成されやすくなる。
NO の減少は，血管収縮だけでなく，炎症細胞の接着，平滑筋細胞の遊走・増殖をもたらす。アンジオテンシン II の増加は，細胞老化や平滑筋の増殖を引き起こし，炎症性サイトカインを増加させる。これらにより血管のリモデリングが生じる。

9
循環

Q120 急速血圧調節

- ● 動脈圧の変動は圧受容器を興奮させ，自律神経反射を引き起こす。
- ● 低圧受容器は心房の充満度（静脈還流量）を検出している。
- ● 循環血液量の減少は，抗利尿ホルモンの分泌増加を引き起こす。

圧受容器による反射

- ◆ 高圧系の受容器は**頚動脈洞**と**大動脈弓**にあり，壁の伸展によりインパルスを生じる。求心性線維は，それぞれ舌咽神経，迷走神経を経て延髄の**孤束核**に入る。
- ◆ 動脈圧が上昇すると圧受容器が興奮し，より多くの求心性インパルスが送られ，延髄の孤束核を興奮させる。孤束核の興奮は心臓抑制中枢を刺激するとともに，血管運動中枢を抑制する。その結果，迷走神経活動は亢進し，交感神経（心臓交感神経と血管収縮神経）の活動は抑制される。心拍数減少，心収縮力低下，心拍出量減少，血管拡張により，血圧が元に戻る。
- ◆ 動脈圧が低下すると，上記と逆の反応が起こる。

血圧調節神経

圧受容器の求心路は，頚動脈洞神経→舌咽神経，大動脈神経→迷走神経を経て延髄の孤束核に入る。頚動脈洞神経と大動脈神経（減圧神経）を一括して血圧調節神経と呼ぶ。

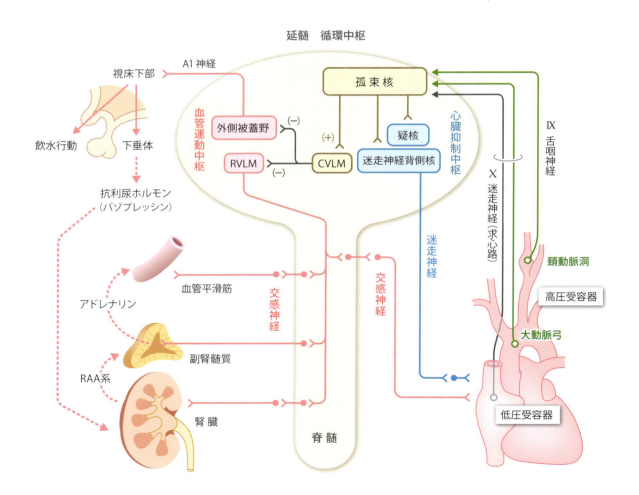

RVLM
rostral ventrolateral medulla

CVLM
caudal ventrolateral medulla

心房伸展受容器
心房の後壁および大静脈との接合部に分布する自由神経終末。心房壁の伸展によって興奮する。

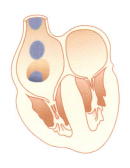

延髄の循環中枢

- 末梢の圧受容器や化学受容器からの求心性インパルスはまず孤束核に入ったのち，血管運動中枢や心臓抑制中枢へ送られる。
- 血管運動中枢は吻側延髄腹外側部（RVLM）と外側被蓋野からなる。脳幹網様体の一部であり，交感神経の緊張性放電を発生している。
- 心臓抑制中枢は疑核と迷走神経背側核からなり，心臓へ副交感神経（迷走神経）を送っている。
- 圧受容器からのインパルスが増加し，孤束核が興奮すると，尾側延髄腹外側部（CVLM）のGABA神経を興奮させる。GABA神経の興奮はRVLMを抑制する。RVLMからのアドレナリン神経が抑制されるので，脊髄中間質外側核（脊髄側角）が抑制され，交感神経活動が抑制される。一方，孤束核は心臓抑制中枢を興奮させ，迷走神経により心臓を抑制する。

低圧受容器による反射

- 低圧系の容量受容器は心房壁や肺血管にあり，求心性線維は迷走神経を介して孤束核に入る。心房伸展受容器は心房壁の伸展受容器で，心房の充満度すなわち静脈還流量を検出している。中心静脈圧・心房圧が上昇すると，心拍数が上昇し静脈圧を下げる反射が起こる。このように静脈還流量の増加に対し反射的に起こる頻脈をベインブリッジ反射という。肺伸展受容器では，肺動脈が伸展されると，肺血管床の拡張が生じ，徐脈と動脈圧低下をきたす。
- 静脈還流量が低下し低圧受容器からのインパルスが減少すると，孤束核は抑制され，交感神経は興奮し，迷走神経は抑制される。さらに，自律神経反射ばかりでなく，抗利尿ホルモン（ADH，バゾプレッシン）の分泌増加も生じる。孤束核が抑制されると，GABA神経を介して外側被蓋野のノルアドレナリン神経（A1神経）が興奮する。A1神経は，視床下部のADH産生細胞を刺激する。ADHは下垂体後葉から血中に放出され，腎臓での水の再吸収を促進する。同時に視床下部の飲水中枢（☞Q63）も刺激され，飲水行動が起こる。

化学受容器による反射

- 呼吸調節の項 Q99 でみたように，頸動脈小体（舌咽神経）と大動脈小体（迷走神経）は動脈血酸素分圧の低下により興奮し，呼吸中枢を刺激して呼吸促進を引き起こす。さらに循環中枢を刺激して交感神経を興奮させ，心拍数を増加させる。この反射は低酸素症に対する緊急反応である。
- 脳虚血反射：極端な血圧低下（50 mmHg）により脳組織が乏血状態になり，CO_2 が蓄積すると，交感神経が非常に興奮し，脳以外の末梢血管が閉じる。

Q121 毛細血管・組織間液・リンパ

- ◉ 毛細血管は血液と組織の物質交換の場である。
- ◉ 毛細血管では濾過量が吸収量を上回る。吸収しきれなかった組織間液はリンパ管により循環系に戻る。

◆ 毛細血管は1層の内皮細胞と基底膜からなる。毛細血管の形は器官により様々である。中枢神経や筋，肺では内皮細胞が密に結合しているが，肝臓や脾臓では内皮細胞間にすき間があり物質の移動が容易である。また，腎糸球体や内分泌腺では内皮細胞に細孔があいており，蛋白質のような大きな分子も通過できる。

◆ 毛細血管における物質交換は，血管内外の濃度差による単純拡散によって行われる。脂溶性物質や O_2, CO_2, N_2 は内皮細胞の細胞膜を容易に通過する。グルコースやアミノ酸といった水溶性物質は，それぞれ特異的な輸送体によって輸送される。蛋白質は小胞輸送により内皮細胞に取り込まれることもある。 ☞ Q5, Q6

毛細血管における水の移動

◆ 水の移動（濾過圧）は，流れ出す力（静水圧）と引き留める力（膠質浸透圧）のバランスで説明される。これを「末梢循環のスターリングの法則」と呼んでいる。

濾過圧＝ [（毛細血管の静水圧 Pc －間質の静水圧 Pi）－
（血漿膠質浸透圧 πc －間質浸透圧 πi）] × k　　（kは濾過係数）

◆ 毛細血管の静水圧を動脈側 30 mmHg・静脈側 15 mmHg，間質の静水圧を 1 mmHg として計算すると，水の出納は濾過量が吸収量を上回る。

```
動脈側                  Pi = 1,  πi = 8              静脈側
Pc = 30                     πc = 28                    Pc = 15
   ↓ 濾過                                                 ↑ 吸収
((30－1)－(28－8)) ＝ 9              ((15－1)－(28－8)) ＝ －6
```

◆ 血液は毛細血管を1〜2秒で通過する。その際，血清の0.5%の水分，1日20Lが毛細血管で濾過され，組織へ流出する。そのうち85%は毛細血管の静脈側で吸収される。残り（1日2〜4L）はリンパ管に回収され，胸管あるいは右リンパ本管を経て静脈へ流入する。リンパは，間質液のほかにリンパ球や，小腸で吸収されたコレステロール・脂肪酸などを含む。

組織間液の増加（浮腫）の原因

濾過圧（毛細血管圧）の上昇	細動脈の拡張，細静脈の収縮，静脈圧の上昇（静脈の閉塞，心不全，重力）
血漿浸透圧の低下	血清アルブミンの減少（肝硬変，ネフローゼ症候群）
透過性の亢進	ヒスタミン類似物質，キニン，P物質
リンパ流の減少・停滞	リンパ節摘出，フィラリア（象皮病）

膠質浸透圧

血漿蛋白質による浸透圧を膠質浸透圧といい，約 28 mmHg である。間質の蛋白質は血漿蛋白質濃度の40%足らずであり，膠質浸透圧は 8 mmHg である。
☞ Q74

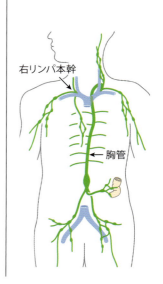

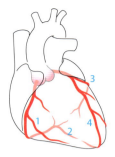

右冠状動脈
1 右外縁枝
2 後室間枝（後下行枝）

左冠状動脈
3 回旋枝
4 前室間枝（前下行枝）

狭心症

心筋の酸素需要が供給量を上回ったために生じる。ニトログリセリンは冠状動脈を拡張させ，冠血流量を増やす。また，静脈を拡張し，静脈還流量を減らして心仕事量を低下させ，心筋の酸素需要を低下させる。

Q122 冠循環の特徴

- ● 単位組織重量当たりの酸素消費量は心臓が最も多い。
- ● 運動時には冠動脈の拡張により，十分な血流が供給される。

◆ 左右の冠状動脈は，大動脈起始部（大動脈洞）から起こり，それぞれ数本の枝を出して心臓を取り巻く。左右の枝には太い吻合がなく（**機能的終動脈**），梗塞が起こりやすい。心筋を栄養した血液は，大部分が冠状静脈洞に集められ，右心房に注ぐ。

◆ 左心室の筋層では，収縮期には心腔内圧が大動脈圧よりも高くなるので血流は止まり，拡張期だけ血液が流れる。しかし，毛細血管が発達していることと，心筋に豊富に含まれるミオグロビンが O_2 を取り込むことにより，心筋の酸素需要に対応している。

◆ 心筋は収縮エネルギーの大部分を酸化的リン酸化に依存しており，**酸素消費量が他の臓器よりも多い**。そのため冠循環の血流量は，安静時でも心拍出量の約5%を占める（75～80 mL/100 g/min）。

◆ **酸素摂取率**（消費酸素量／動脈酸素含量）は他の組織が平均30%であるのに対し，心筋は70%と高い。**冠状動脈の平滑筋は，酸素分圧の低下や代謝産物の蓄積に敏感に反応し拡張する**。これにより心仕事量に見合う血流が供給される。運動時の冠血流量は最大4倍に増加する。

腸循環

血流量 1 L/min。自動調節能を持つ。小腸への血流量は食後は2倍に増加する。

肝循環

肝動脈圧 90 mmHg
門脈圧 10 mmHg
肝静脈圧 5 mmHg

Q123 腹腔循環と皮膚循環

- ● 腹腔循環は血液貯蔵に，皮膚循環は体温調節に役立っている。

◆ **腹腔循環**：腹腔循環の保有する血液量は大きい。運動時には，血液貯蔵所である腹腔循環，肺，脾，皮膚の血管が収縮し，貯蔵血が体循環に送り込まれる。その結果，有効循環血液量が増え，心拍出量は増大し，骨格筋の血流量は増える。

◆ **皮膚循環**：皮膚の血流量の変化は，体温の調節に役立っている。また，皮下毛細血管と静脈叢は血液貯蔵所の1つである。

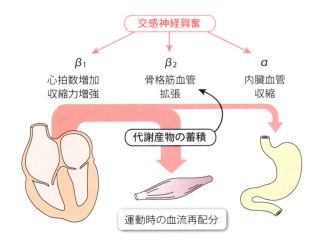

Q124 妊娠・出生に伴う呼吸・循環の変化

◉ 出生時には胎盤循環が閉鎖され，胎児の呼吸・循環は激変する。

◆ 妊娠時，母体の心拍出量および血液量は4割ほど増大する。胎盤の母体側には広い血液のたまりがあり，その中に胎児側の絨毛が浸っている。母体血液と絨毛との間で，O_2 や CO_2 のガス交換，栄養素や老廃物の交換が行われている。

◆ 胎児の造血幹細胞は肝臓，次いで骨髄で増殖・分化し造血を行う。胎児の赤血球は胎児ヘモグロビン（HbF）を持つ。胎児ヘモグロビンの酸素解離曲線は成人ヘモグロビンより左方にあり，酸素親和性が高く，母体からの O_2 運搬に都合がよい。成人ヘモグロビン（HbA）は胎生20週から産生されはじめ，出生時には全ヘモグロビンの20％，生後4ヵ月では90％を占める。

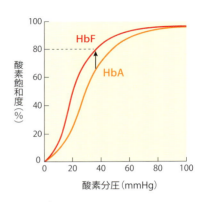

胎児の血液循環

◆ 胎盤で物質交換された胎児の血液（酸素飽和度80％）は，臍静脈から静脈管を通り下大静脈から右心房に入る。右心房の血液の大部分は卵円孔を通り左心房→左心室へ短絡し，大動脈へ流れる。一部は右心室→肺動脈→動脈管を通り，大動脈へ流れる。静脈血は左右の臍動脈から胎盤に戻る（酸素飽和度60％）。

◆ 出生時，胎盤の循環路が閉ざされるため新生児は窒息状態となり，呼吸中枢が刺激され，大きな呼吸運動が起こる。このとき，胸腔内圧が陰圧となり，肺動脈圧が低下し肺循環に血液が流入する。このため左房圧が上昇して卵円孔をふさぐ。出生後数分で動脈管は閉鎖する。

動脈管

胎盤由来のプロスタグランジンEの血管拡張作用により開存している。プロスタグランジンEの血中濃度は，出生によって胎盤からの供給が途絶え，かつ肺で代謝されるので，低下する。動脈管は閉塞し，動脈管索となる。臍静脈は肝鎌状間膜の肝円索となる。

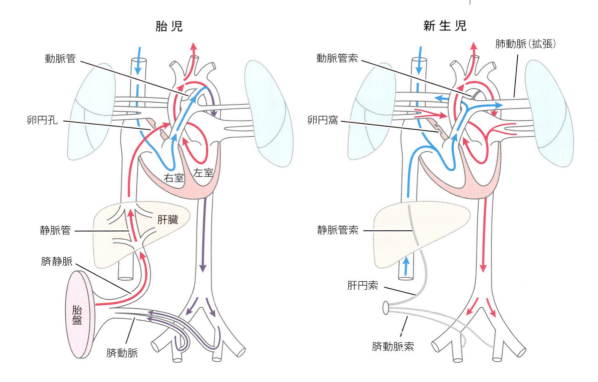

10 腎

Q125 水・電解質の出納

◉ 腎臓の機能は，体液の恒常性（浸透圧・pH）を維持することである。

水の出納

◆ 水の摂取量と排泄量は平衡している。

摂　取		排　泄	
食物・飲水	2,000 mL	不感蒸散	900 mL
代謝水	360 mL	尿	1,360 mL
		便	100 mL

◆ 代謝水とは栄養素の酸化によって生じる水分をいう。各栄養素1gの燃焼によって，糖質は0.6g，脂肪は1.07g，蛋白質は0.41gの水分を生じる（5mL/kg/日）。

◆ 不感蒸散は，意識されることなく気道や皮膚から蒸発する水分のことをいう。発汗は含まれないにも関わらず，その量は思いのほか大きい。不感蒸散によって体内の水分が失われるために，体液は高浸透圧に傾きやすい。腎臓は，尿を濃縮する（高浸透圧の尿をつくる）ことで体内に水を保ち，体液の浸透圧を調節している。高温環境で不感蒸散が多くなれば，尿はさらに濃縮され，尿量は減少する。

◆ 尿は，代謝産物（尿素，クレアチニンなど）を体外に排泄するためにも必要である。代謝産物を体外に排泄するのに最低限必要な尿を不可避尿といい，その量は400mL/日（0.5mL/kg/hr）である。

◆ 小腸と大腸は水の吸収と分泌を行っており，不要の水分は未消化物とともに便として排泄される。

◆ 水分欠乏が体重の15%に達すると循環障害が起こり，やがて死に至る。逆に水分過剰では全身浮腫や水中毒となる。

電解質の出納

◆ NaClは1日10gが食物として摂取され，尿や汗として排泄される。K^+は食物中に2〜3g含まれている。Ca，Pはそれぞれ1gずつ摂取されている。

◆ 食物の代謝によって酸性物質ができる。細胞の主要なエネルギー源であるグルコースは，代謝されるとH_2OとCO_2になる。血中に溶け込んだCO_2は，一部は肺からガスとして排出されるが，大部分は水と反応してH^+を生じる。これによって体液が酸性に傾かないように，腎臓はH^+を尿中に排泄している。

◆ 食物中の蛋白質からは1日50〜90mEqの酸（硫酸，硝酸）が生じる。これらはアンモニアやアルカリ性リン酸塩によって中和され，尿中に排泄される。

◆ 血液のpHは7.4±0.05に保たれている（☞Q75）。7.34以下をアシドーシス，7.46以上をアルカローシスという。細胞内は7.0である。

水中毒

過剰な水分が体内に蓄積し，体液の浸透圧が低下すると，水分は細胞内へ移動する。そのため脳浮腫が起こり，精神神経症状を呈する。

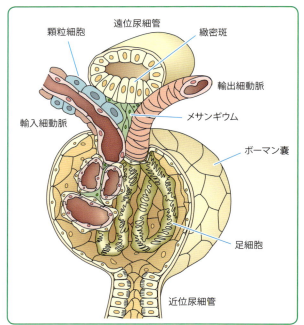

足細胞
ボーマン嚢の上皮細胞が変化したもの。タコの足のような突起を出し，糸球体血管の表面を覆っている。

メサンギウム
糸球体血管の間を埋める結合組織。毛細血管を相互に結びつけている。

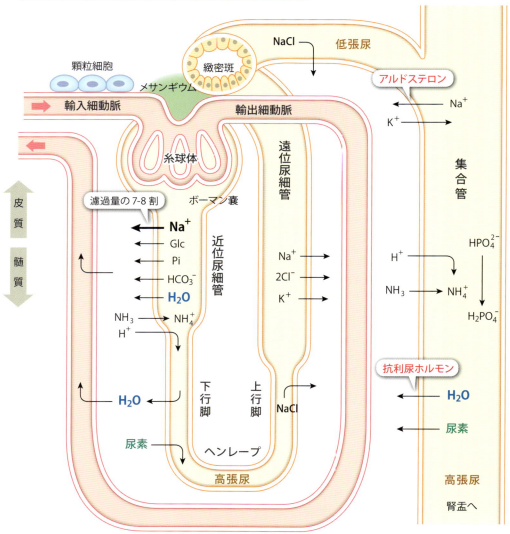

Q126 ネフロンの構造と機能

- 糸球体は血液を濾過し，原尿をつくる。
- 尿細管は原尿中の水・電解質を再吸収して血管に戻す。

ネフロン

- 糸球体と尿細管を合わせてネフロンという。腎臓には100万個以上のネフロンがあり，尿を生成する機能単位となっている。
- 糸球体は毛細血管の塊である。1本の輸入細動脈が多数の毛細血管に枝分かれし，再び合流して1本の輸出細動脈となる。メサンギウム細胞が毛細血管を力学的に支え，糸球体を形づくっている。血液は糸球体で濾過される。この濾液を原尿といい，糸球体を包むボーマン嚢から近位尿細管へ流れる。
- 近位尿細管は皮質から下行し，髄質で折り返して上行し，遠位尿細管に続く。この尿細管のUターン部分をヘンレループという。原尿中の水・電解質の7〜8割は近位尿細管で再吸収される。近位尿細管では，グルコース，アミノ酸，ペプチドなどの有機溶質も再吸収され，有機酸や有機塩基が分泌される。ヘンレの下行脚では水が再吸収され，上行脚および遠位尿細管ではNaClが再吸収される。
- 遠位尿細管は，自身が出発した糸球体の近くに戻り，これと接して緻密斑を形成する。緻密斑，輸入細動脈の顆粒細胞と平滑筋細胞，輸出細動脈の平滑筋細胞を一括して傍糸球体装置といい，糸球体濾過量を調節している。
- 遠位尿細管は集合管に連結する。集合管はアルドステロンに反応し，Na^+を再吸収し，K^+を分泌（排泄）する。また抗利尿ホルモンに反応し，水を再吸収する。尿中に排泄されるのは，原尿の約1%にすぎない。

腎循環

- 腎血流量（左右合わせて1 L/min）は心拍出量（5 L/min）の2割を占める。腎内の血流は8割が皮質へ，2割が髄質へ流れる。腎血漿流量（550 mL/min）は，血圧が80〜180 mmHgの範囲では，ほぼ一定に保たれる（腎血流の自己調節）。
- 糸球体の血圧は，輸入細動脈と輸出細動脈により調節され，約60 mmHgである。輸出細動脈は毛細血管となって尿細管を取り囲み（尿細管周囲毛細血管），再吸収された物質を血中へ回収する。

近位尿細管
刷子縁（微絨毛）により，管腔側の表面積が著しく増大している。

ヘンレループ
下行脚，細い上行脚，太い上行脚に区分される。細い部分は水とNaClを再吸収する。

緻密斑
遠位尿細管が糸球体に接する部分にみられる構造。上皮細胞が小型になり，光学顕微鏡では核が密集して見えることから名付けられた。

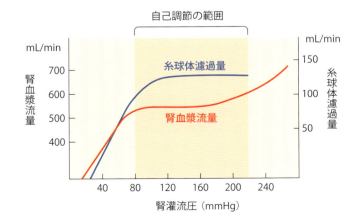

Q127 糸球体における濾過

- ● 糸球体濾過量は濾過圧に依存する。
- ● 糸球体血圧は輸出入細動脈によって調節されている。

糸球体の微細構造と限外濾過

- ◆ 糸球体の内皮細胞は細孔があいており，大きな分子も通過できる。しかし，その外側に（足細胞との間に）厚い基底膜があるために，物質は選択的に濾過される。水や電解質のように小さな分子は，自由に透過する。
- ◆ 分子量6万以下の分子は糸球体で濾過される。直径8nm以上のもの，分子量7万以上のものは濾過されない。このように分子の大きさによってふるい分けることを限外濾過という。また，糸球体基底膜は陰性荷電を帯びている。そのため，負の電荷を持つ分子（たとえばアルブミン）は濾過されにくい。

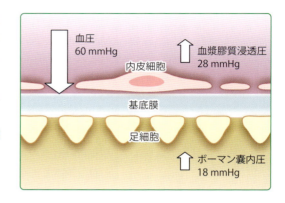

糸球体濾過量

- ◆ 糸球体で単位時間当たりに濾過される量を糸球体濾過量（GFR）という。成人では100～150mL/minであり，体表面積に比例する。GFRの増減に伴って尿量も変化する。
- ◆ GFRは，腎血流量，濾過圧，メサンギウム細胞（の収縮）によって変化する。糸球体濾過圧は次のように計算される。原尿の膠質浸透圧は蛋白質ゼロとみなし，無視できる。

    濾過圧 =（糸球体血圧60mmHg − 血漿膠質浸透圧28mmHg）−
    　　　　（ボーマン嚢内圧18mmHg − 原尿の膠質浸透圧0mmHg）
    　　　= 14 mmHg

- ◆ 糸球体血圧は一般の毛細血管に比べ高い。この血圧は輸入・輸出細動脈によって調節されている。輸入細動脈の収縮は糸球体血圧を低下させ，GFRを減少させる。輸出細動脈の収縮は糸球体血圧を上昇させ，GFRを増加させる。交感神経の刺激では両細動脈が収縮するので，GFRはあまり減少しない。カフェインは輸入細動脈を拡張させ，GFRが増加し尿量が増える。
- ◆ 血漿浸透圧の上昇（脱水）はGFRを減少させ，尿量は減少する。メサンギウム細胞の収縮は糸球体の濾過面積を減じ，GFRは減少する。

    濾過流量 = 濾過圧 × 濾過面積（0.8～1.5 m^2）× 濾過係数 k
    （糸球体の濾過係数 k は，他の組織の毛細血管よりも 10～100 倍大きい）

- ◆ GFRは傍糸球体装置によっても調節されている。緻密斑は，尿中 Cl^- の流量により輸入細動脈の収縮を調節している（尿細管-糸球体フィードバック）。
- ◆ GFRの増減に伴って，尿細管からの再吸収量が調節される仕組みを糸球体-尿細管バランスという。たとえばGFRが増加した場合，濃くなった血液（血漿膠質浸透圧が上昇）が尿細管周囲毛細血管を流れ，間質からより多くの濾液を回収する。

GFR

glomerular filtration rate

糸球体濾過比

GFR／腎血漿流量 RPF
（正常値：0.16～0.20）

濾過

再吸収

分泌

クレアチニン

クレアチン（肝臓で合成される）は筋肉内で H_2O がとれ，不可逆的にクレアチニンとなる。その量は筋肉量に依存する。

Q128 糸球体濾過量とクリアランス

◉ クリアランスを用いて GFR を求めることができる。

◆ 糸球体で完全に濾過され，かつ尿細管で再吸収も分泌もされない物質について考えてみよう。水が再吸収されるために，その物質の尿中濃度は濃くなるが，糸球体で濾過された絶対量は尿中に排泄された絶対量と等しい。その物質について次の関係が成り立つ（単位時間当たり）。

血漿中濃度（P）× 糸球体濾過量（C）＝ 尿中濃度（U）× 尿量（V）

◆ この糸球体濾過量（C）を**クリアランス**といい，他の 3 つの実測値から算出できる。クリアランス値は，尿中の物質が血漿中にあったときの血漿の量を表している。言い換えると，その物質について単位時間当たりに浄化できる血漿の量を意味する。

◆ 上の条件をほぼ満足する物質には，イヌリン，マニトール，ビタミン B_{12} などがある。内因性**クレアチニン**によるクリアランス値は，イヌリンのクリアランス（125 mL/min）とよく一致し，かつ測定が簡便であるので，臨床上よく用いられる。正常値は♂ 110 mL/min，♀ 100 mL/min である。

◆ ある物質のクリアランス値 C，糸球体濾過量 GFR，腎血漿流量 RPF との関係から，その物質について以下のことがわかる。

C ＜ GFR：尿細管で再吸収されるもの，あるいは濾過されにくいもの。例；**グルコース**はすべて再吸収されるので，クリアランス値は 0 となる。

C ＞ GFR：尿細管から分泌されるもの。例；**パラアミノ馬尿酸，ペニシリン**

C ＞ RPF：腎内で合成・分泌されるもの。例；**アンモニア**

◆ 浸透圧クリアランスは尿濃縮の指標となり，自由水クリアランスは尿希釈の指標となる。自由水クリアランスは尿量と浸透圧クリアランスの差である。

浸透圧クリアランス C_{osm} ＝（尿浸透圧 U_{osm} × 尿量 V）/ 血漿浸透圧 P_{osm}
自由水クリアランス C_{H_2O} ＝ 尿量 V － C_{osm}

◆ 糸球体は大きな血圧を受けるため壊れやすいうえに，再生しない。そのため糸球体の破壊が腎不全の主な原因となっている。

◆ 慢性腎臓病（chronic kidney disease；**CKD**）は，①蛋白尿や血液検査などで腎障害が明らか，②血清クレアチニン値をもとに推定した糸球体濾過量 eGFR が 60［mL/min/1.73 m² 体表面積］未満，いずれかが 3 ヵ月以上続いている状態をいう。

eGFR ＝ 194 × 血清クレアチニン $^{-1.094}$ × 年齢 $^{-0.287}$（女性は× 0.739）

CKD の病期分類		GFR (mL/min/1.73m²)
1	高値または正常	90 以上
2	軽度低下	60 ～ 89
3	中等度低下	30 ～ 59
4	高度低下	15 ～ 29
5	腎不全	15 未満

蛋白尿

通常，尿中に蛋白質は検出されず，多くても 0.1 g/ 日を越えることはない。蛋白尿は，糸球体基底膜の網目が粗くなり，蛋白質（主にアルブミン）が漏れ出し，再吸収しきれない状態。アルブミンは近位尿細管で取り込まれ，リソソーム内でアミノ酸に分解される。

微量アルブミン尿

尿中アルブミン [mg/L]／尿中クレアチニン [g/L] が 30 [mg/gCr] 以上をいう。

10
腎

Q129 尿細管再吸収率

● グルコースの腎の閾値は 180 mg/dL である。

- **尿細管再吸収率**とは，ある物質について，濾過量に対する**再吸収量**の割合をいう。Na^+，Cl^-，HCO_3^- は 99 %，グルコースは 100 %，尿酸 85 %，尿素 50 % である。アンモニア，ペニシリンは糸球体で濾過されるだけでなく尿細管に分泌もされるので，負の値となる。

- **グルコース**の尿細管における最大輸送量（transport maximum；T_m）は約 350 mg/min である。グルコースの濾過量がこれを上回ると，吸収されなかったグルコースが尿中に排泄される。このときの血糖値は 180 mg/dL（血液）に相当し，この値をグルコースの腎の閾値（糖尿閾値）という。

- Na・グルコース共輸送体（SGLT；sodium-dependent glucose transporter）は Na の濃度差によって糖を輸送する。近位曲尿細管（S1 セグメント）には **SGLT2** があり，糖の再吸収の 9 割を担っている。残りの 1 割は近位直尿細管（S2，S3）の **SGLT1** による。☞ Q140

- **アルブミン**はわずかに濾過されるが，尿細管の飲作用により再吸収される。アルブミンの最大輸送量は 30 mg/min であり，ほぼすべてが吸収され，尿中に蛋白は排泄されない。

- **パラアミノ馬尿酸**は糸球体で濾過されるだけでなく，濾過されずに血中に残ったパラアミノ馬尿酸の大部分が尿細管から分泌される。そのため 1 回の腎循環で 91 % が除去される。$GFR_{PAH} = RPF \times 0.91$ となり，GFR から RPF を算出することができる。パラアミノ馬尿酸の最大分泌量は 80 mg/min であり，血漿濃度の低いときの排泄量は RPF に比例する。

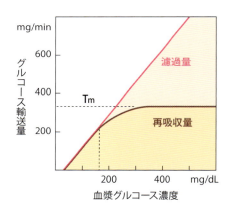

PAH
para-aminohippuric acid
パラアミノ馬尿酸

NOTE アクアポリン（水チャネル）

- 水は脂質二重層で構成される細胞膜を拡散により通過するが，アクアポリン（aquaporin；水の穴の意）はより多く水を通過させる。

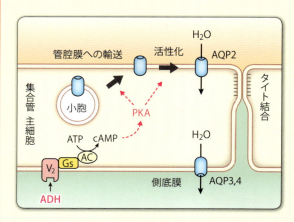

- アクアポリンは約 300 個のアミノ酸からなり，4 量体を構成する。次の 4 群に分類されている。
  1 群（AQP0, 1, 2, 4, 5, 6）：狭義のアクアポリン。水を透過させる。
  2 群（AQP3, 7, 9, 10）：アクアグリセロポリン。水，グリセリン，尿素を透過させる。
  3 群（AQP8）細胞内アクアポリン
  4 群（AQP11, 12）：水を透過させない。

- 近位尿細管および下行脚には AQP1 があり，水の再吸収の主な通路となっている。

- 集合管主細胞の小胞には AQP2 がプールされていて，抗利尿ホルモンにより管腔膜への輸送が促進される。側底膜には，腎皮質では AQP3，髄質では AQP4 があり，水が間質・血中へ透過する。

- 腎集合管間在細胞には AQP6 がある。

Q130 水の再吸収

- ● 原尿の99%は再吸収され，尿は濃縮される。
- ● 水は浸透圧によって移動する。

- ◆ 原尿の6〜7割は近位尿細管で再吸収される。電解質などの溶質が再吸収され，尿細管細胞と管腔液との間に浸透圧勾配が生じ，水が受動的に移動する。近位尿細管では水やイオンの透過性が高い。その理由は，近位尿細管細胞の管腔膜および側底膜に**アクアポリン**というチャネルがあること，細胞間の結合がゆるい（タイト結合の幅が狭い）ことによる。
- ◆ ヘンレループでは2割が再吸収される。下行脚は水の透過性がよく，髄質に形成されている高浸透圧（1,200 mOsm）に従って水が移動し，尿は高張となる。間質の水は血流によって運び去られる。上行脚では水は不透過であり，Na, K, Cl が再吸収され，尿は低張（100 mOsm）となる。
- ◆ 髄質の高浸透圧は**尿素**と**NaCl**によって形成されている（尿素 600 mOsm，NaCl 600 mOsm）。尿素は，下行脚では**尿素輸送体** UT-A2 によって管腔内へ移動し，集合管で再吸収される（管腔側 UT-A1，基底膜側 UT-A3）。尿素の透過性は抗利尿ホルモンによって高まる。
- ◆ 高蛋白食のために原尿中の尿素が濃くなると，尿素はより多く再吸収される。そのため髄質の浸透圧がより高まり，水の再吸収は増え，尿は濃縮される。
- ◆ 遠位尿細管では5%の水が再吸収される。集合管では，アクアポリンを介する水の再吸収が**抗利尿ホルモン**（ADH ☞ Q178）によって促進される。集合管細胞内に入った水は側底膜から間質へ放出され，血液へ吸収される。

管腔膜・側底膜

上皮細胞において管腔側の細胞膜を管腔膜といい，血管側の細胞膜を側底膜という。

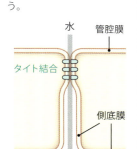

タイト結合 (tight junction)

上皮細胞間にみられる結合様式。その密着性は胃・大腸・腎遠位尿細管では高い。小腸・近位尿細管では密着性が低く，電解質や水が単純拡散により移動する。

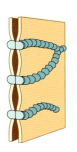

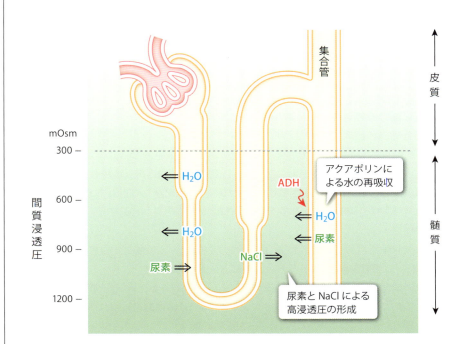

Q131 電解質その他の再吸収

◉ 尿細管は有用な成分のみを原尿から回収する。

◆ 尿細管では，Na^+，K^+，Cl^-，グルコース，アミノ酸，ペプチド，リン酸などが再吸収される。また，H^+が分泌され，濾液中のHCO_3^-はCO_2に変換され再吸収される。近位尿細管では，細胞間隙（タイト結合）を通る再吸収もある（Na^+，K^+，Ca^{2+}，Cl^-，水）。

◆ Na^+の再吸収：Na^+の再吸収率は99％である。近位尿細管では，グルコースなどとの共輸送によりNa^+が再吸収される。細い上行脚ではNaClの受動輸送（Cl^-受動拡散とNa^+の随伴）により，太い上行脚ではNa^+・K^+・$2Cl^-$共輸送体によって再吸収される。遠位尿細管ではNa^+・Cl^-共輸送体により再吸収される。集合管でのNa^+の再吸収は，アルドステロンによって調節されている。

◆ 近位尿細管では，Na^+との共輸送によって，グルコース，アミノ酸，乳酸，クエン酸などが再吸収される。これらは拡散により血中へ吸収される。ペプチドはH^+との共輸送により吸収される。

◆ K^+の再吸収：K^+摂取量に等しい量が尿中に排泄される。K^+の7～8割は近位尿細管で再吸収される（細胞間隙路による。近位尿細管，上行脚ではK^+チャネルからK^+が分泌されているが，実質的には再吸収が上回る）。集合管の側底膜にはK^+チャネルがあり，K^+を細胞内へ取り込み，管腔へ分泌している。K^+の分泌は，集合管主細胞では受動輸送により行われ，アルドステロンにより調節される。

◆ グルコースの再吸収：近位尿細管で SGLT（Na^+依存性グルコース輸送体）により吸収され，濃度勾配に従って GLUT2 により間質（血中）へ放出される。☞ Q140

◆ リン酸の再吸収：近位尿細管で NaPi（Na^+依存性リン酸輸送体）により吸収される。副甲状腺ホルモン（PTH）が近位尿細管の受容体に結合すると，NaPi が細胞内へ取り込まれ，リンの吸収が抑制される。☞ Q172

◆ Ca^{2+}の再吸収　☞ Q172

◆ 尿酸の再吸収：近位尿細管の尿酸トランスポーター（URAT1，ABCG2/BCRP）によって再吸収と分泌が行われ，濾過量の1割が尿中に排泄される。

再吸収に関わる輸送体とチャネル

◆ 尿細管細胞の側底膜では Na^+/K^+ ATPase（$3Na^+/2K^+$交換ポンプ）が働いており，Na^+が間質へ汲み出されている（一次能動輸送）。細胞内のNa^+濃度は低くなり，管腔内外にNa^+の濃度差が生じる。また，側底膜にはK^+チャネルもあり，K^+は間質へ放出される。腎で産生される ATP の9割が，Na^+/K^+ ATPase に使われている。インスリンは，細胞質内にある Na^+/K^+ ATPase を細胞膜へ移動させ，Na^+の汲み出しを促進する。

◆ 一次能動輸送によるNa^+濃度差は，グルコース，アミノ酸などの共輸送の駆動力となる（二次能動輸送）。これらとともにNa^+も再吸収される。

◆ 近位尿細管では，Na^+/H^+交換輸送によりNa^+は吸収され，H^+が管腔内へ分泌される。また，H^+ ATPase によりH^+が分泌される。H^+の濃度差によりペプチド輸送体が稼動し，ペプチドが吸収される（三次能動輸送）。

Na^+・Cl^- 共輸送体

遠位尿細管にあり，Na,Cl^-を再吸収する。

Na^+・HCO3$^-$ 共輸送体

近位尿細管，上行脚にあり，Na^+，HCO_3^-を間質へ汲み出す。

H^+/K^+ ATPase

集合管にあり，K^+を再吸収し，H^+を分泌する。

H^+ ATPase

近位尿細管，集合管のA型間在細胞にあり，H^+を分泌する。B型間在細胞では側底膜にあり，H^+を汲み出す。

Cl^-/HCO_3^- 交換輸送体

A型間在細胞の側底膜にあり，Cl^-を取り込みHCO_3^-を汲み出す。B型間在細胞では管腔側にあり，Cl^-を吸収しHCO_3^-を分泌する。

尿酸トランスポーター

尿酸はプリン代謝の最終産物であり，主に肝臓で産生され，2/3 が腎臓から排泄される。近位尿細管では，尿酸・陰イオン交換輸送体である URAT1 が尿酸を再吸収し，交換に乳酸，ニコチン酸などを分泌する。逆に ATP-binding cassette トランスポーター ABCG2 は尿酸を分泌（排泄）する。

Mg の再吸収

近位尿細管では受動的に行われ，Na と水による再吸収により促進される。ヘンレ上行脚でも受動的に傍細胞（細胞間）経路で行われる。遠位尿細管では TRPM6/7 により能動的に再吸収される。

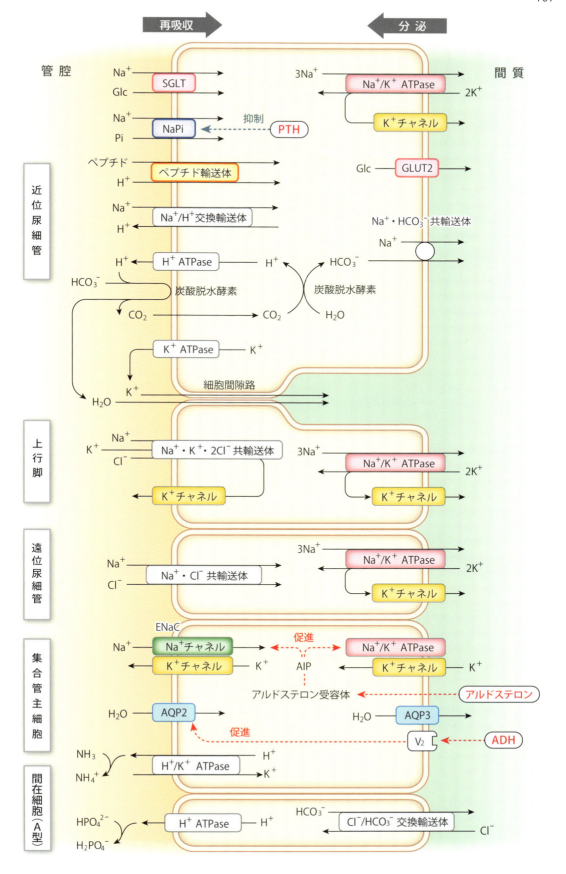

Q132 尿の緩衝作用（酸の排泄）

◉ 尿細管は HCO_3^- を再吸収し，H^+ を排泄することにより，体液 pH を維持している。

- 尿細管における HCO_3^- の再吸収率は，ほぼ100％である。近位尿細管では Na^+/H^+ 交換輸送と H^+ ATPase により H^+ が分泌される。分泌された H^+ と原尿中の HCO_3^- が反応し H_2CO_3 が生成され，炭酸脱水酵素（近位尿細管の刷子縁にある）により CO_2 と H_2O に分解される。

$$H^+ + HCO_3^- \rightleftharpoons H_2CO_3 \xrightarrow{CA} CO_2 + H_2O$$

CO_2 は拡散し細胞内に吸収される。HCO_3^- 単独では細胞膜を通過できず吸収されないが，結果的に H^+ が分泌され，HCO_3^- が再吸収されたことになる。

- 細胞内では CO_2 は再び HCO_3^- となり，Na^+ とともに血管側に汲み出される。血漿 HCO_3^- 濃度が 28 mEq/L（正常値 24 mEq/L）以上では HCO_3^- は尿中に排泄され，尿はアルカリ性となる。細胞内 CO_2 濃度が高くなると，H^+ の分泌が増加する。
- 集合管の主細胞からの H^+ の分泌は，アルドステロンにより促進される。間在細胞からも H^+ ATPase により H^+ が分泌される。分泌された H^+ は管腔内のリン酸（HPO_4^{2-}）と反応し，二塩基性リン酸（$H_2PO_4^-$）が生じる（20〜30 mEq/日）。

$$Na_2HPO_4 + H^+ \rightleftharpoons NaH_2PO_4^- + Na^+$$

- H^+ はアンモニア（NH_3）とも反応し，NH_4^+ を生じる（30〜40 mEq/日）。NH_3 は，体液が酸性になると尿細管細胞でグルタミン酸から生成される。NH_3 は脂溶性であり，細胞内から周囲へ拡散し，アンモニウム塩として排泄される。
- 尿の pH は通常 6.0 程度であるが，4.5〜8.3 の範囲で変化する。

> 炭酸脱水酵素
> carbonic anhydrase；CA
> CA-Ⅳ：細胞膜に結合している。
> CA-Ⅱ：細胞質内にある。

> H^+ は，リン酸 HPO_4^{2-} に結合し $H_2PO_4^-$ の形で，あるいはアンモニア NH_3 に結合し NH_4^+ の形で尿に排泄される。逆に言うと，H^+ の排泄にはリン酸，アンモニアが必要であるとも言える。

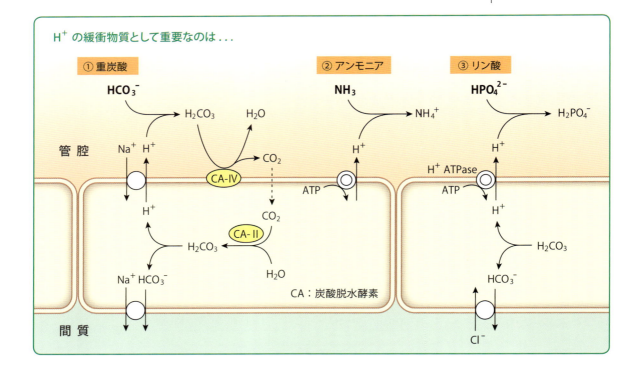

Q133 体液量と体液浸透圧の調節

- 体液の量と質（浸透圧）の変化は，腎の尿生成によって調節される。
- 体液量はアルドステロン，浸透圧はADHにより調節される。

◆ 体液浸透圧の変化は，抗利尿ホルモン（ADH）の分泌量を増減させ，尿量が変化する。浸透圧受容器は視床下部にあり，血漿および細胞の浸透圧を狭い範囲に維持している（273～293 mOsm/kg）。273 mOsm/kg以上ではADHが分泌され，293 mOsm/kgを超えると口渇感が生じ飲水行動が起こる。

◆ 体液量の増減は，糸球体濾過量を変化させ，レニン・アンジオテンシン・アルドステロン系による調節機構が始動する。

ADHは視床下部の視索上核で産生され，下垂体後葉に送られ，そこで血中に分泌される。☞Q178

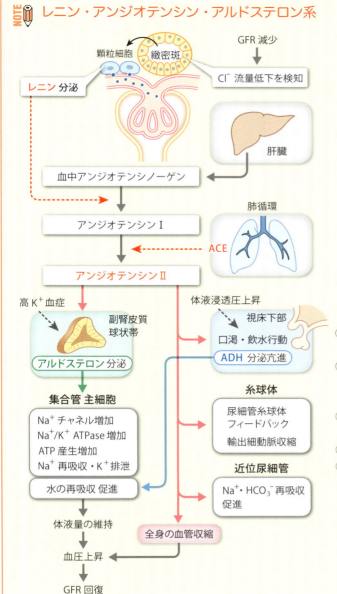

- 糸球体濾過量の減少は，遠位尿細管のCl^-流量の低下として検知される。この情報は緻密斑細胞からメサンギウムを介して輸入細動脈壁の**顆粒細胞**（傍糸球体細胞）を刺激し，血中にレニンが分泌される。レニンは交感神経の興奮（β作用）によっても分泌される。

- **レニン**（340個のアミノ酸からなる糖蛋白，分子量40,000，血中半減期80分）は蛋白分解酵素であり，血中アンジオテンシノーゲン（肝臓で産生され，α_2グロブリン分画にある）をアンジオテンシンIへ変換する。アンジオテンシンIは，主に肺循環の血管内皮細胞の**アンジオテンシン変換酵素**（angiotensin converting enzyme；ACE）によりアンジオテンシンIIに変換される。

- **アンジオテンシンII**（8個のアミノ酸からなり，血中半減期1～2分）は，以下の作用を持つ。
  ① 副腎皮質に作用し，アルドステロンの合成・分泌を促進する。
  ② 視床下部に作用し，口渇感・飲水行動，ADH分泌亢進を引き起こす。**ADH**は集合管での水の再吸収を増加させる。
  ③ 全身の血管を収縮させ，血圧上昇をもたらし，GFRを回復させる。
  ④ 輸出細動脈を収縮させ，GFRを回復させる。
  ⑤ 近位尿細管に作用し，Na^+，HCO_3^-の再吸収を促進する。

- **アルドステロン**（血中半減期20分）は集合管主細胞に作用し，Na^+再吸収とK^+排泄を促進する。

- アルドステロンとADHにより，体液量（循環血液量），血圧，GFRが回復する。

アルドステロンの作用機序

- アルドステロンは集合管主細胞の細胞質で受容体と結合し，核に移動する。アルドステロン・受容体複合体は DNA に作用し，特異的蛋白 **AIP**（aldosterone-induced proteins）の合成を誘導する。AIP の作用により，管腔膜の 上皮性 Na^+ チャネル（**ENaC**），側底膜の Na^+/K^+ ATPase が増加し，ATP 産生も促進される。また，K^+ チャネル（**ROMK**）も増加させ，Na^+ 再吸収と K^+ 排泄が促進される。Na^+ の再吸収に伴って水も再吸収される。Na^+ の再吸収によって生じる電気的勾配により，K^+ は受動的に尿中へ排泄される。
- また，アルドステロンは，集合管間在細胞の H^+ 転移酵素の活性を高め，H^+ の排泄を促進する。

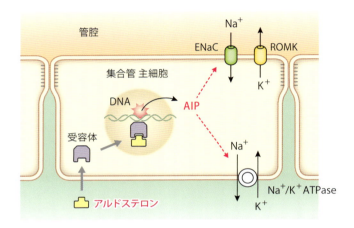

アンジオテンシンⅡの作用機序

- アンジオテンシンⅡは，副腎皮質の球状帯細胞に作用し，アルドステロンの合成・分泌を促進する（☞Q175）。また，全身の血管を収縮させ，血圧を上げる（☞Q117）。さらに，脳室周囲器官を介して視床下部に作用し，ADH の分泌亢進，飲水行動を引き起こす。
- アンジオテンシンⅡ受容体のうち，AT_1 受容体はアルドステロン分泌，血管収縮を引き起こす。また，細胞の増殖・肥大，細胞外基質の産生をもたらす。AT_2 受容体は AT_1 受容体とは拮抗的に働き，血管拡張（NO 産生による），細胞増殖抑制，アポトーシス誘導をもたらす。

ナトリウム利尿ペプチド

- 尿中への Na^+ 排出を促進する。心房性ナトリウム利尿ペプチド **ANP**（atrial natriuretic peptide）は心房圧の上昇により心房から分泌される。脳性ナトリウム利尿ペプチド **BNP**（brain natriuretic peptide）は心不全時に主に心室から分泌される。
- ANP，BNP による利尿は，主に GFR の増加（メサンギウムの弛緩，輸入細動脈の拡張，輸出細動脈の収縮），集合管での Na・水再吸収の抑制（ENaC の閉鎖）による。また，近位尿細管での Na 再吸収の抑制，上行脚での NaCl 再吸収の抑制も生じる。
- レニン・アンジオテンシン・アルドステロン系の抑制，血管平滑筋の弛緩により，血圧は低下する。中枢性には，飲水や ADH 分泌，ACTH 分泌が抑制される。

上皮性 Na^+ チャネル（ENaC）

興奮性細胞膜に存在する Na^+ チャネルとは分子構造が異なり，数秒間の開口時間を持つ。腎では集合管主細胞にあり，Na^+ を再吸収している。

ROMK

renal outer medullary K^+ channel

脳室周囲器官

下垂体後葉，最後野，終板脈絡器官，脳弓下器官など。血液脳関門がないため血管透過性が高く，化学受容野としての働きを持つ。

キマーゼ

障害を受けた血管壁の肥満細胞から放出され，アンジオテンシン変換酵素として働く。産生されたアンジオテンシンⅡが血管肥厚をもたらすと考えられる。

ネプリライシン

腎臓や肺に多く存在する蛋白質分解酵素（中性エンドペプチダーゼ）。ANP，BNP，CNP（血管内皮細胞から分泌される）を分解する。

Q134 エリスロポエチン

● エリスロポエチンの産生は血中酸素分圧により調節される。

◆ **エリスロポエチン**は分子量 34,000, 165 個のアミノ酸からなる糖蛋白である。**85％が腎臓由来**（尿細管周囲の線維芽細胞）であり、15％が肝臓で産生される。エリスロポエチンの産生・分泌は、血中酸素分圧（組織の酸素分圧が作用する）によって調節されている。ヘマトクリット値が低下すると幾何級数的に増大する。低酸素のほかに、アルカローシス、交感神経刺激（β作用）でも分泌は増加する。赤血球数が増加すると、分泌は抑制される。

◆ エリスロポエチンは骨髄の赤芽球系前駆細胞である **CFU-E** に作用し、増殖・分化を促進する。エリスロポエチンの刺激を受けられなかった CFU-E はアポトーシスを起こす。☞ Q77

低酸素誘導因子（hypoxia-inducible factor ; HIF）

エリスロポエチン産生細胞では HIF-2 が発現し、エリスロポエチン遺伝子の転写因子として働いている。腎への酸素供給が低下すると、HIF-2 を分解する酵素活性が低下し、HIF-2 が増加する。

Q135 排尿

● 膀胱は交感神経と副交感神経の二重支配を受けている。

◆ 尿管は内縦・外輪の筋層を持ち、蠕動運動が生じている。**尿管は膀胱壁を斜めに貫いており、逆流は生じない**（膀胱壁の伸展により、貫通部の尿管が圧平される）。蠕動運動は交感神経の興奮により亢進する。

◆ 膀胱は内縦・中輪・外縦の筋層からなり、尿道口付近は輪状に発達した**内尿道括約筋**がある。膀胱および内尿道括約筋は、下腹神経（交感神経）と骨盤内臓神経（副交感神経）の二重支配を受けている。☞ Q42

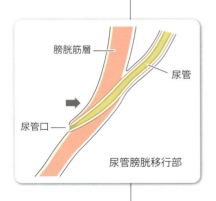

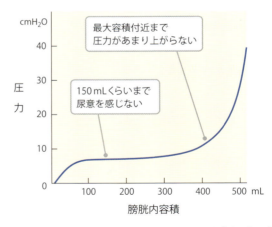

◆ 膀胱内容積と圧力の関係をみると、150 mL くらいまでは尿意を感じず、最大膀胱容積（300～500 mL）に達するまでは圧力があまり上昇しない。

◆ 正常な排尿経過は、①尿意を感じないで尿を溜める、②尿意を感じつつ排尿をがまんできる、③随意的に排尿を開始する、④排尿時には尿は勢いよく排出され（最大尿流量率 20～30 mL/sec）、⑤完全に排出される（残尿がない）。また排尿中に止めることができる。

11 消化・吸収と代謝

Q136 消化管の機能

- 蠕動運動は筋層間神経叢によって制御された自律的な運動である。
- 食物の通過に伴い局所ホルモンが放出され，消化液の分泌を促す。

- 消化管は，咀嚼された食物を収縮運動（蠕動運動）と酵素により消化し，低分子の状態で小腸から吸収する。
- 消化管の壁にはマイスナー神経叢（粘膜下神経叢）およびアウエルバッハ神経叢（筋層間神経叢）があり，自律神経が分布している。アウエルバッハ神経叢は腸管の動きを制御し，マイスナー神経叢は腺分泌，イオン・水輸送を制御している。迷走神経（コリン作動性線維）はアウエルバッハ神経叢に作用し，消化管の動きを促進する（交感神経の作用は弱い）。神経叢の神経細胞は神経伝達物質だけでなく，VIPなどの消化管ホルモンも放出する。
- 食物中の蛋白質は，胃液中のHCl，ペプシンによりペプチドへ消化される。胃液の分泌は迷走神経，ガストリン，ヒスタミンによって調節されている。十二指腸に送り出された酸性の胃内容物は，アルカリ性の膵液と混和され，中性となる。糖質はアミラーゼにより，蛋白質はトリプシン，キモトリプシンにより消化され，小腸（空腸，回腸）の微絨毛から吸収される。脂質は，胆汁やリパーゼによって乳化・消化されてミセルを形成し，吸収される。

VIP；vasoactive intestinal peptide　血管作動性腸ペプチド

消化管や自律神経終末から放出されるペプチドホルモン。平滑筋弛緩作用を持つ。

微絨毛

小腸上皮細胞の表面にある突起。光学顕微鏡ではブラシの毛のように見えることから刷子縁（さっしえん）とも呼ばれる。この突起があるために小腸粘膜の表面積は200〜500m^{2}にもなる。

小腸上皮細胞の寿命

小腸上皮細胞は常に新生し，絨毛の先端方向へ移動し，剥脱する。寿命は2〜5日である。

NOTE 蠕動運動

- 腸壁内の神経叢ニューロンは複数の伝達物質を貯蔵している。興奮性ニューロンはアセチルコリン（ムスカリン受容体）により平滑筋を収縮させ，抑制性ニューロンはNOにより弛緩させる。
- 腸壁の一部が拡張し伸展受容器が興奮すると，口側の平滑筋が介在ニューロン（カハール介在細胞）のMet-エンケファリンにより収縮する。肛門側の平滑筋はVIPやATPにより一旦弛緩し，続いてP物質やセロトニンにより収縮する。この繰り返しで内容物が肛門側に送られる。カハール介在細胞は全消化管の筋層に分布し，自発的に興奮しつつ運動を制御している。
- 筋層間神経叢の縦方向の情報伝達はアセチルコリン，セロトニン（5-HT）で行われる。便秘や下痢を引き起こす過敏性腸症候群では5-HT阻害薬が有効である。
- 十二指腸・小腸では平滑筋の自発性リズムにより多数の収縮輪が生じ，分節運動，内容物が混和される。

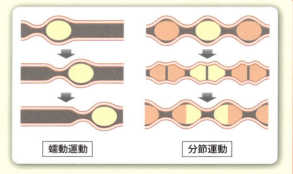
蠕動運動　　分節運動

- 回盲括約筋は盲腸からの逆流を防止している。食物摂取により，回盲括約筋の弛緩，回腸運動の亢進が生じ，回腸の内容物が大腸へ送出される（胃回腸反射）。
- 消化管平滑筋の静止膜電位は約−60mVである。活動電位はCa電流により発生し，数十msec持続する（時間経過が遅く，加重が生じやすい）。迷走神経は非選択的陽イオンチャネルTRPCを開口させ脱分極を生じ，交感神経は静止膜電位を過分極させる。

消化管の構造と機能

消化管の壁は，粘膜，内輪外縦の走行をする平滑筋層，漿膜の3層からなる。小腸は腸間膜によって腹壁に固定され，神経，血管，リンパ管は腸間膜を通って分布している。

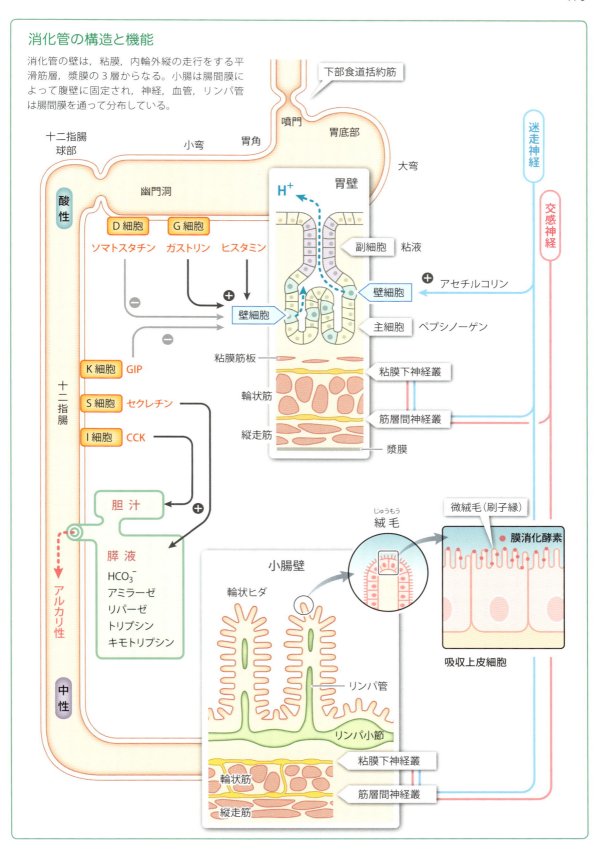

Q137 咀嚼と嚥下，胃の運動

● 胃の蠕動運動は迷走神経と交感神経による二重支配を受けている。

◆ 口腔内に食物が入ると，機械的刺激や味覚によって反射的に唾液が分泌される。食事の学習によって生じる分泌は，パブロフの実験として有名である（条件反射）。唾液（pH 7.0）には α-アミラーゼ（プチアリン）が含まれ，でんぷんが分解される。

◆ 咽頭粘膜の刺激が舌咽神経と迷走神経を経て延髄の嚥下中枢へ伝達されると，遠心性インパルスが発生し，食道上部から下部への収縮（蠕動運動）が生じる。咽頭粘膜が麻酔されると，嚥下は生じない。

◆ 食物が食道に入ると，食道下部括約筋は弛緩する。下部食道内圧は通常，20～50 cmH₂O である。食道下部括約筋は迷走神経と交感神経の二重支配を受けている。嚥下時には節後線維から ATP が分泌され，弛緩する。

◆ 食物が胃に送られると，胃は反射的に弛緩する（受容弛緩）。胃の蠕動運動は胃体部から発生し，幽門洞，幽門，十二指腸へと伝わり，その頻度は約 15 秒に 1 回である。蠕動時の内圧は 20～30 cmH₂O である。胃の運動は，迷走神経刺激で促進され，交感神経刺激（緊張，恐怖感など）では抑制される。幽門洞は液状になった食物しか通さない。胃内容が空のときに，強い収縮が繰り返されることがある（飢餓収縮）。

Q138 胃液の成分と分泌調節

● 胃液分泌は迷走神経と消化管ホルモンによって調節されている。

胃液の成分

◆ 胃液（pH 1～2）は 1 日 2～3 L 分泌される。胃には 3 種類の分泌腺がある。噴門腺と幽門腺は主に粘液を分泌する。胃底腺では，壁細胞が塩酸（HCl）を，主細胞がペプシノーゲンを，副細胞が粘液（ムチン：糖蛋白）を分泌する。

◆ HCl は食物中の蛋白質を変性させ，ペプシンによる加水分解を促進する。

◆ ペプシノーゲンは胃底腺の中で HCl によって活性化されペプシンになる。ペプシンは酸性の環境下（至適 pH 1.3～3.0）で蛋白分解酵素として機能する。

胃液分泌の 3 相

◆ 食事による胃液分泌は 3 つの時相で考える。

①脳相：条件反射（食物についての視聴覚刺激）と無条件反射（食物による物理的刺激）により迷走神経が興奮し，胃液分泌が亢進する。

②胃相：食物が胃に入ったことによる神経反射と，幽門洞の G 細胞から分泌されたガストリンにより，胃液分泌が亢進する。胃内容が pH 2～3 以下になると，ガストリンの分泌は低下する。

③腸相：酸性の胃内容物が十二指腸に作用し，セクレチン，GIP，ソマトスタチンが分泌される。これらは胃液の分泌を抑制する。また，コレシストキニン（CCK）が分泌され，胆汁の分泌を促す。

唾液

1 日 1～2 L 分泌され，その 7 割は顎下腺（混合性）である。耳下腺は漿液性，舌下腺は粘液性（＞漿液性）の唾液を分泌する。交感神経の興奮では，粘液に富む唾液が分泌される。唾液には，舌リパーゼ，免疫グロブリン IgA，血液型物質，ヨード（血漿中の約 60 倍）なども含まれている。

受容弛緩

迷走神経中の非アドレナリン・非コリン作動性線維（NANC 線維）の興奮による。

胃の排出速度

排出速度は胃の内容に左右される。ある実験では水や 2.5 ％糖液 400 mL の摂取では約 20 mL/min であったが，10 ％糖液では 10 mL/min へ半減した。

ペプシノーゲン

ペプシノーゲンは 7 種類の蛋白分解酵素の混合物であり，主細胞にチモーゲン顆粒として蓄えられている。ペプシノーゲンの分泌は迷走神経刺激によって亢進する。

不攪拌層

胃粘膜の表面は，粘液と重炭酸塩からなる pH 7.0 の不攪拌層で覆われている。厚さ約 500 μm の粘液層により，胃粘膜細胞は胃酸から守られている。

NOTE 消化管ホルモン

- 胃から小腸の粘膜には数種類の内分泌細胞が存在し，それぞれ異なるペプチドホルモンを分泌する。これらのホルモンは，食物の通過に伴って分泌され，その部位の消化管機能を促進するとともに，口側の消化管機能を抑制する。
- **ガストリン**は幽門洞や十二指腸球部のG細胞から分泌される。蛋白質（ペプチドやアミノ酸）がG細胞の微絨毛に付くと分泌は亢進し，酸（pH 2～3以下）では抑制される。ガストリンは胃酸分泌を高めるだけでなく，胃粘膜を成長させる。また，平滑筋への直接的作用と，節後ニューロンからのアセチルコリン放出を促進することにより，胃運動を促進させる。
- **GIP**（gastric inhibitory peptide；**胃抑制ペプチド**）は十二指腸のK細胞で産生され，ブドウ糖や脂肪の通過に伴って分泌される。胃液分泌と胃運動を抑制し，膵臓のインスリン分泌を高める。
- **セクレチン**は十二指腸のS細胞で産生され，蛋白質や酸に伴って分泌される。胃酸分泌を抑制する一方で，ペプシノーゲン分泌は高める。また，膵の導管細胞に作用し，HCO_3^-に富むアルカリ性膵液の分泌を促す。

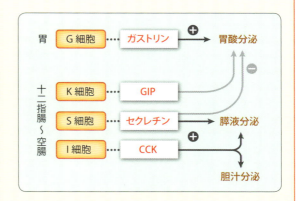

- **コレシストキニン（CCK）**は小腸のI細胞で産生され，脂肪酸の刺激によって分泌される。胆嚢を収縮させ，胆汁分泌を促す。また膵酵素の分泌を促進する。
- **ソマトスタチン**を産生するD細胞は，膵ラ氏島や胃腸粘膜に広く分布する。傍分泌によりガストリン，セクレチン，インスリン，グルカゴンの分泌を抑制する。
- **グレリン**は胃体部のX細胞から分泌される。分泌は空腹時に高く，摂食やグルコース負荷によって抑制される。視床下部弓状核のニューロンに作用し，摂食行動とGH分泌を促進する。

Q139 胃酸の分泌

- 壁細胞は細胞膜にプロトンポンプをもち，H^+を能動的に分泌する。
- 酸の分泌はアセチルコリン，ガストリン，ヒスタミンによって促進される。

胃酸（塩酸；HCl）の分泌機序

- HClは壁細胞から分泌される。H^+は，腺腔側にあるH^+/K^+ ATPase（**プロトンポンプ**，H^+/K^+交換ポンプ）により能動的に分泌される。細胞内のH^+は**炭酸脱水酵素**が促進する反応（$CO_2 + H_2O \rightarrow H_2CO_3 \rightarrow H^+ + HCO_3^-$）によって供給される。$HCO_3^-$は，基底側にある$HCO_3^-/Cl^-$交換輸送体によって汲み出される。
- K^+は，Ca^{2+}により活性化（開口）される**Kチャネル**から腺腔内へ放出される。
- Cl^-は**Clチャネル**から腺腔内へ放出される。その放出量はH^+の分泌量に比例する。水は，HClの分泌によって生じる浸透圧によって移動する。

分泌調節

- 胃酸分泌は，アセチルコリン，ガストリン，ヒスタミンによって促進される。非分泌時には，H^+/K^+ ATPase，Kチャネル，Clチャネルは不活性の状態にある。**アセチルコリン，ガストリン**がそれぞれの受容体を刺激すると，Gq蛋白，ホスホリパーゼC（PLC），イノシトール3リン酸（IP_3）を介して小胞体からCa^{2+}が放出される。**ヒスタミン**が受容体を刺激すると，Gs蛋白により細胞内のcAMPが増加する。

炭酸脱水酵素
carbonic anhydrase
$CO_2 + H_2O \rightleftarrows H^+ + HCO_3^-$の反応を触媒する酵素。種々の細胞に広く分布する。

ヘリコバクター・ピロリ
胃粘膜を障害する細菌で，胃潰瘍や胃癌の発症リスクを高める。この菌は胃内の尿素を分解してアンモニアを作り，酸を中和しつつ棲息している。尿素呼気試験は，尿素がアンモニアと炭酸ガスに分解されることを利用し，^{13}Cで標識した尿素を服用後，呼気中の^{13}C標識二酸化炭素を調べる。

胃酸の分泌

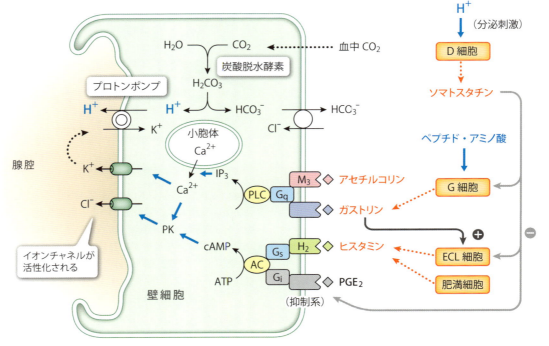

- 胃酸の分泌濃度は $[H^+]=[Cl^-]=150\,mEq/L$ である（血漿濃度は $[H^+]=0.00004\,mEq/L$，$[Cl^-]=100\,mEq/L$）。
- 胃酸の基礎分泌量は $0\sim 8\,mEq/hr$，最大分泌量は $5\sim 20\,mEq/hr$（胃液の基礎分泌量は $30\sim 100\,mL/hr$，最大分泌量は $80\sim 200\,mL/hr$）。
- 血中の CO_2 は壁細胞に取り込まれ，H^+ の産生に利用される。胃静脈血 CO_2 濃度は減少し，胃の呼吸商は負の値となる。
- 血中へ放出された HCO_3^- により，血液はアルカリ化する。胃酸分泌が高まると，血液 pH は上昇し，尿もアルカリ性になる（食後のアルカリ尿）。
- ウアバイン（強心配糖体）は，Na^+ ポンプや H^+/K^+ ATPase を阻害し細胞内 Na^+ を高めるが，壁細胞の H^+/K^+ ATPase には作用しない。

- ◆ Ca^{2+}，cAMP がセカンドメッセンジャーとなり，プロテインキナーゼ（PK）を介してチャネルが活性化され，K^+，Cl^- が腺腔に放出される。腺腔内の K^+ は H^+/K^+ ATPase を賦活し，H^+ が分泌される。Ca^{2+} の効果と cAMP の効果は相乗的である。
- ◆ ヒスタミンは **ECL 細胞** や肥満細胞から放出される。ガストリンは，壁細胞の受容体に直接作用するだけでなく，ECL 細胞へも作用しヒスタミン放出を促進させ，胃酸の分泌を高める。ECL 細胞にはアセチルコリン受容体もある。
- ◆ **ソマトスタチン** は D 細胞から分泌され，胃酸分泌を抑制する。これは，壁細胞への直接的抑制，ECL 細胞のヒスタミン放出の抑制，および G 細胞のガストリン分泌の抑制による。
- ◆ プロスタグランジン E_2（PGE_2）やソマトスタチンは，G 蛋白の段階で cAMP の生成を阻害し，胃酸分泌を抑制する。非ステロイド性抗炎症薬はプロスタグランジンの生成を阻害し，消化性潰瘍を引き起こす。

壁細胞の分泌細管

プロトンポンプを備えた小胞で，分泌刺激により腺腔に開口し酸を分泌する。

ECL 細胞

enterochromaffin-like cell

腸クロム親和性細胞（EC 細胞）に似た細胞で，胃腺の底部に存在する。EC 細胞はセロトニンを分泌するが，ECL 細胞はヒスタミンを分泌する。

Q140 糖質の消化・吸収

- ◉ 糖質は二糖類，さらに単糖へと分解される。
- ◉ 単糖の吸収にはグルコース輸送体（GLUT，SGLT）が関わっている。

炭水化物と糖質

炭水化物から食物繊維（ヒトは消化できない成分：セルロース，ペクチンなど）を除いたものが糖質である。

でんぷんの消化

- ◆ 糖質とは単糖 $C_6H_{12}O_6$ で構成されている有機化合物をいい，そのうち消化吸収されるのはグルコース（ブドウ糖）が重合した**でんぷん**のみである。でんぷんは，唾液中の α-アミラーゼ，膵 α-アミラーゼにより，**二糖類**（マルトース，イソマルトース），マルトトリオースおよび α-限界デキストリンに分解される。
- ◆ 二糖類は小腸の微絨毛表面（膜）にある消化酵素で分解される。この過程を**膜消化**という。麦芽糖（マルトース）はマルターゼにより 2 個の**グルコース**に，乳糖（ラクトース）はラクターゼにより**ガラクトース**とグルコースに，蔗糖（スクロース）はスクラーゼにより グルコースと**フルクトース**に分解される。これらの消化酵素の近くにはそれぞれの輸送体があり，分解と同時に吸収される。
- ◆ 五炭糖は単純拡散によって吸収される。
- ◆ 腸におけるグルコースの最大吸収速度は 120 g/hr である。この吸収過程にインスリンは作用しない。

SGLT ; sodium-dependent glucose transporter
Na・グルコース共輸送体

GLUT ; glucose transporter
グルコース輸送体（促通拡散型）

単糖の吸収 ☞ 次ページ図

- ◆ グルコースやガラクトースは，**SGLT1** により 2 個の Na^+ とともに小腸上皮細胞内に吸収される。SGLT1 は，細胞内外の Na^+ 濃度差に依存した二次性能動輸送である。吸収された Na^+ は Na^+/K^+ ATPase による能動輸送で間質へ排出され，細胞内 Na^+ 濃度が低下し，SGLT1 が稼動する。K^+ は K^+ チャネルから間質へ排出される。
- ◆ 細胞から間質へは **GLUT2** により輸送される。GLUT2，GLUT5 は促通拡散である。間質から毛細血管へは単純拡散によって移動する。
- ◆ フルクトース（果糖）は **GLUT5** により吸収され，一部はグルコースに変換され，GLUT2 や GLUT5 により間質へ輸送される。

NOTE✎ グルコース輸送体

- **GLUT1** はすべての細胞に存在するが，特に脳，赤血球に多い。インスリンに依存せずにグルコースを取り込む。
- **GLUT2** は肝細胞，膵 β 細胞，腎近位尿細管細胞，小腸上皮細胞（血管側）にある。輸送能が高く，細胞内外のグルコース濃度に依存してグルコース，ガラクトースの移動が生じる。肝臓では，糖新生により合成されたグルコースが GLUT2 を介して血中に供給される。
- **GLUT3** は脳，腎臓，胎盤にある。
- **GLUT4** はインスリン感受性組織（骨格筋，心筋，脂肪

組織）にあり，インスリンによる調節を受ける。
- **GLUT5** は小腸上皮や精子にあり，フルクトースを輸送する。
- **SGLT** は，Na^+ との共輸送によりグルコースを輸送する。輸送量は Na^+ に依存する。小腸には **SGLT1**（グルコース親和性が高い）がある。腎近位尿細管の起始部には **SGLT2**（グルコース親和性は低いが，最大輸送量が大きい）が多くあり，終端部には SGLT1 が多い。糖の再吸収の 9 割は SGLT2 により，1 割が SGLT1 による。

11

消化・吸収と代謝

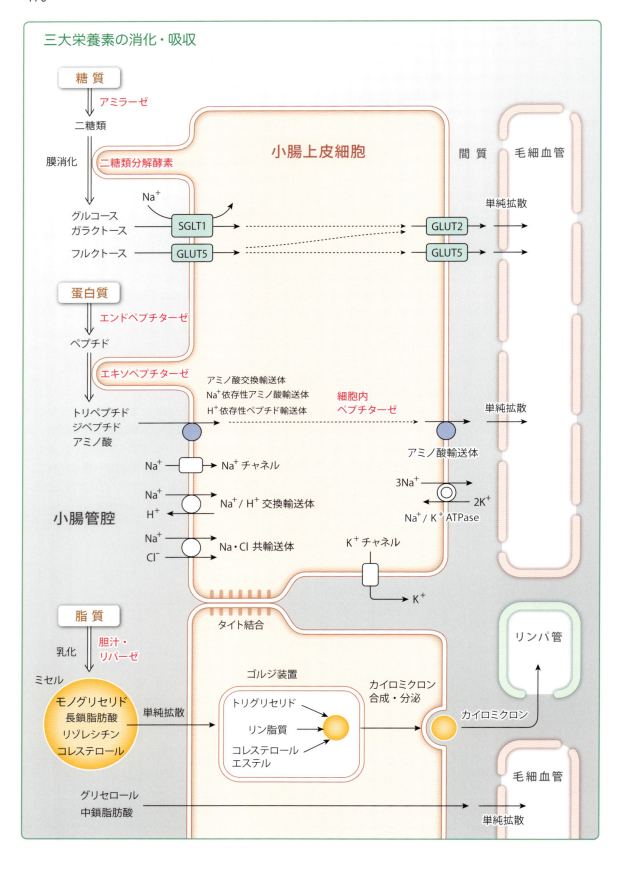

Q141 蛋白質の消化・吸収

◉ 蛋白質は小さなペプチドやアミノ酸に分解される。
◉ 蛋白分解酵素は不活性の前駆体として分泌され，消化管内で活性型に変換される。

蛋白質の消化・吸収

◆ 蛋白質はアミノ酸の重合体であり，20種類のアミノ酸で構成されている。食物中の蛋白質は，エンドペプチダーゼ（ペプシン，トリプシン，キモトリプシン），エキソペプチダーゼ（膵カルボキシペプチダーゼ，小腸刷子縁のアミノペプチダーゼ）によって消化され，アミノ酸として吸収される。

◆ 胃では，HClが蛋白質を変性させ，ペプシンが蛋白質をペプチドに分解する。十二指腸では，トリプシン，キモトリプシン，エラスターゼがペプチドをオリゴペプチドに分解する。小腸上皮の微絨毛の細胞膜にはカルボキシペプチダーゼ，アミノペプチダーゼがあり，オリゴペプチドをジペプチド，アミノ酸へと分解する。

◆ アミノ酸の吸収は小腸で行われる。中性アミノ酸，酸性アミノ酸，塩基性アミノ酸はそれぞれの輸送体により小腸上皮細胞に吸収される。ジペプチドおよびトリペプチドは，H^+との共輸送で吸収され，細胞内のペプチダーゼによりアミノ酸に分解される。細胞内のアミノ酸は，側底膜の促通拡散型輸送体により放出され，毛細血管に入り門脈へと流れる。

◆ 摂取した蛋白質の大部分は吸収される。糞便中の蛋白質は，腸上皮が剥離したものや腸内細菌に由来する。

膵酵素の分泌と活性化

◆ 膵酵素の分泌はコレシストキニンにより促進される。

◆ 蛋白分解酵素は，不活性の前酵素（プロ酵素）として分泌され，消化管内で活性型に変換され機能する。小腸刷子縁にあるエンテロキナーゼが，トリプシノーゲンを活性型のトリプシンに変換する。引き続いてトリプシンが，キモトリプシノーゲンをキモトリプシンに，プロアミノペプチダーゼをアミノペプチダーゼに，プロカルボキシラーゼをカルボキシペプチダーゼに変換する。トリプシンはまた，プロホスホリパーゼをホスホリパーゼA_2に変換する。

ペプチダーゼ

エンドペプチダーゼはペプチド構造体の中間部を切断するものをいい，エキソペプチダーゼは末端（C末端，N末端）からアミノ酸を切り離すものをいう。

アミノ酸・ペプチド・蛋白質

アミノ酸が10個以下のペプチドをオリゴペプチド，100個未満をポリペプチド，100個以上を蛋白質と呼んでいる。オリゴペプチドのうちアミノ酸2個のものをジペプチド，3個のものをトリペプチドという。

NOTE✏️ アミノ酸の種類と略号　（必須アミノ酸：Lys, Val, Leu, Ile, Phe, Trp, Thr, Met）

中性アミノ酸（電気的に中性）

アラニン	Ala, A	バリン	Val, V
ロイシン	Leu, L	イソロイシン	Ile, I
プロリン	Pro, P	フェニルアラニン	Phe, F
トリプトファン	Trp, W	メチオニン	Met, M
アスパラギン	Asn, N	グルタミン	Gln, Q
チロシン	Tyr, Y	セリン	Ser, S
トレオニン	Thr, T	グリシン	Gly, G
システイン	Cys, C		

酸性アミノ酸（負の電荷を持つ）

アスパラギン酸	Asp, D	グルタミン酸	Glu, E

塩基性アミノ酸（正の電荷を持つ）

アルギニン	Arg, R	ヒスチジン	His, H
リジン	Lys, K		

Q142 脂質の消化・吸収

◉ 脂質は胆汁酸により乳化され，リパーゼによって消化される。

◉ カイロミクロンは門脈を通らず，リンパ管に吸収される。

◆ 脂質とは，水に溶けない有機化合物をいう。食物中の脂質は大部分が**トリグリセリド**（中性脂肪）と**コレステロール**であり，わずかではあるが脂溶性ビタミンが含まれている。

◆ 脂質は，**胆汁酸**とレシチンによって乳化される。胆汁酸の界面活性作用によって表面張力が減少するため油滴は小さく分割され，液は白濁する。これが**乳化**と呼ばれる現象である。

◆ 乳化により油滴の表面積が増し，**リパーゼ**が作用しやすくなる。トリグリセリドは**脂肪酸**と**モノグリセリド**へ分解される。この脂肪酸，モノグリセリド，コレステロールと胆汁酸が混合し，水溶性の塊（**ミセル**）が形成され，小腸粘膜面へ拡散する。ミセルは微絨毛の表面で開裂し，それぞれの脂質は単純拡散により上皮細胞内へ吸収される。グリセロールや中鎖脂肪酸は吸収後，単純拡散により毛細血管に入り門脈へと送られる。胆汁酸は遊離して腸管腔を流れ，回腸で吸収される。

◆ 上皮細胞内ではこれらの脂質をもとにトリグリセリドが再合成される。さらに，トリグリセリドはゴルジ装置に送られ，コレステロール，リン脂質，アポ蛋白とともに**カイロミクロン**という粒子に合成される。カイロミクロンは開口分泌により間質へ放出されるが，粒子径が大きいために毛細血管壁を通過することはできない。カイロミクロンはリンパ管に入り，胸管を経て左静脈角から血中に入る。

Q143 水・電解質・ビタミンの吸収

◉ 水・ビタミンの大部分は小腸で吸収される。

◆ 小腸粘膜の絨毛の間に陰窩（いんか）というくぼみがあり，ここから血漿成分に近い電解質溶液（**腸液**）が分泌される。その量は小腸全体で1日2～3Lにのぼる。

◆ **水分**：摂取水分（2L/日）と消化管に分泌された水分（7L/日）はその98%が吸収される。水は小腸や大腸の上皮細胞を介した浸透圧勾配によって移動し（受動輸送），Na^+，グルコース，アミノ酸が吸収されると，水も吸収される。

◆ **ナトリウム**：能動的および濃度勾配に従って吸収される。Na^+チャネル，Na^+・糖共輸送（SGLT1），Na^+・アミノ酸共輸送によって細胞内へ吸収され，Na^+/K^+交換ポンプによって間質へ汲み出される。

◆ **カリウム**：全腸管にわたって受動的に吸収される。

◆ **カルシウム**：十二指腸，空腸で吸収される。刷子縁膜の直上はNa^+/H^+交換輸送により酸性（pH 5.5）に傾く。そのためカルシウム塩はCa^{2+}となり，イオンとして吸収される（受動輸送）。その後，側底膜の能動輸送により間質に汲み出される。

◆ **鉄**：食物中の鉄はFe^{3+}（第二鉄）であり吸収されにくいが，胃酸により還元されてFe^{2+}（第一鉄）となり十二指腸，空腸で吸収される。鉄は上皮細胞内では，アポフェリチンと結合した**フェリチン**として貯蔵され，必要に応じて血中に放出される。

トリグリセリド

グリセロールに3つの脂肪酸が結合したもの（モノグリセリド＝モノアシルグリセロール，トリグリセリド＝トリアシルグリセロール）。血液中の中性脂肪のほとんどはトリグリセリドである。

飽和脂肪酸：パルミチン酸C16，ステアリン酸C18
不飽和脂肪酸：オレイン酸C18:1，リノール酸C18:2，アラキドン酸C20:4，α-リノレイン酸C18:3，EPA C20:5，DHA C22:6

コレステロールトランスポーター

遊離コレステロールは，小腸粘膜刷子縁のコレステロールトランスポーターにより吸収される。

コリパーゼ

膵リパーゼとともに分泌される分子量約1万の蛋白質。リパーゼ活性を増強する。

水の移動と下痢

塩類下剤は吸収されずに腸管内にとどまり浸透圧を生じ，水分を保持する。コレラ菌の毒素はアデニル酸シクラーゼを活性化し，細胞内cAMP濃度を上昇させる。そのためCl^-チャネルが活性化され，Cl^-が管腔に分泌される。これに伴いNa^+，水が管腔内に流出する。

リンの吸収

食事中の無機リンは，合成着色料や保存料に含まれており，9割以上が腸管で吸収される。有機リンは蛋白質に結合しており，5割しか吸収されない。

必須微量ミネラル

鉄，亜鉛，銅，クロム，ヨウ素，コバルト，セレン，マンガン，モリブデンは酵素や生理活性物質の活性中心として働いている。

ビタミンB群

B_1：チアミン
B_2：リボフラビン
B_6：ピリドキシン
B_{12}：シアノコバラミン

上記に加え，ナイアシン（ニコチン酸），パントテン酸，ビオチン，葉酸を含めてビタミンB群と呼ぶ。解糖系，β酸化，TCA回路の補酵素として働く。

ビタミンC

アスコルビン酸

脂溶性ビタミン

A：レチノール
D：コレカルシフェロール
E：トコフェロール
K：フィロキノン

硫酸マグネシウム（$MgSO_4$）

大腸粘膜上皮細胞内のMgの増加（アデニル酸シクラーゼ，プロテインキナーゼAの活性化，CREBのリン酸化の亢進）により，AQP3の発現が増え，大腸腔内の水分量が増加する。

糞便脂肪量

摂取脂肪量として1日40～60gを投与し，糞便中の脂肪を測定する。正常では5g以下（吸収率90％以上）である。

糞便窒素量

摂取蛋白量が1日80～120gであれば，糞便窒素量は正常では2g以下（吸収率90％以上）である。

アルブミン

血漿蛋白質の半分以上を占め，血漿膠質浸透圧の形成に寄与している。また，血中で他の物質やホルモンと結合することにより，これらを運搬する。

◆ ビタミンとは，代謝を維持するために必要な有機物で，微量ではあるが摂取する必要があるものをいう。水溶性ビタミン（B群，C）は空腸で大部分が吸収される。脂溶性ビタミン（A, D, E, K）は脂質とともにミセルを形成し，空腸で吸収される。

◆ ビタミンB_{12}（シアノコバラミン）は，胃の壁細胞から分泌される糖蛋白（内因子）と結合し，回腸末端の内因子受容体（キュビリン）を介して吸収される。血中ではトランスコバラミンに結合して運ばれ，トランスコバラミン受容体により細胞内に取り込まれる。ビタミンB_{12}は肝臓や筋肉に大量に貯蔵されているため，吸収障害が起こっても症状（巨赤芽球性貧血，末梢神経障害）が出現するには数年かかる。

Q144 大腸の機能と排便

◉ 大腸では水分が吸収され，固形便が形成される。

◆ 大腸に絨毛はないが，陰窩（いんか）が発達し，杯細胞（さかずき）が多い。大腸液は杯細胞から分泌され，ムチンに富むが消化酵素はほとんどない。大腸ではNa^+が能動的に吸収され，K^+，HCO_3^-が分泌される。水は管腔内外の浸透圧勾配によって移動する。

◆ 糞便の成分は水が7割で，他は食物繊維，脱落した腸上皮，腸内細菌（*Escherichia coli*, *Enterobacter aerogenes*, *Bacteroides fragilis* など）である。糖質からCO_2やアルコール，蛋白質からインドール，メタン，H_2Sなどが生成され，糞臭となる。

◆ 大腸では蠕動運動，分節運動，直行収縮（大蠕動）が行われる。直行収縮により糞便がS状結腸，直腸に送出される。特に食直後にみられ，胃大腸反射ともいう。

◆ 直腸壁の伸展刺激は，骨盤内臓神経を介して仙髄に送られ，排便反射が起こる。すなわち直腸の蠕動が亢進し，内肛門括約筋が弛緩する。☞ Q42

Q145 肝臓の機能

◉ 腸管で吸収された栄養素は肝臓に送られる。
◉ 肝臓は三大栄養素を代謝し，全身に供給する。

◆ 糖代謝：グルコースからグリコーゲンを合成して貯蔵し，必要に応じて再びグルコースに分解して血中に供給する。グルコースが不足すると，糖質以外からグルコースを合成する（糖新生）。☞ Q146

◆ 脂質代謝：脂質を可溶性のリポ蛋白質に組み込んで，血中に供給する。☞ Q147

◆ 蛋白質代謝：アミノ酸を血中に供給するだけでなく，血漿蛋白質（アルブミン，グロブリン，フィブリノーゲン，血液凝固因子など）を合成する。また，アミノ酸代謝の過程で生じた有害なアンモニアを，無害な尿素に変換する。

◆ 胆汁の合成：脂質の消化・吸収に必要な胆汁酸を合成する。胆汁はビリルビン（ヘモグロビンの分解産物）の排泄経路としても重要である。☞ Q148

◆ 薬物代謝・解毒：ホルモン（女性ホルモン，アルドステロン）や薬物，毒物を代謝（解毒）し，胆汁中に排泄したり，水溶性に変換する。

◆ 肝臓はビタミンA, D, B_{12}，鉄（フェリチン）を貯蔵している。

11

消化・吸収と代謝

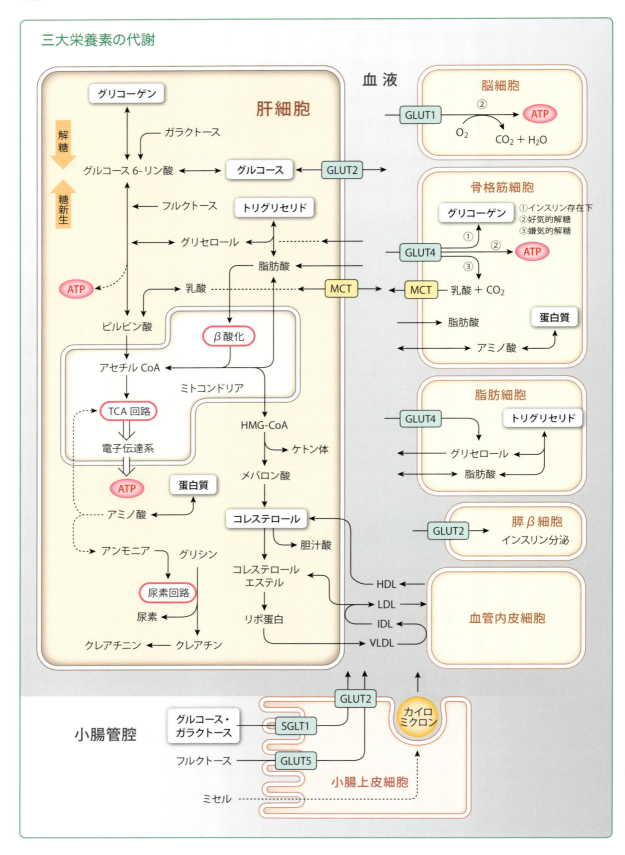

Q146 肝臓における代謝

- ● 細胞はエネルギー源としてグルコースと脂肪酸を利用している。
- ● 肝臓は，摂食時にはグルコースを取り込み，空腹時にはグリコーゲン分解や糖新生によりグルコースを血中へ放出している。

糖代謝

◆ 食事により糖が吸収され血中のグルコース濃度が上昇すると，濃度勾配に従ってGLUT2を通して肝細胞に流入する。グルコースはグルコース6-リン酸に変換され，**グリコーゲン**として貯蔵される。

◆ すべての細胞はグルコースの分解によってエネルギーを得ている。1分子のグルコースの**解糖**により2個のATPが産生され，**ピルビン酸**が生じる。ピルビン酸は，無酸素状態では乳酸に変換される。有酸素状態ではミトコンドリア内で**アセチルCoA**に変換され，**TCA回路**と**電子伝達系**を経て最大32個のATPが産生される。

◆ 肝臓のグリコーゲンは血中グルコースの供給源であり，GLUT2によりグルコースが放出される。血中のグルコースは，脳細胞ではGLUT1により取り込まれ，エネルギー源として使われる。脂肪細胞ではGLUT4により取り込まれ，グリセロール（→トリグリセリド）の合成に使われる。骨格筋細胞ではGLUT4により取り込まれ，グリコーゲンとして貯蔵されたり，エネルギー源として使われる。

◆ 飢餓状態では肝臓で**糖新生**が行われる。すなわち，乳酸やグリセロールなどの非糖質からグルコースが合成され，血中に供給される。

脂質代謝

◆ 各脂質（トリグリセリド，コレステロール，リン脂質）は**単独では血中に溶けにくい**。これらの脂質は肝臓で**リポ蛋白質**に組み込まれ，血中に放出される。

◆ トリグリセリドはグリセロールと脂肪酸から合成されるが，逆に分解もされる。肝細胞ではグリセロールは解糖系に入り代謝される。脂肪酸はミトコンドリアで**β酸化**されアセチルCoAとなり，TCA回路に供給される。また，アセチルCoAは細胞質内で代謝され，HMG-CoA→メバロン酸→コレステロールが合成される。

◆ 過剰なアセチルCoAは，**ケトン体**（アセトン，アセト酢酸，ヒドロキシ酪酸）に変換される。ケトン体は，肝臓にはその代謝酵素がなく血中へ放出され，肝外組織（骨格筋，心筋，脳など）でアセチルCoAに変換されTCA回路で利用される。

◆ 肝臓は糖質や蛋白質から脂質を合成することができる。グルコースの需要が満たされているとき，余ったグルコースはアセチルCoAを経て脂肪酸に合成される。

蛋白質代謝

◆ 肝臓では各種の蛋白質が合成され，血中に放出される。また，血中の不要な蛋白質を分解し，生じたアミノ酸はTCA回路へ供給される。アンモニアは**尿素回路**により分解され，**尿素**と**クレアチン**が生じる。**尿素を生成できるのは肝臓だけである**。

◆ 肝臓は必須アミノ酸から非必須アミノ酸を生成することができ，アミノ酸の供給源として機能している。また，アミノ酸からは，ピルビン酸を経て糖が生成され，アセチルCoAを経て脂肪酸が合成される。

グルコースとグリコーゲン

グリコーゲンは，数万分子のグルコースを結合しても1つの分子であり，浸透圧には影響しない。

ATPのエネルギー

1モル（6×10^{23}個）のATPがADPに分解されるとき，7.3kcalのエネルギーが放出される。

モノカルボン酸輸送体（MCT）

肝臓ではMCT2により，心筋や骨格筋（遅筋線維）ではMCT1により，血中の乳酸が細胞内に取り込まれる。速筋線維にはMCT4があり，乳酸が放出される。

アルコールの代謝

肝臓で代謝され，アセトアルデヒド→酢酸→アセチルCoAとなり，TCA回路へ入るか，脂肪酸の合成に利用される。脂肪肝では大量の脂肪（トリグリセリド）が蓄積する。

11

消化・吸収と代謝

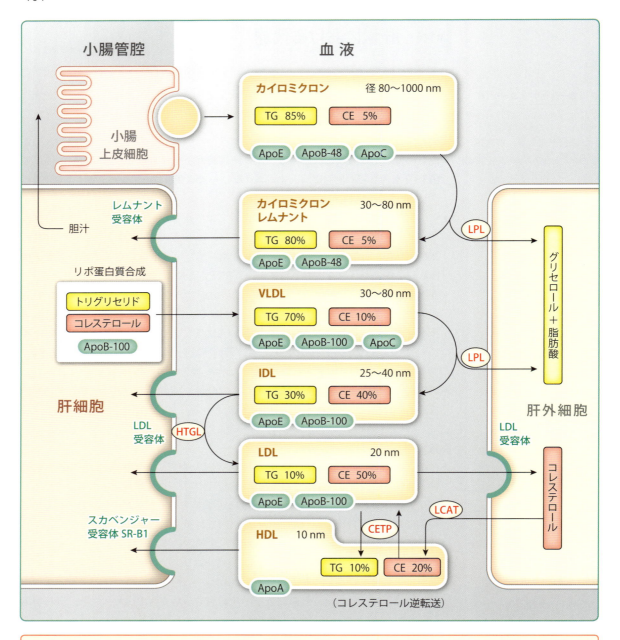

NOTE 脂質の輸送に関わる酵素

- **LPL**；lipoprotein lipase リポ蛋白質リパーゼ：さまざまな組織の血管内皮細胞の表面に存在する。トリグリセリドを分解してグリセロールと脂肪酸を生じる。ApoC-II により活性化される。
- **HTGL**；hepatic triglyceride lipase 肝性トリグリセリドリパーゼ：肝臓の血管内皮細胞に存在する。LPL と一次構造が似ている。カイロミクロンや IDL に含まれるトリグリセリドを分解し，それぞれカイロミクロンレムナントや LDL に変換する。
- **LCAT**；lecithin cholesterol acyltransferase レシチンコレステロールアシルトランスフェラーゼ：血中に存在し，ApoA-I により活性化される。HDL 表面の遊離コレステロールをエステル化する。生じたコレステロールエステルは HDL 粒子のコアに移動し，HDL 表面のすき間に次の遊離コレステロールが挿入される。
- **CETP**；cholesteryl ester transfer protein コレステロールエステル転送蛋白：血中に存在し，HDL 中のコレステロールエステルを他のリポ蛋白質に転送する。

Q147 脂質の輸送

- 脂質はリポ蛋白質として血中に溶け込み，組織へ輸送される。
- VLDLはトリグリセリドを，LDLはコレステロールを組織へ運ぶ。
- HDLは組織から過剰なコレステロールを回収する。

- 脂質は，血中では**リポ蛋白質**の形で溶け込み循環しつつ，肝臓と組織との間でやり取りされる。リポ蛋白質とは，**脂質とアポ蛋白質の複合体**であり，その成分・比重によってカイロミクロン，VLDL，IDL，LDL，HDLに区分される。
- **カイロミクロン**は，小腸で吸収された脂質が血中に放出されたものであり，その成分はトリグリセリドTG 85％，コレステロールエステルCE 5％である。カイロミクロン中の TG は，血管内皮細胞膜にある**リポ蛋白質リパーゼ (LPL)** によりグリセロールと脂肪酸に分解され，組織に取り込まれる。この過程が繰り返され，粒子が小さくなり**カイロミクロンレムナント**（TG 80％，CE 5％）になると，肝臓に取り込まれる。
- 肝臓では脂質はアポ蛋白質とともに **VLDL**（TG 70％，CE 10％）として合成され，血中に放出される。VLDLは，LPLによりTGがグリセロールと脂肪酸に分解され組織に渡されると，**IDL**（TG 30％，CE 40％）になる。IDLは肝臓に取り込まれ，一部はLDLに変換され再び血中に放たれる。
- **LDL**（TG 10％，CE 50％）はコレステロールの割合が多い。LDLは組織のLDL受容体に結合し，コレステロールを組織に渡す。残りのLDLは肝臓に取り込まれる。
- **HDL**（TG 10％，CE 20％）は肝臓で合成され，血液を循環しながら組織のコレステロールを取り込んで成熟する。成熟HDLはコレステロールをVLDL，IDL，LDLへ渡し，交換にTGを受け取る。残りの成熟HDLは肝臓に取り込まれる。このように**HDLは，組織の遊離コレステロールを回収して肝臓に戻す役目を担っている。**これを**コレステロール逆転送**という。

アポ蛋白質と受容体

- 肝臓や組織にはそれぞれ目的とするリポ蛋白質と結合する受容体があり，**リポ蛋白質はそれらの受容体が認識するアポ蛋白質**を持っている。カイロミクロンレムナントはApoEを持ち，肝臓の**レムナント受容体**に結合する。LDL粒子は1分子のApoB-100を持ち，組織の**LDL受容体**に結合する。
- **スカベンジャー受容体**の一種 **SR-B1**（scavenger receptor class B type 1）は，肝臓においてHDL受容体として機能する。

コレステロールエステル
コレステロールの水酸基に脂肪酸が結合したもの。血中コレステロールの70％を占める。残りの30％は，脂肪酸を持たない遊離コレステロールである。

レムナント
remnantとは，「残ったもの」を意味する。

比重による分類
VLDL；very low density lipoprotein 超低比重リポ蛋白質
IDL；intermediate density lipoprotein 中間比重リポ蛋白質
LDL；low density lipoprotein 低比重リポ蛋白質
HDL；high density lipoprotein 高比重リポ蛋白質

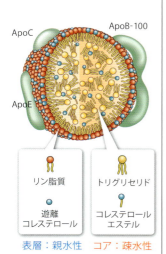

VLDLの構造

リポ蛋白質受容体

受容体の種類	認識するアポ蛋白質（リポ蛋白質）	分布組織
レムナント受容体	ApoE（レムナント）	肝臓
LDL受容体	ApoB-100（LDL），ApoE（VLDL，IDL）	すべての組織（肝臓が60％）
VLDL受容体	ApoE（レムナント，VLDL，IDL）	筋組織，脂肪組織，脳，マクロファージ
SR-B1	HDL，酸化LDL	肝臓，副腎，マクロファージ

Q148 胆汁の分泌

- 肝臓で合成された胆汁酸は，腸管で吸収され再利用される。
- ヘモグロビンの分解産物であるビリルビンは，胆汁として排泄される。

◆ 胆汁は，肝細胞から常時分泌され，胆嚢に貯蔵・濃縮される。胆嚢は食事（コレシストキニン）によって収縮し，胆汁を小腸に分泌する。

◆ 胆汁は，胆汁酸80％，リン脂質15％，コレステロール5％を含む。このバランスが崩れると（胆汁酸50％以下，コレステロール10％以上），胆石が生じる。

◆ 胆汁酸にはコール酸，ケノデオキシコール酸，デオキシコール酸，リトコール酸（わずか）がある。前2者は肝臓でコレステロールから合成されたものであり，十二指腸に分泌され，腸内細菌によって後2者が生じる。胆汁酸は，脂肪の乳化とミセル形成に働く。ミセルから遊離した胆汁酸の大部分は回腸末端で吸収され，肝臓へ戻る（腸肝循環）。回腸を切除すると，胆汁酸が減少し，脂質の吸収が低下する。

◆ 寿命となった赤血球が細網内皮系で破壊されると，ヘモグロビンからビリルビンが生じる。このビリルビンは非水溶性であり，アルブミンに結合して肝臓へ運ばれる。肝臓でグルクロン酸抱合を受け，水溶性の抱合型ビリルビンとなり，胆汁中に分泌される。ビリルビンは，腸内細菌の作用でウロビリノーゲン→ウロビリン（ステルコビリン）となり，便として排泄される。一部は腸管で吸収され，再び肝臓に取り込まれたり，尿中に排泄される。

◆ 胆汁の分泌はコレシストキニン（CCK）による。CCKは胆嚢を収縮させ，オッディ括約筋を弛緩させる。セクレチンは肝細胞からの胆汁分泌を亢進させる。

胆汁酸トランスポーター
胆汁酸の約95％は，回腸末端に局在する胆汁酸トランスポーターにより吸収され，肝臓へと戻る。

直接ビリルビンと間接ビリルビン
抱合型ビリルビンはジアゾ試薬に直接反応するため，直接ビリルビンともいう。非抱合型ビリルビンは反応にメタノールが必要であり，間接ビリルビンと呼ばれる。

黄疸
ビリルビンを排泄できずに，血中ビリルビン濃度が2mg/dL以上になると，皮膚が黄染する。赤血球の破壊亢進，肝細胞障害，胆道系の閉塞によって起こる。

Q149 膵液の分泌

- 膵液はアルカリ性であり，胃酸を中和する。
- 膵液は種々の消化酵素を含む。

◆ 膵液は膵臓の外分泌腺から分泌され，膵管を経て，総胆管から流れてくる胆汁と合流し，十二指腸へ分泌される。1日の分泌量は約1Lである。

◆ 膵液は重炭酸塩（HCO_3^-）を多量に含み，アルカリ性である。また，糖質分解酵素（α-アミラーゼ），蛋白分解酵素（トリプシノーゲン），脂質分解酵素（リパーゼ，ホスホリパーゼA_2，コレステロールエステラーゼ），ヌクレアーゼ，デオキシリボヌクレアーゼを含む。

◆ セクレチンは十二指腸のS細胞から分泌され，膵導管細胞に作用し，重炭酸塩に富む膵液を分泌させる。重炭酸塩は胃から送り出された酸を中和する。

◆ コレシストキニン（CCK；別名パンクレオザイミン）は十二指腸・空腸のI細胞から分泌され，酵素に富む膵液を分泌させる。その作用は，膵腺房細胞のホスホリパーゼCを活性化させイノシトール3リン酸を増加させ，膵酵素の分泌を促すことによる。さらに，CCKはセクレチンの作用を増強する。

◆ 副交感神経刺激（アセチルコリン）によっても膵酵素分泌が促進される。

オッディ括約筋
総胆管と膵管が合流し十二指腸壁を貫く部分に発達した平滑筋。摂食時以外は収縮し，消化液をせき止めている。

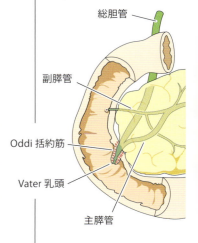

Q150 インスリンの作用

- ◉ インスリンは組織への糖の取り込みを促進し，血糖値を下げる。
- ◉ インスリンは同化作用をもち，エネルギー源としての各栄要素の蓄積を促す。

◆ インスリンは同化作用をもち，各栄養素の合成・貯蔵を促進する。

◆ インスリンは血中グルコースの組織への取り込みを促進し，結果的に血糖値が下がる。インスリンが作用するのは GLUT4 である。GLUT4 は主に筋細胞（70％）や脂肪細胞（3％）にある。脳細胞（視床下部の一部を除く）や腎尿細管では，グルコースの取り込みにインスリンは影響しない。

◆ 肝臓では，グルコースからグリコーゲンへの合成・貯蔵を促進し，糖新生を抑制し，グルコースの放出を抑制する。

◆ 脂肪組織では，グルコースはトリグリセリド（中性脂肪）に合成・貯蔵され，中性脂肪の分解および遊離脂肪酸の放出を抑制する。

◆ 骨格筋や肝細胞では，アミノ酸の取り込み，蛋白質合成を促進し，蛋白質の分解を抑制する。

異化と同化

糖・蛋白質・脂質などの高分子を分解してエネルギー（ATP）を得る反応を異化という。反対に，ATP を利用して高分子を合成する反応を同化という。☞ **Q154**

脳はインスリンの作用を受けないが，視床下部腹側核は例外である。グルコースの利用が低下すると，満腹中枢の機能が低下し，摂食中枢への抑制が弱まり食欲が亢進する。

グリコーゲンシンターゼ

増加したグルコースは，この酵素によりグリコーゲンに追加される。グリコーゲン全体の質量は増加するが，濃度（数）は変化せず，細胞内の浸透圧は変化しない。

ホルモン感受性リパーゼ

脂肪細胞にあるリパーゼ。アドレナリンや ACTH により活性化され，トリグリセリドの分解が亢進する。血中に放出されたグリセロールは，肝臓に取り込まれ解糖系へ入る。脂肪酸は，各細胞に取り込まれ β 酸化により ATP が産生される。

インスリンの作用　☞ 次ページ図

作　用	作用機序
グルコース取り込みを促進	細胞膜の GLUT4 を増加させる
グリコーゲン合成を促進	肝臓では，グリコーゲン合成酵素（**グリコーゲンシンターゼ**）が活性化される。グリコーゲン分解とグルコース放出は抑制される
解糖系を促進	解糖系の律速酵素（**グルコキナーゼ**など）を誘導，活性化させる。骨格筋ではヘキソキナーゼが活性化される
糖新生を抑制	アミノ酸，乳酸，グリセロールなどからのグルコースの合成が抑制される
蛋白質の合成を促進	骨格筋では，アミノ酸や K^+ の取り込みを増加させる。蛋白質の異化は抑制される
脂質の合成を促進	肝臓では，脂肪酸合成の律速酵素である**アセチル CoA カルボキシラーゼ**が活性化される。コレステロール合成の律速酵素である **HMG-CoA 還元酵素**も活性化される。脂肪組織では，リポ蛋白質リパーゼ（LPL）活性を上昇させ，脂質の取り込みを促進させる。一方，骨格筋や心筋の LPL 活性は低下させる
中性脂肪の分解を抑制	肝臓や脂肪組織では，**ホルモン感受性リパーゼ**の活性が抑制され，トリグリセリドの分解が抑制される

11

消化・吸収と代謝

インスリンの作用

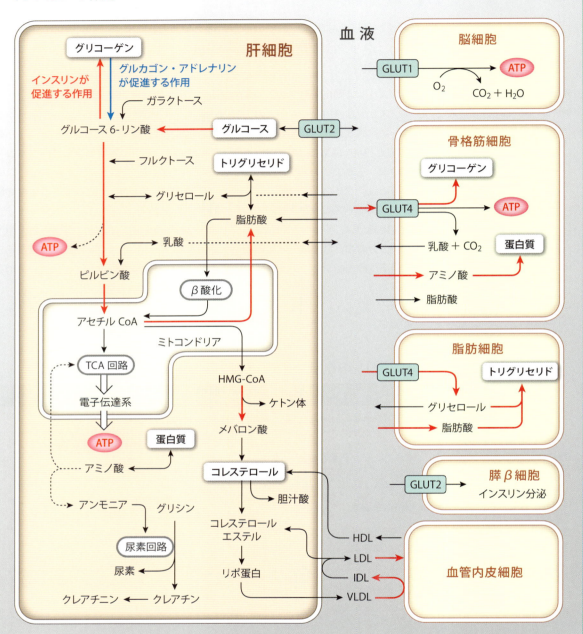

- **インスリン**は，骨格筋でのグルコースの取り込みとグリコーゲン合成を促進する。また，脂肪細胞でのグルコースの取り込み，肝細胞でのグリコーゲン合成を促進する。その結果，血糖値は低下する。インスリンはグリコーゲンシンターゼを活性化し，グリコーゲンの合成を高める。脂肪細胞におけるアドレナリンβ作用を抑制し，脂肪分解を抑制する。

- **グルカゴン**と**アドレナリン**は，肝臓でのグリコーゲンの分解と糖新生を促進させる。その結果，血糖値を上昇させ，グルコースを組織へ供給する。その作用は，グリコーゲンホスホリラーゼを活性化し，グリコーゲンシンターゼを不活化し，グリコーゲン分解を促進することによる。

Q151 インスリンの合成・分泌

● 血糖値の上昇がインスリン小胞の開口分泌を促す。

- インスリンは，膵ランゲルハンス島の β細胞（B細胞）で生成され，血糖値の上昇に伴って分泌される。空腹時の分泌量は 1 U/hr（7.17 nmole/hr），最大分泌量は約 10 倍になる。血中半減期は約 5 分である。
- インスリンは，A 鎖（21 個のアミノ酸）と B 鎖（30 個のアミノ酸）からなるポリペプチドである。インスリン遺伝子は第 11 染色体短腕にあり，ここから mRNA が転写・翻訳されプレプロインスリンが生成される。これは粗面小胞体に取り込まれプロインスリンとなり，ゴルジ装置で C ペプチド（33 個のアミノ酸）が切り離され，インスリンとなる。インスリンと C ペプチドは，インスリン小胞に蓄えられる。
- 血中グルコースが流入すると β細胞は脱分極し，細胞内 Ca^{2+} の上昇によってインスリン小胞の開口分泌が引き起こされる。
- アセチルコリンは，ムスカリン受容体を介してイノシトール 3 リン酸（IP_3）の上昇，小胞体からの Ca^{2+} 放出をもたらし，インスリン分泌を高める。交感神経は $α_2$ 受容体に作用し，Gi 蛋白によりインスリン分泌を抑制する。

注) ガラクトースはインスリン分泌に影響しない

サイエンストピックス 1
2 光子励起法を用いたインスリン開口放出過程の可視化

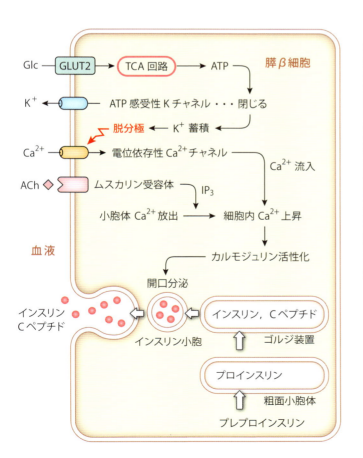

- 膵 β細胞では，血中のグルコースが GLUT2 を介して流入し，TCA 回路で代謝され ATP が産生される。
- 血中グルコース濃度が上昇すると ATP 産生が増加し，ATP 感受性 K チャネル（ATP が少ないときに開口している）が閉じ，K^+ の流出が阻害される。
- K^+ が細胞内に蓄積することにより脱分極が起こり（β細胞の静止膜電位は約 −60 mV），電位依存性 Ca^{2+} チャネルが開口し Ca^{2+} が細胞内に流入する。
- Ca^{2+} によりカルモジュリンが活性化され，インスリン小胞の開口分泌を引き起こす。

インスリン分泌を増加させる因子（細胞内 ATP や Ca^{2+} を増加させる因子）

グルコース，マンノース，アルギニン，ロイシン，グルカゴン，アセチルコリン（ムスカリン様作用），βアドレナリン作動性物質

インスリン分泌を抑制する因子

αアドレナリン作動性物質，ソマトスタチン

Q152 インスリン受容体と糖輸送体

◉ インスリンが標的細胞の受容体に結合すると，GLUT4 が細胞膜に移動し，グルコースを取り込めるようになる。

◆ 筋細胞や脂肪細胞におけるグルコースの取り込みには，糖輸送体 GLUT4 が必要である。GLUT4 は細胞内にプールされており，インスリンが受容体に結合することにより細胞膜に表出される。グルコースを取り込んだ GLUT4 は再び細胞内プールに引き戻される。この一連の動きは筋収縮によっても促進される。

◆ インスリン受容体は細胞膜にあり，細胞外に α サブユニットを，細胞内に β サブユニットを持つ。インスリンが受容体に結合すると，β サブユニットは自己リン酸化によってチロシンキナーゼとして作用し，アダプター蛋白 (IRS-1, Shc) を介して細胞内にシグナルを伝える。最終的に GLUT4 の細胞膜への移動が促進され，また種々の代謝酵素が活性化あるいは不活化される。

◆ インスリン受容体は，エンドサイトーシスにより細胞内に取り込まれる（受容体の半減期は 7 時間）。受容体の数は，インスリン濃度が高まると減少する (down regulation)。

IRS-1

insulin receptor substrate-1
インスリン受容体基質-1

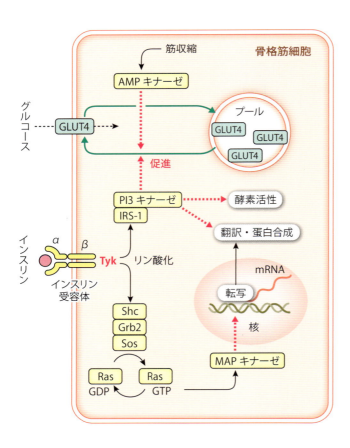

- インスリン受容体のチロシンキナーゼによって IRS-1 がリン酸化を受けると，PI3 キナーゼが活性化される。PI3 キナーゼは GLUT4 の細胞膜への移動を促進するとともに，種々の代謝酵素の活性を調節する（たとえばグリコーゲンシンターゼが活性化され，グリコーゲンの合成が高まる）。
- Shc がリン酸化されると，Grb2・Sos 複合体を介して Ras，MAP キナーゼが活性化される。MAP キナーゼは核内の mRNA 転写を調節し，遺伝子発現を制御している。
- 運動はインスリンとは異なる仕組みで，GLUT4 の細胞膜への移動を増加させる。筋収縮に伴い ATP が消費され AMP が増加し，AMP キナーゼが活性化される。また，適度な運動の継続は，骨格筋の赤筋化，ミトコンドリアの数の増加と機能の活性化，GLUT4 の増加をもたらす。

Q153 糖尿病の病態

◉ 糖尿病ではインスリンの分泌不足あるいは作用低下のために、さまざまな代謝異常が生じる。

◉ インスリン抵抗性は高インスリン血症をきたす。

◆ 糖尿病ではインスリンの作用が低下し、組織での糖の利用が低下する。そのため、高血糖、糖尿、多尿・多飲、高脂血症、体重減少（異化亢進）をきたす。

◆ 肝臓ではグリコーゲン分解が亢進し、糖新生も抑制されない。一方、組織でのグルコースの取り込みが低下するため、**高血糖**となる。血糖が 180 mg/dL 以上では腎尿細管における糖の再吸収能を超え、**尿糖**が出現する（☞ Q129）。高血糖は細胞外液の糖濃度が高い（高浸透圧）状態にあり、細胞内の水が漏出し細胞内脱水を生じる。また、尿細管内の高濃度の糖やケトン体により、水が引きつけられ、**多尿**（浸透圧利尿）となる。

◆ **解糖系が低下し、糖の代わりに脂質がエネルギー源として利用される**。しかし、肝細胞内のグルコースが不足しているために TCA 回路の回転が低下し、脂肪酸の β 酸化で生じたアセチル CoA を処理しきれなくなり、大量の**ケトン体**が生成される。ケトン体は肝外組織で代謝されるが、生成量がそれを上回ると、代謝性アシドーシス（**ケトアシドーシス**）となる。pH が代償されなくなり、さらに**糖尿病性昏睡**となる。

◆ リポ蛋白リパーゼ（LPL）活性の低下により、カイロミクロンや VLDL の代謝が低下し、**高トリグリセリド血症**をきたす。LDL 受容体の活性低下により、高コレステロール血症（高 LDL 血症）をきたす。脂肪組織では、ホルモン感受性リパーゼにより脂肪分解が亢進し、遊離脂肪酸（FFA）とグリセロールが血中に遊離し、高FFA 血症をきたす。

◆ 肝臓では糖新生が抑制されず、アミノ酸が消費され蛋白質の分解が亢進する。その結果、**体重は減少**する。筋肉の蛋白質合成が低下し、血中のアミノ酸濃度が上昇する。アミノ酸からのアンモニア産生が増大し、その代謝量を上回ると、**高アンモニア血症**から昏睡となる。

インスリン抵抗性と高インスリン血症

◆ **インスリン抵抗性**とは、標的組織におけるインスリン感受性が低下している状態をいう。この状態では高血糖を代償するためにインスリンが過剰に分泌され、**高インスリン血症**になる。

◆ 高インスリン血症は、交感神経の興奮、腎尿細管での Na$^+$ 再吸収の促進により、高血圧を引き起こす。細胞内に蓄積した Na$^+$ のために血管壁に水分が多くなり、血管壁の肥厚、血管内腔の狭小化が生じ、血圧がさらに上昇してしまう。また、down regulation によってインスリン受容体の数が減少する。

◆ 高脂肪食や遊離脂肪酸（FFA）はインスリン抵抗性を増大させる。肥満を解消すると、インスリン抵抗性が改善される。

◆ **アディポネクチン**はインスリン抵抗性を改善する。アディポネクチンはレプチンと同様に脂肪細胞から分泌され、運動しなくとも、AMP キナーゼを活性化させる。

インクレチン

インスリン分泌を促進する消化管ホルモンをいい、グルカゴン様ペプチド **GLP-1** と胃抑制ペプチド **GIP** がある。食事に伴って血中に分泌されるが、血中の DPP-4 により数分間で分解される。GLP-1 は、膵 β 細胞の受容体に作用し、cAMP-EPAC2 を介して非選択的陽イオンチャネルを開口させ、インスリンを分泌させる。食後高血糖、グルカゴン分泌を抑制し、胃内容物の排出を遅延させる。また中枢神経系に作用し食欲を抑制する。

HbA1c（グリコヘモグロビン）

ヘモグロビンの β 鎖にグルコースが不可逆的に結合したものであり、全ヘモグロビン量に対する割合で示す。正常では 5 ％前後であるが、糖尿病では増加する。

レプチン

脂肪細胞から分泌されるホルモン。体脂肪量の増加に伴って増加し、視床下部の受容体に作用し摂食を抑制する。

☞ Q164

12 エネルギー代謝と体温

Q154 生体のエネルギー

●生体のエネルギーは，外部仕事，高エネルギー化合物，熱になる。

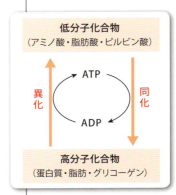

- 人体を構成する蛋白質，脂肪，糖質を栄養素から合成する過程を**同化**といい，逆に組織や栄養素を分解する過程を**異化**という。
- 異化作用により放出される全エネルギーは，下式で表される。

    外部へ行った仕事量 ＋ 他の形のエネルギー（高エネルギー化合物 ＋ 熱）

    このときの効率は，

    効率 ＝ 外部仕事量／放出された全エネルギー量

    筋肉の等尺性収縮では実質的にものを動かしていない（外部仕事＝0）ので，効率0％である。等張性収縮では最大50％であり，全身の運動では約25％である。
- 物質代謝で産生される全エネルギーの45％がATPに，55％が熱エネルギーに変換される。アデノシン三リン酸 **ATP** adenosine triphosphate は，加水分解されアデノシン二リン酸 **ADP** adenosine diphosphate になるときに，7.3 kcalのエネルギーを放出する。

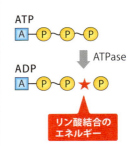

エネルギーの単位

- 熱エネルギーの単位は**カロリー**（cal）である。14.5℃の水1gを15.5℃へ上昇させるのに必要なエネルギーを1 calとしている。医学の領域では **kcal**（＝1,000 cal）が用いられる。

    1 kcal ＝ 4.187 kJ，1 J ＝ 0.239 cal ＝ 1 W・sec

栄養素の熱量価

- 栄養素の**熱量価**は，糖質4 kcal/g，脂質9 kcal/g，蛋白質4 kcal/g である。食物成分により異なり一概には言えないが，この値が用いられる。アルコールは7 kcalとして計算する。食物の熱量価は，断熱容器内で食物を完全燃焼（酸化）させ，放出されたエネルギーにより上昇した水の温度を測定し，算出される。
- 蛋白質は生体内での酸化は不完全であり，尿素や窒素化合物が尿中に排泄されるので，生体内での熱量は4.8 kcal/g となる。
- 糖質の貯蔵量は成人男性で筋肉グリコーゲン400 g，肝臓グリコーゲン100 g，細胞外グルコース20 g 程度であり，2,000〜2,500 kcal に相当する。脂肪としての貯蔵エネルギーはその10倍以上である。

骨格筋収縮時のエネルギー

骨格筋では，クレアチンリン酸系（運動開始から10秒間），解糖系（30秒間），好気的代謝系（30秒以後）で産生されたATPが使われる。運動時には肝臓のグリコーゲン分解，グルコースの血中への供給が亢進する。しかし，持久力（運動継続時間）は筋肉に蓄積されたグリコーゲン量に依存する。骨格筋線維の間に存在するトリグリセリドは分解され，脂肪酸として利用される。

Q155　酸素消費量の測定

● 酸素の消費量からエネルギー発生量を算出できる。

◆ 生体内の代謝はすべて酸素の消費にもとづいている。したがって，酸素消費量を測定することによりエネルギー発生量を算出することができる。生体内での酸素 1 L の消費で約 4.82 kcal が放出される。酸素消費量の測定法には 2 通りある。

① 閉鎖式測定法：純酸素で満たされた閉鎖式スパイロメトリを用いる。呼吸が繰り返されると回路中の酸素が消費され，スパイロメトリの読みが基線から次第に離れてゆく。その傾斜と回路の容量から単位時間当たりの酸素消費量が求められる。

② 開放式測定法：呼気をすべてダグラスバッグに集め，[（大気中の酸素濃度 20.9%－バッグ内の酸素濃度）×バッグ容量] から酸素消費量を求める。同時に炭酸ガス産生量もわかるので，呼吸商を算出することができる。ただし，酸化されるもの（栄養素）の種類により O_2 消費量 1 モル当たりのエネルギー発生量はやや異なる。

O_2　1 g = 0.70 L
CO_2 1 g = 0.51 L

Q156　呼吸商の意味

● 呼吸商は代謝過程を反映する。

◆ 呼吸商 RQ（respiratory quotient）とは，ある反応によって消費された酸素量に対する二酸化炭素の生成量の割合をいう。

$$RQ = CO_2 産生量／O_2 消費量$$

たとえば，グルコースの酸化では

$$C_6H_{12}O_6 + 6 O_2 = 6 CO_2 + 6 H_2O + 675 kcal$$
$$RQ = 6 CO_2/6 O_2 = 1.0$$

◆ 蛋白質の燃焼による CO_2 産生量，O_2 消費量を除いて算出した呼吸商は非蛋白性呼吸商と呼ばれる。短時間内では蛋白質の燃焼はないとみなせるので，非蛋白性呼吸商から糖質と脂質がどれくらいの割合で燃焼したかを知ることができる。

◆ 各臓器における動静脈血中の O_2，CO_2 濃度および血流量を測定し呼吸商を算出して，その代謝過程を推定することができる。脳の呼吸商は 1.0 に近く，糖質が代謝されていることがわかる。胃液分泌中の胃の呼吸商は負の値である。運動時には過呼吸および酸素負債によって呼吸商は 1.0 以上になる。逆に，運動後は酸素負債の返済のために O_2 がより多く消費され，呼吸商は 0.5 以下になる。

酸素負債

運動開始時，酸素供給の増大は遅れて生じる。このときの酸素の需要と供給の一時的アンバランスを酸素負債という。無酸素的代謝によって補われ，運動終了後の過呼吸（乳酸の処理，クレアチンリン酸や ATP の補充）によって補正される。

	生体内燃焼 (kcal/g)	エネルギー発生量 (kcal/O_2 L)	O_2 消費量 (L/g)	CO_2 産生量 (L/g)	呼吸商
糖　質	4	5.05	0.83	0.83	1.0
脂　質	9.5	4.69	2.03	1.43	0.70
蛋白質	4.8	4.48	0.95	0.76	0.81

非蛋白性 呼吸商	燃焼割合（%）	
	糖質	脂質
1.0	100	0
0.82	40.3	59.7
0.8	33.4	66.6
0.708	0	100

Q157 尿中窒素排泄量から燃焼した蛋白質量を求める方法

◉ 尿中窒素排泄量 ×6.25 ＝ 燃焼した蛋白質量

◆ 蛋白質の元素の構成割合は平均して，C 53％，H 7％，O_2 23％，N 16％，S 1％であり，窒素代謝産物はほとんどが尿素（クレアチン，尿酸）として尿中に排泄される。

◆ 100gの蛋白質が代謝されると，尿中に 16gの窒素が排出され，O_2 は 95.0 L（135.8g）消費され，CO_2 が 76.6 L（150.7g）産生される。したがって，蛋白質の呼吸商は 76.6 / 95.0 ＝ 0.81 となる。

◆ 逆に，尿中に 1gの窒素が排泄された場合には，6.25gの蛋白質が異化され，5.923 Lの O_2 が消費され，4.754 Lの CO_2 が産生されたことになる。

Q158 代謝率と基礎代謝量

◉ 体表面積当たりの基礎代謝量は，体の大きさによらずほぼ一定である。

◆ 単位時間当たりのエネルギー量を代謝率という。

◆ 基礎代謝量 BMR（basal metabolic rate）とは生命維持に必要な最小エネルギー量をいい，快適環境下での仰臥位，安静，覚醒状態でのエネルギー消費量に相当する。成人では 1 kcal /（kg・hr），1,200 ～ 1,400 kcal/日である。

◆ 基礎代謝量は体の大きさ，年齢，性別により異なるが，体表面積当たりの基礎代謝量は体の大きさによらずほぼ一定である。体表面積当たりの基礎代謝量は 2 歳前後で最も高く，20 歳以後では加齢とともに低下する。成人の平均は♂ 34 ～ 38 kcal /（hr・m^2），♀ 32 ～ 35 kcal /（hr・m^2）であり，女性は男性より 1 割程度小さい。また，寒冷地の人のほうが熱帯地の人よりも 1 割程度 BMR が高い。

体表面積の推定式
$$S = W^{0.444} \times H^{0.663} \times 0.008883 \text{（藤本，6 歳以上）}$$
$$S = W^{0.425} \times H^{0.725} \times 0.007184 \text{（Dubois）}$$

S：体表面積（m^2），W：体重（kg），H：身長（cm）

◆ 代謝率は次のような状況で変化する。
① 発熱により代謝は亢進する。体温 40℃では 37℃の 3 割増。
② 交感神経の興奮により代謝は亢進する。
③ 甲状腺ホルモンにより代謝は亢進する。
④ 妊娠時には胎児の代謝量分の増加が加わる。
⑤ 食後は代謝が亢進する。糖質食では 4 ～ 30％増が 2 ～ 5 時間持続，蛋白食では 30 ～ 50％増が 10 ～ 12 時間持続する。これを栄養素の特異的動的作用という。

---

1 日の消費エネルギーを求めるには，分単位での生活時間調査を行い，それを集計する。

温度係数 Q10

温度が 10℃上昇したときに代謝が何倍になるかを表す値。生物現象では 2 ～ 3 の値であり，体温の 1℃上昇により，代謝は約 13％増加する。

カプシノイド

胃腸粘膜の神経末端のTRPV1 に作用する。交感神経活動，褐色脂肪組織の熱産生，脂質代謝が亢進する（カプサイシンとは異なり，心拍数増加や血圧上昇は伴わない）。

Q159 エネルギー代謝率

> ◉ エネルギー代謝率は運動固有の強さを示す。

◆ **安静時代謝量**（率）（resting metabolic rate）は坐位における基礎代謝量であり，BMR の 1 ～ 2 割増しである。

◆ **エネルギー代謝率** RMR（relative metabolic rate）は，仕事に要したエネルギー量の基礎代謝量に対する比率であり，その運動の強さを示す。RMR は体格による影響を受けない。

$$RMR = 仕事に要したエネルギー量／基礎代謝量$$
$$= （全代謝量 － 安静時代謝量）／基礎代謝量$$
$$= （全代謝量 － 基礎代謝量×1.2）／基礎代謝量$$

◆ **METS**（metabolic equivalents）とは，全エネルギーの安静時代謝量に対する比率である。RMR と同様に運動の強さを示すが，その値は体格による影響を受ける。

$$METS = 全エネルギー／安静時代謝量$$

◆ 単位の変換式は，

$$RMR = 1.2（METS － 1） \qquad METS ≒ 0.83 × RMR ＋ 1$$

理想体重の計算

◆ Broca・桂の式　　（身長 [cm] － 100）× 0.9（kg）

◆ **BMI** 標準体重＝（身長 [m]）^{2} × 22（kg）
筋肉質・骨太では 10％増，骨格が細い人は 10％減。

◆ **BMI による肥満度の判定**　　体重 [kg] ／（身長 [m]）^{2}
やせ 18 以下，正常 20 ～ 24，26 より大が肥満。

左欄外

安静時代謝量とエネルギー代謝率の略号はどちらも同じ "RMR" である。誤解しないように注意。

RMR の例

散歩（40 ～ 60m/ 分）	2.5
サイクリング	3.0
ラジオ体操	3.5
テニス	6.0
階段登り（90 段 / 分）	7.0
ランニング（200m/ 分）	12.0

METS の例

散歩（60 ～ 70m/分）	2.5 ～ 3
サイクリング（8km/hr）	2.5 ～ 3
ラジオ体操	3 ～ 4
テニス	5 ～ 6
ランニング（135m/分）	7 ～ 8

BMI

Body Mass Index

Q160 最大酸素消費量（最大酸素摂取量）

> ◉ 最大酸素消費量は呼吸・循環系の統合的指標であり，運動能力の指標となる。

最大酸素消費量 = 最大心拍出量 × 組織の最大酸素摂取率

◆ 強い運動により酸素消費量は増大する。換気量は安静時 5 L/min から 100 L/min へ増大する。運動の初期には一回換気量の増大が起こり，次第に呼気筋による呼気時間の短縮を伴って，呼吸数が増大する。心拍出量は安静時 5 L/min から 20 L/min へ増大する。心拍数の増加と酸素消費量の増加は比例する。血圧はほぼ一定に保たれる。

◆ 運動トレーニングにより，骨格筋にはミトコンドリアや代謝に関わる酵素の増加，毛細血管数の増加がみられるようになる。

Q161 体温と発熱

◉ 異化作用で放出されるエネルギーにより，熱が産生される。

◆ 体温は測定部位により深部体温と表層体温に分けられ，一般的には深部体温が測定される。正常値は，口腔温 37.2℃，腋窩温 36.8℃，直腸温 37.5℃である。小児の体温は成人より約 0.5℃高い。

◆ 体温は個人差が大きいが，概日周期（日内周期）もみられる。早朝に低く，正午〜夕方に高いが，変動幅は 1℃以内である。成人女性では黄体ホルモンによる体温上昇が概月周期でみられる。

◆ 熱産生は安静時には主に肝臓，腎臓，消化器で行われている。運動時やふるえの際には筋による熱産生が大きくなる。ふるえは等尺性収縮のため外部への仕事がなされないので，筋収縮によるエネルギーは熱に変換される。

◆ 体温の調節中枢は視床下部にある。前視床下部には温受容ニューロン，冷受容ニューロンが存在する。☞ Q63

◆ 発熱・解熱の機序は，設定値の上下によって説明されている。発熱物質（内毒素，ウイルス，抗原抗体反応など）が白血球やリンパ球に作用すると，内因性発熱物質が生成される。この物質はインターロイキン 1 であり，視床下部に作用してプロスタグランジン E_2 を産生し，設定値を上昇させると考えられる。設定値が上昇することにより悪寒戦慄や皮膚の血管収縮が起こり，その結果，体温は急速に上昇し，熱感を覚える。逆に，設定値が下降すると発汗や血管拡張が起こり，解熱する。解熱薬のアスピリンは PGE_2 の産生を抑制し，上昇した設定値を低下させる。

概日周期

circadian rhythm（サーカディアン・リズム）。約 24 時間周期で変動する生理現象をいう。語源はラテン語で "circa" は「概ね」，"dies" は「一日」を意味する。

熱伝導率

空気	0.0204
水	0.514
氷	1.5
羊毛	0.033
木綿	0.048
鉄	56
銅	320

$(kcal \cdot m/m^2 \cdot hr \cdot ℃)$

Q162 不感蒸散と発汗

◉ 不感蒸散により 1 日 1 L が蒸発し，500 kcal が失われる。

◆ 熱の移動（放熱）の機序として，蒸散，伝導，対流，放射を区別する。衣服により，対流と放射は減少する。

◆ 蒸散は，不感蒸散と発汗を区別する。不感蒸散とは意識されずに皮膚および呼吸によって水分が蒸発する現象をいい，その量は 1 日約 1 L である。水 1 g が蒸発するには 500 cal の気化潜熱を必要とするので，1 日約 500 kcal のエネルギーが不感蒸散に使われていることになる。

◆ 発汗はエクリン腺とアポクリン腺で行われるが，体温調節に関与するのはエクリン腺である。アポクリン腺は腋窩と会陰部だけにあり，毛包に開口している。

◆ エクリン腺はほぼ全身の皮膚に分布し，コリン作動性の交感神経節後線維に支配されている。汗腺のムスカリン受容体が刺激されると，細胞内 Ca や cAMP が増加し，K，Cl の透過性が亢進する。細胞内 K，Cl が減少し，基底膜側の Na・K・2Cl 共輸送体が活性化され，細胞内に KCl，NaCl が流入する。細胞内 Na の上昇により，Na/K ATPase が活性化し，Na の排出と K の流入が起こる。この動きに伴って水の移動が起きる。Cl は，cAMP 作動性 Cl チャネルにより分泌される。

潜熱

物質が固体・液体・気体と変化するときに吸収・放出する熱エネルギー。ふだん熱として表われない形でエネルギーが蓄えられていることから「潜熱」という。

膵嚢胞性線維症

7 番染色体上の遺伝子に欠損があり，外分泌腺が粘稠な液を分泌する。エクリン汗腺は Na または Cl の高濃度な汗を分泌する。

悪性高体温

麻酔や激しい運動時に，薬物や温熱刺激によって体温が急激に42℃以上に発熱する病態であり，横紋筋は融解してしまう。

サイエンストピックス 59

体温の調節に必要な温度感覚経路

サイエンストピックス 96

心理ストレスによる体温上昇を駆動する脳の神経経路

α-MSH

α-メラニン細胞刺激ホルモン（α-melanocyte stimulating hormone）

NPY

ニューロペプチドY（neuropeptide Y）

AgRP

アグーチ関連蛋白（agouti-related peptide）

Q163 熱中症，低体温症

● 高体温には3つの病態（熱虚脱，熱疲労，熱射病）がある。

- **熱虚脱**：体温の上昇により皮膚の血管が拡張し，拡張した血管に血液が貯留する。そのため有効循環血液量が減少し，脳虚血となり失神する。
- **熱疲労**：多量の発汗による高度の脱水状態およびNa欠乏状態である。Naを補わずに水分のみの補液を行うと，有痛性の痙攣（熱痙攣）を起こす。
- **熱射病，日射病**：高熱のため体温調節機能が障害された状態で，意識障害，発汗停止，血圧低下などのショック状態となり，解熱薬に対する反応が消失する。高体温の持続により急性腎不全，臓器血栓などをきたして死亡することもある。
- **低体温症**：深部体温が35℃以下の場合をいう。低体温のため，あらゆる生理機能が低下する。呼吸・循環は減弱し，寒さを感じなくなり，傾眠，錯乱，幻覚，昏睡に至る。さらには体温調節機能が失われ，心房細動，心室性不整脈が生じ，瞳孔反応も消失する。

Q164 脂肪組織とレプチン

● レプチンは体脂肪の量を脳へ伝え，摂食行動を調節する。

- **白色脂肪組織**は皮下脂肪，内臓脂肪として存在し，中性脂肪を貯えている。脂肪細胞は**レプチン**というペプチドホルモンを分泌しており，脂肪細胞が肥大するとその分泌は亢進する。レプチンは視床下部に作用し，摂食を抑制するとともに，エネルギー消費を促進する。エネルギー消費は，交感神経の興奮と甲状腺ホルモン（視床下部からのTRH分泌亢進）による。
- レプチン受容体は視床下部のさまざまな部位に存在するが，特に弓状核のα-MSHニューロンとNPY/AgRPニューロンが中心となって摂食行動を調節している。レプチンはα-MSHニューロン（摂食抑制）を活性化させ，NPY/AgRPニューロン（摂食促進）を抑制する。
- **褐色脂肪組織**は新生児・乳幼児の肩甲骨間，頚部にあり，成長とともに減少する。寒冷刺激に対し，アドレナリン受容体（β_3）を介して脂質が分解され，非ふるえ性の熱産生が行われている。

NOTE 水の生理学的性質

- 水の熱伝導は大きい。水分子の結合度は高く，熱エネルギーはすぐに周囲に伝わる。
- 水の比熱は大きい。体温の変動を抑えるのに役立つ。
- 水の気化熱は大きい（37℃ 1g当たり0.579 kcalを放散する）。わずかな発汗であっても，効率よく体温を下げることができる。
- 水分子は極性をもつ。極性分子（蛋白質，グルコース，HCl，NH_3など）は，水分子に取り囲まれ拡散し溶けた状態になる（水溶性）。無極性分子（脂質，O_2，CO_2，N_2など）は脂質二重層の細胞膜を容易に通過する（脂溶性）。
- 水の表面張力は大きい（縮まり表面積を小さくし，水滴を形作る）。石鹸などの表面活性剤が混在すると表面張力が弱まり，シャボン玉ができる。逆に，肺胞表面の水分に表面活性物質がなくなると，水の表面張力により肺胞はしぼんでしまう。

13 内分泌

Q165 ホルモンの種類

- 内分泌腺から分泌され，遠方の組織に作用し，生理機能を調節する物質をホルモンという。
- 水溶性ホルモンは細胞膜受容体に結合し，脂溶性ホルモンは核内（細胞質）受容体に結合する。

◆ ホルモンは内分泌腺から分泌される化学物質で，血流にのって遠方の組織（**標的器官**）に到達し，きわめて微量であっても生理作用を発揮する。標的器官には特定のホルモンを識別する受容体がある。

◆ 化学構造によって，生理活性アミン，ペプチドホルモン，ステロイドホルモンに分類され，それぞれ作用機序も異なる。

◆ **生理活性アミン**はチロシンの誘導体であり，アドレナリン，ノルアドレナリンや甲状腺ホルモンがある。**ペプチドホルモン**は蛋白質であり，下垂体ホルモンやインスリンなどがある。これらの多くは水溶性（細胞膜を通過しがたい）であり，標的細胞の**細胞膜受容体に結合し，細胞内シグナル伝達系に作用する。**

◆ **ステロイドホルモン**はコレステロールから合成され，副腎皮質ホルモン，男性ホルモン，女性ホルモンがある。脂溶性（細胞膜を通過しやすい）であり，標的細胞の**核内（一部は細胞質）にある受容体に結合し，DNAに作用して特定の蛋白質の合成を促進する。**

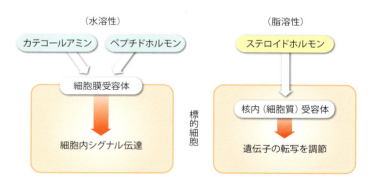

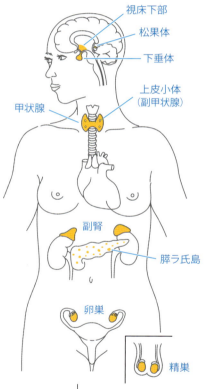

◆ ヒスタミン，ブラジキニン，セロトニン，プロスタグランジン，ロイコトリエンなど，ホルモンと類似の働きを示すが，特定の分泌器官をもたないものを**オータコイド**という。血中では速やかに分解されるため，作用範囲は分泌細胞自身（自己分泌；**オートクリン**），または近くの細胞（傍分泌；**パラクリン**）に限られる。

松果体
間脳の後壁に存在する内分泌腺。セロトニンからメラトニンを合成し，概日リズムに従い，夜間にメラトニンを分泌する。

サイトカイン
種々の細胞から分泌される化学伝達物質。インターロイキン，インターフェロン，腫瘍壊死因子（TNF）など。

Q166 視床下部と下垂体

◉ 視床下部は自律神経と内分泌を調節し，内部環境の恒常性に働く。
◉ 下垂体前葉はホルモン産生組織，後葉は視床下部ニューロンからなる。

◆ 視床下部の**弓状核・隆起核**で産生されるホルモンは，**下垂体門脈**によって下垂体前葉に運ばれ，下垂体前葉細胞の分泌を調節している。下垂体前葉から分泌された刺激ホルモンは血流にのって標的臓器に達し，その臓器のホルモン産生を高める。

◆ 血中ホルモン濃度の上昇が，視床下部や下垂体の分泌を抑制するように作用する場合を，**負のフィードバック**（negative feedback）という。下垂体前葉ホルモンが視床下部に作用する経路を短環フィードバック（short loop feedback），標的臓器が産生するホルモンが視床下部や下垂体に作用する経路を長環フィードバック（long loop feedback）という。

◆ 抗利尿ホルモン（バゾプレッシン）とオキシトシンは，視床下部の**視索上核・室傍核**で産生され，軸索輸送によって下垂体後葉に運ばれ，その神経終末から血中へ放出される。

シーハン症候群
妊娠時に肥大した下垂体が，分娩時の大量出血による末梢血管の収縮や血栓のために梗塞・壊死に陥り，下垂体機能低下症をきたす。

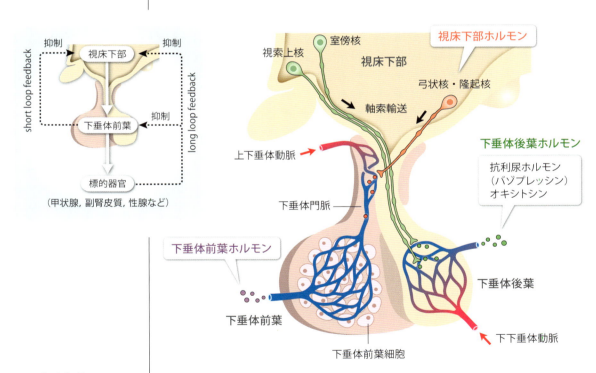

CRH とバゾプレッシン
CRH（副腎皮質刺激ホルモン放出ホルモン）は視床下部室傍核で産生され，下垂体門脈に入る。CRH ニューロンにはバゾプレッシンが共存し，両者が ACTH の分泌調節に関わっている。
☞ Q70

下垂体前葉ホルモン
成長ホルモン（GH）
甲状腺刺激ホルモン（TSH）
副腎皮質刺激ホルモン（ACTH）
卵胞刺激ホルモン（FSH） 黄体形成ホルモン（LH）
プロラクチン（PRL）

視床下部ホルモン
成長ホルモン放出ホルモン ソマトスタチン（= GH 抑制ホルモン）
甲状腺刺激ホルモン放出ホルモン（TRH）
ACTH 放出ホルモン（CRH）
ゴナドトロピン放出ホルモン（GnRH）
PRL 抑制ホルモン（主にドーパミン）

Q167 ホルモンの作用機序

● 細胞内の機能性蛋白質を活性化したり，核内に移行して転写を調節する。

◆ ホルモンや神経伝達物質などの情報のメッセンジャーを**リガンド**という。リガンドが対応する**細胞膜受容体**に結合すると，**細胞内の機能性蛋白質が次々とリン酸化（活性化）され，特定の機能が調節される**。この一連の反応を**シグナル伝達**という。

◆ ステロイドホルモンや甲状腺ホルモン，ビタミンDは脂溶性であり，細胞膜を透過して**核内受容体**（一部は細胞質にある）に結合し，転写調節因子として働く。

リガンド ligand
語源はギリシャ語の "ligare" で，英語の bind（結合する）にあたる。ligament（靭帯）もこの語に由来する。

NOTE ホルモンのシグナル伝達

①**促進性G蛋白質 Gs が活性化される**：アデニル酸シクラーゼ（AC）が活性化され細胞内 cAMP が増加する。プロテインキナーゼA（PKA）がリン酸化（活性化）され，標的蛋白質のリン酸化，転写調節因子の活性化，細胞膜 Ca^{2+} チャネルの活性化を引き起こす。リガンドは TSH，ACTH，FSH，LH，グルカゴンなど。アドレナリンの $β_1$，$β_2$ 作用もこの機序による。

②**抑制性G蛋白質 Gi が活性化される**：AC が抑制され，細胞内 cAMP が減少する。ソマトスタチン，アドレナリンの $α_2$ 作用はこの機序による。

③**G蛋白質 Gq が活性化される**：ホスホリパーゼC（PLC）が活性化され，細胞膜のイノシトールリン脂質代謝が亢進する。イノシトール3リン酸（IP_3）は小胞体から Ca^{2+} を放出させ，開口分泌やカルモジュリン依存性キナーゼを活性化させる。ジアシルグリセロール（DG）はプロテインキナーゼC（PKC）を活性化させ，機能性蛋白質のリン酸化（活性化）を引き起こす。アドレナリンの $α_1$ 作用やアセチルコリンのムスカリン様作用はこの機序による。

④**受容体のチロシンキナーゼが活性化される**：リガンドが結合すると，チロシンキナーゼにより Ras-MAPK 系が活性化され，活性型 MAPK が核内へ移行し転写調節因子を活性化する。また，PKC が活性化され，細胞内の機能性蛋白質が次々とリン酸化される。インスリンでは PI3 キナーゼの活性化により，GLUT4 の細胞膜への移動が促進される。

⑤**細胞質内のチロシンキナーゼが活性化される**：Jak-Stat 系の活性化により，活性化 Stat が転写を誘導する。リガンドには成長ホルモン，エリスロポエチン，サイトカインがある。

⑥ 脂溶性ホルモンは**核内受容体**と複合体を形成し，DNA に結合して転写調節因子として働く。

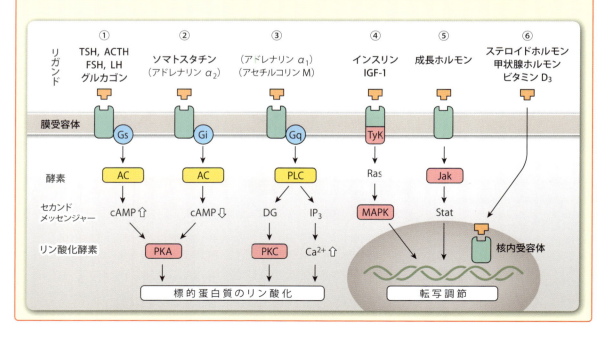

GHの分泌量

GHは小児期・思春期に分泌される。小児期からGHが過剰であれば巨人症となり，骨端線閉鎖後であれば末端肥大症となる。

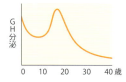

骨端線

軟骨細胞は，GHとIGF-1によって思春期に増殖しつつ，骨に置き換えられてゆく。成長期の骨端軟骨は，X線写真で線状の透過像としてみられる。成人ではこの線は消失する。

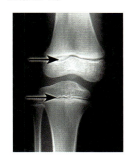

TyK ; tyrosine kinase
チロシンキナーゼ。蛋白質のチロシン残基を特異的にリン酸化する酵素。

Jak ; Janus kinase
チロシンキナーゼの一種。まず受容体をリン酸化したのち下流の分子をリン酸化することから，ローマ神話の二面神ヤヌスにちなんでヤヌスキナーゼと呼ばれる。

Stat ; signal transducers and activators of transcription
Jakによってリン酸化され，二量体を形成して核内へ移行し，転写を活性化する。

MAPK ; mitogen-activated protein kinase
リン酸化酵素の一種

Q168 成長ホルモン

◉ 成長ホルモンは蛋白同化作用をもち，全身の組織を成長させる。

◆ **成長ホルモン** growth hormone ; **GH** は，191個のアミノ酸からなる分子量22,000のポリペプチドで，血中半減期20〜30分である。下垂体前葉の半分を占めるGH分泌細胞から分泌され，肝臓での**インスリン様成長因子** insulin like growth factor-1 ; **IGF-1（ソマトメジンC）**の産生を促進し，ほぼすべての細胞の分裂・増殖・肥大を起こさせる。IGF-1は肝臓，骨などで産生され，血中ではIGF結合蛋白に結合し運ばれる（血中半減期20時間）。

◆ **生理作用**：骨端軟骨を増殖させ，これにCa，Pを沈着させ，骨を成長させる。消化管からのCa^{2+}吸収を促進する。肝臓，筋，腎臓の増殖・肥大をもたらす。

◆ **作用機序**：GHの作用の多くはIGF-1を介して行われ，蛋白合成を促進し，分解を抑制する（→血中尿素窒素は低下する）。肝臓でのグリコーゲン合成を抑制し糖を放出させ，末梢組織での糖取り込みを抑制するため血糖は上昇し，インスリン分泌が亢進する。インスリンの蛋白同化作用により蛋白合成がさらに高まる。脂肪組織でのトリグリセリド分解（IGF-1を介さない作用）により血中遊離脂肪酸が増加する（→脂肪酸はエネルギー源として利用される）。

◆ **分泌調節**：GHの分泌は，視床下部ホルモンのGRH（促進）とソマトスタチン（抑制）のバランスにより調節されている。GHの分泌は夜間（徐波睡眠期）に高く，蛋白質（アルギニン）の摂取，血糖の減少，脂肪酸の減少，運動，ストレスにより亢進する。GHの産生には甲状腺ホルモンが必要である。甲状腺ホルモンはGHの分泌を促進し，効果を増強する。アンドロゲンとエストロゲンはGH分泌を高める。

◆ **成長ホルモン放出ホルモン** growth hormone releasing hormone ; **GRH**：視床下部の弓状核で産生され，下垂体のGHの分泌を促進する。

◆ **ソマトスタチン**：14個のアミノ酸からなるペプチドで，血中では速やかに分解される。視床下部の脳室周囲核にあり，下垂体のGH，TSH，PRLの分泌を抑制する。また，膵ラ氏島や胃粘膜のD細胞から分泌され，インスリン，グルカゴン，ガストリンの分泌を抑制する。ソマトスタチン受容体は抑制性G蛋白と共役しており，開口分泌を抑制する。

◆ 血中GHの増加はGRHの分泌を抑制する。IGF-1は，ソマトスタチンの分泌を増加させ，また下垂体GH分泌細胞を抑制する（負のフィードバック）。

Q169 甲状腺刺激ホルモン

● 甲状腺刺激ホルモンは，甲状腺ホルモンの合成・分泌を調節している。

- **甲状腺刺激ホルモン** thyroid stimulating hormone；**TSH** は，分子量 28,000 の糖蛋白である（α鎖とβ鎖からなり，α鎖は TSH, LH, FSH, hCG に共通である）。下垂体前葉の TSH 分泌細胞（β細胞）から分泌され，甲状腺濾胞細胞を肥大・増殖させ，甲状腺ホルモンの産生を高める。血中半減期は 1 時間で，肝臓，腎臓で分解される。
- TSH は甲状腺濾胞細胞の受容体に結合し，cAMP の増加を生じさせる。甲状腺ホルモンの合成・分泌のあらゆる過程に作用し，T_3, T_4 の分泌を高める。
- **分泌調節**：視床下部で分泌された**甲状腺刺激ホルモン放出ホルモン** thyrotropin-releasing hormone；**TRH** が，下垂体門脈を介して TSH 分泌を促す。日内変動があり，日中低く夜間高い。寒冷刺激は TRH 分泌を亢進させ，TSH 分泌は増加する。血中 T_3, T_4 の上昇は，TSH の分泌を抑制する（負のフィードバック）。ソマトスタチンは TSH 分泌を抑制する。

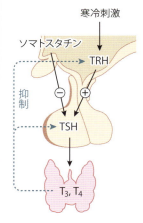

Q170 甲状腺ホルモンの合成

● 甲状腺ホルモンはヨウ素とチロシンから生合成される。

- 甲状腺ホルモンには T_3（**トリヨードサイロニン** 3,5,3'-triiodothyronine）と T_4（**サイロキシン** 3,5,3',5-tetraiodothyronine）がある。生理活性は T_3 のほうが強い。
- 甲状腺は多数の濾胞をもち，その中に甲状腺ホルモンが**サイログロブリン**（分子量 66 万の糖蛋白）に結合した状態で蓄えられている。甲状腺ホルモンは次の過程を経て合成・分泌される。
① サイログロブリンは濾胞細胞で合成され，濾胞に蓄えられる。
② 血中のヨウ素イオン（I^-）はヨウ素輸送体（Na^+/K^+ ATPase に共役した能動輸送）によって濾胞細胞に取り込まれ，濾胞に送られる。
③ **甲状腺ペルオキシダーゼ**（TPO）によってサイログロブリンのチロシン残基がヨウ素化され，**ヨードチロシン**（モノヨードチロシン monoiodotyrosine；MIT，ジヨードチロシン diiodotyrosine；DIT）が生成される。この反応に必要な過酸化水素 H_2O_2 は NADPH オキシダーゼによって供給される。
④ MIT と DIT が縮合し，T_3, T_4 が生成される。
⑤ 分泌時には，サイログロブリンが濾胞から取り込まれ，リソソームによる加水分解を受ける。T_3, T_4 は血中に放出される（T_3 は 1 日約 4 μg，T_4 は約 80 μg）。ヨードチロシンは脱ヨード化され，遊離した I^- は再利用される。

- 甲状腺ホルモンは血中では**サイロキシン結合グロブリン**（TBG），サイロキシン結合プレアルブミン，アルブミンなどと結合し，組織中の蛋白結合甲状腺ホルモンと平衡を保っている。生理作用を発現するのはこれらの蛋白と結合していない遊離型（free T_3, free T_4）であり，生理活性は T_3 のほうがはるかに高い。

濾胞

濾胞細胞で囲まれた球状の袋。直径 50 〜 100 μm。内部はコロイドと呼ばれるゼラチン状物質で満たされる。その主成分はサイログロブリンである。

甲状腺に対する自己抗体

バセドウ病は TSH 受容体を自己抗原とする自己免疫疾患と考えられ，抗 TSH 受容体抗体により TSH 受容体が刺激され，甲状腺ホルモンが過剰に分泌される。橋本病では抗 TPO 抗体や抗サイログロブリン抗体により慢性炎症が引き起こされ，甲状腺機能が低下する。

Q171 甲状腺ホルモンの作用

◉ 甲状腺ホルモンは細胞の酸素消費量を増加させ，基礎代謝量を上げる。

◆ **生理作用**：**基礎代謝を亢進させる**（**熱産生作用**）。糖は消費され，蛋白質の異化が進み，尿中窒素排泄量は増加する。脂肪組織では脂肪分解が増加する。ただし，成人の脳，下垂体前葉，脾臓，リンパ節，精巣，子宮ではこの作用はみられない。

①**糖代謝の亢進**：グリコーゲンの分解，糖新生，グルコースの分解，腸管における糖の吸収促進。

②**脂質代謝の亢進**：脂肪酸の合成と血中への放出。肝臓のLDL受容体数を増加させ，血中コレステロールを減少させる。肝リパーゼ活性の上昇により，血中の中性脂肪を低下させる。

③**基礎代謝量（BMR）の亢進**：熱産生を促し，体温を上げる。寒冷時には甲状腺ホルモン分泌が亢進する。

④成長ホルモンの合成を促進し骨成長を助けるとともに，成長ホルモンの効果を**許容作用**により強める。

⑤成長期の中枢神経細胞の分化・成熟を促す（シナプスの発達，髄鞘の形成など）。甲状腺機能低下症では知能の発達が障害される。

⑥心臓のアドレナリンβ受容体を増加させ，心収縮力を高め，心拍数を増加させる。血流は増加し，血管は拡張する。

⑦アドレナリンβ受容体の数と親和性を増大させる。

◆ **作用機序**：T_4は細胞内で脱ヨード化を受けT_3となる。T_3は，核内に存在するT_3受容体に結合し，遺伝子の転写を調節することで様々な酵素を生成する。下垂体のTSH分泌細胞にもT_3受容体があり，負のフィードバックがかかる。

許容作用
あるホルモンが他のホルモンの効果発現に必要である場合に，許容作用を持つという。

粘液水腫
甲状腺機能低下による疾患。皮下組織に多糖類，ヒアルロン酸，コンドロイチン硫酸などと結合した蛋白質が蓄積し，そこに水分が貯留する。

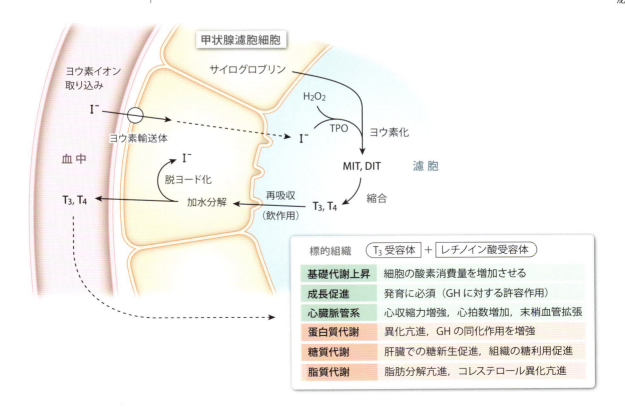

Q172 カルシウムと骨

● 骨組織は，骨芽細胞による骨形成と，破骨細胞による骨吸収がバランスよく繰り返され，常に再構築（リモデリング）されている。

- 体内のカルシウム（1kg）の99%は骨にある。1日の食事にはカルシウム1gが含まれ，小腸で0.3gが吸収され，大腸に0.2gが分泌され，尿に0.1gが排泄される。血液中のカルシウムの約5割はイオン化しており，残りの大部分は血漿蛋白質（主にアルブミン）に結合している。

小腸でのCa^{2+}吸収

- Ca^{2+}は十二指腸〜小腸上部で吸収される。上皮型Ca^{2+}チャネルによる能動輸送と，細胞側路による受動輸送により細胞内に吸収され，基底膜側にあるCaポンプにより血中へ汲み出される。これらの過程は活性型ビタミンDにより促進される。

骨形成と骨吸収

- 骨芽細胞は，I型コラーゲンを合成・分泌するとともに，アルカリフォスファターゼを放出しリン酸カルシウムを骨塩として沈着させ，骨を形づくる（骨形成）。一部の骨芽細胞は，骨細胞として骨基質中に残る。
- 破骨細胞はH$^+$によって骨塩を溶解し，Ca^{2+}を血中へ放出する（骨吸収）。この際，破骨細胞は，インテグリンと呼ばれる接着分子を介して骨表面に接着し，プロトンポンプ（H$^+$ ATPase）によってH$^+$を細胞外へ汲み出す。同時に，蛋白分解酵素のカテプシンKにより骨基質を分解する。
- パラソルモン（PTH）や活性型ビタミンDは，骨吸収を促進する。骨芽細胞はこれらのホルモン刺激を受けると，RANKLという分子を細胞膜上に発現する。RANKLは前駆破骨細胞を増殖・融合させ，多核巨大細胞である破骨細胞を増加・活性化させる。成熟した破骨細胞にはPTH受容体がなく，PTHに反応しない。

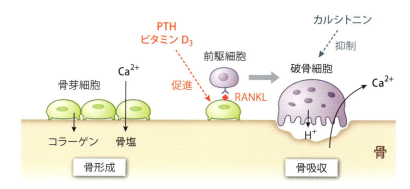

腎臓でのCa^{2+}・リンの再吸収

- 糸球体で濾過されたCa^{2+}は，80%が近位尿細管で，残りが遠位尿細管と集合管で再吸収される。近位尿細管での再吸収は主に経細胞間経路による。一部は経細胞路を通り，Ca^{2+}ポンプで血管側に汲み出される。遠位尿細管の管腔側には上皮型Ca^{2+}チャネルがあり，PTHや活性型ビタミンDにより再吸収が促進される。

血漿総カルシウム濃度は2.20〜2.60 mmol/Lであるが，そのうち約50%は血漿蛋白質と結合しているため，遊離Caイオン濃度は1.0〜1.3 mmol/Lとなる。アルカローシスでは，血中のCaイオンは蛋白質により多く結合するためCa^{2+}濃度が低下し，テタニーをきたすことがある。

上皮型Ca^{2+}チャネル

ECaC（epithelial calcium channel）。TRPチャネルファミリーに属し，小腸（TRPV6）と腎遠位尿細管（TRPV5）に発現している。

骨の成分

骨の無機成分を骨塩という。その大部分はヒドロキシアパタイトと呼ばれる，リン酸カルシウムと水酸化カルシウムの複合体である。有機質は，コラーゲンとその他の蛋白質からなる。

RANKL

receptor activated NF-kappa B ligandの略。NF-κBは遺伝子発現を制御する転写因子の1つ。

骨粗鬆症

破骨細胞への分化は，インターロイキン（IL-1, IL-6），TNF-αなどのサイトカインによって促進されるが，エストロゲンはこの過程を抑制している。エストロゲンが減少すると，破骨細胞が増加し骨吸収が促進され，骨粗鬆症となる。また，長期臥床や無重力状態では骨への力学的負荷が減少し，骨吸収の亢進，骨形成の低下がみられる。

FGF23

線維芽細胞増殖因子（fibroblast growth factor）に属し，血中リン濃度を低下させる。FGF23 は骨組織で産生され，近位尿細管の Na・リン共輸送体の発現を低下させ，リンの再吸収を抑制する。また，1α水酸化酵素活性を抑制し，血中ビタミン D 濃度を低下させ，腸管のリン吸収を抑制する。

上皮小体（副甲状腺）

甲状腺の背面に付着する米粒大の器官。上下 2 対，計 4 個ある。カルシウム感知受容体（CaSR；calcium-sensing receptor）を持ち，PTH 分泌を調節している。

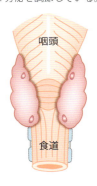

遠位尿細管での Ca^{2+} 再吸収

Ca^{2+} は，管腔側の TRPV5 を通り細胞内に流入し，カルシウム結合蛋白質（カルビンディン）に結合して基底側に輸送され，間質へ放出される。PTH は，基底側の PTH 受容体に作用し，TRPV5 とカルビンディンを増加させ，Ca^{2+} の再吸収を促進させる。

PTH 関連ペプチド（PTHrP）

悪性腫瘍（白血病，悪性リンパ腫，胃癌，乳癌など）から血中に放出され，高 Ca 血症，骨軟化症をきたす。

◆ 体内のリン（500〜800 g）の 90 % はリン酸カルシウムとして骨にあり，食物からの摂取と尿への排泄がバランスを保っている。腎糸球体で濾過されたリンの 80 % が近位尿細管で再吸収される（Na^+ 再吸収に依存する）。PTH は，近位尿細管の PTH 受容体に作用して，Na^+ 依存性リン輸送体（NaPi）を抑制し，リンの尿中への排泄を増加させる。

Q173 パラソルモンとカルシトニン

● 血漿 Ca^{2+} 濃度は PTH，ビタミン D，カルシトニンにより調節されている。

パラソルモン（PTH）

◆ 副甲状腺ホルモン parathyroid hormone；PTH あるいは上皮小体ホルモンともいう。84 個のアミノ酸からなるペプチドで，フラグメント 1〜34 に活性がある。分子量 95,000，血中半減期 20 分である。

◆ PTH は副甲状腺（上皮小体）の主細胞から分泌され，骨吸収を促進し血漿 Ca^{2+} 濃度を高め，リン濃度を低下させる。

◆ 作用機序：
① 骨芽細胞に作用し，間接的に破骨細胞を増加させ，骨吸収を盛んにする。
② 破骨細胞による Ca^{2+} 透過性（骨からの吸収，血中への放出）を高める。
③ 近位尿細管でのリンの再吸収を抑制し，リンの尿中排泄量を増やす。また，活性型ビタミン D の生成（ビタミン D_3 の水酸化）を促進し，腸管からの Ca^{2+} 吸収を高める。
④ 遠位尿細管での Ca^{2+} 再吸収を促進する。

◆ 分泌調節：血漿 Ca^{2+} 濃度の低下を感知すると，PTH の合成・分泌が高まり，主細胞が増殖する。低 Mg 血症では PTH の分泌が高まる。

カルシトニン

◆ カルシトニンは 32 個のアミノ酸からなるペプチドで，分子量 35,000，血中半減期 10 分である。甲状腺の濾胞周辺にある傍濾胞細胞（C 細胞）から分泌され，血漿 Ca^{2+} およびリン濃度を低下させる。

◆ 作用機序：① 破骨細胞を直接的に抑制し，血漿 Ca^{2+} およびリン濃度を低下させる。② 尿中への Ca^{2+} 排泄量を増大させる。

◆ 分泌調節：血漿 Ca^{2+} 濃度が 9.5 mg/dL 以上になると，カルシトニンが分泌される。生理的状態では Ca 代謝に大きく影響しないが，甲状腺髄様癌では多量に分泌される。骨粗鬆症の治療に使用されている。

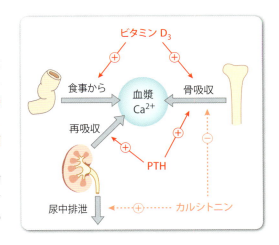

Q174 ビタミンD

- ● ビタミン D_3 の生合成には紫外線が必要である。
- ● 活性型ビタミン D_3 は近位尿細管細胞が唯一の生成部位である。

◆ 活性型ビタミン D_3 は 1,25-ジヒドロキシコレカルシフェロールであり，$1,25(OH)_2D_3$ と略記される。別名**カルシトリオール**ともいう。小腸からの Ca の吸収を促進し，血漿 Ca^{2+} およびリン濃度を上昇させる。

◆ **生合成**：7-デヒドロコレステロールが皮膚で紫外線を受け，コレカルシフェロール（ビタミン D_3）となる。これが肝臓で水酸化され 25-ヒドロキシコレカルシフェロールとなり，腎臓でさらに水酸化を受けて活性型ビタミン D_3 となる。活性化の最終段階に働く 1α-ヒドロキシラーゼは近位尿細管細胞のみに存在する。

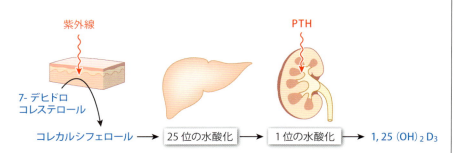

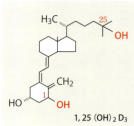

$1,25(OH)_2D_3$

活性型ビタミン D_3 の生理活性は，他のビタミンD群よりも 1,000 倍以上高い。生理的量のビタミン D_3 では骨形成が促進され，大量では骨吸収が促進される。

◆ **作用機序**：
① 小腸上皮細胞における Ca^{2+} 吸収を促進する。活性型ビタミン D_3 は核内受容体に結合し，DNA に作用して，Ca 結合蛋白（**カルビンディン**）の合成を促進する。
② 遠位尿細管での Ca^{2+} 再吸収を促進する。

◆ **分泌調節**：活性型ビタミン D_3 の生成は，血漿 Ca^{2+} と PO_4^{3-} によるフィードバック調節を受けている。PTH は，腎臓での活性型ビタミン D_3 の生成を促進する。

NOTE 核内受容体スーパーファミリー

- **甲状腺ホルモン（T_3）受容体とビタミンD受容体**は，核内にある。リガンドが結合すると，受容体は**レチノイン酸受容体**（RXR）とヘテロ二量体を形成し，DNA の応答配列に結合する。これにより標的遺伝子の転写が促進される。
- **ステロイドホルモン受容体**は細胞質にあり，熱ショック蛋白と複合体を形成している。リガンドが結合すると熱ショック蛋白がはずれ，ホモ二量体を形成し，核内へ移動して転写調節因子として機能する。
- **熱ショック蛋白**（HSP）は，細胞が発熱などのストレスにさらされた際に発現する蛋白質群である。分子シャペロンとして機能し，蛋白質の立体構造を維持する。

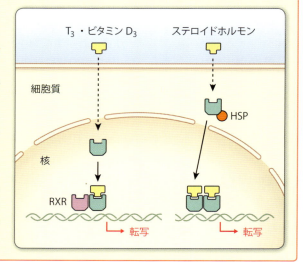

Q175 副腎皮質ホルモンの分泌

● 副腎皮質ホルモンの分泌はストレスにより亢進する。
● 副腎皮質ではコレステロールを原料として，①糖質コルチコイド，②電解質コルチコイド，③アンドロゲンの3群のホルモンが産生される。

◆ **副腎皮質刺激ホルモン放出ホルモン** corticotropin releasing hormone；**CRH** は，41個のアミノ酸からなるペプチドである。視床下部の室傍核から分泌され，下垂体に作用しACTH分泌を促進する。CRH分泌はストレスによって増加し，糖質コルチコイドによって抑制される。

◆ **副腎皮質刺激ホルモン** adrenocorticotropic hormone；**ACTH** は39個のアミノ酸からなるペプチドで，分子量4,500，血中半減期10分である。下垂体前葉のACTH分泌細胞から分泌され，副腎皮質に作用しホルモンの産生・分泌を促進する。ACTH分泌は概日周期を示し，早朝に高く，夕方低い。

◆ 副腎皮質細胞はLDL受容体を持ち，血中のLDLからコレステロールを取り込み，ステロイドホルモンを合成する。副腎皮質は3層の細胞で構成されており，各層でホルモン合成酵素の分布が異なるために別々のホルモンが合成される。
① 球状帯：**電解質コルチコイド**（デオキシコルチコステロン＜アルドステロン）
② 束状帯：**糖質コルチコイド**（コルチコステロン＜コルチゾール）
③ 網状帯：**副腎アンドロゲン**（デヒドロエピアンドロステロン，アンドロステンジオン）

◆ アルドステロンとコルチゾールは生理活性が強く，ステロイドの作用の主体である。副腎アンドロゲンは末梢組織でテストステロンに変換され，男性ホルモンの作用を現す。

◆ **分泌調節**：ACTHはcAMP-PKA系を介して遊離コレステロールの供給を増加させ，副腎皮質ホルモンの合成を促進する。ACTHはアデニル酸シクラーゼの活性化により細胞内cAMPを増加させAキナーゼを活性化させる。AキナーゼがコレステロールエステルI分解酵素をリン酸化（活性化）し，糖質コルチコイドの合成が進む。電解質コルチコイドの分泌は，主にアンジオテンシンIIによって調節される。

メラニン細胞刺激ホルモン（MSH）

メラニン細胞に作用し，メラニンの合成を高める。下垂体中葉から分泌される。ACTHはMSHと同じ前駆体から生じ，弱いながらMSHの作用を持つ。

ステロイドホルモンの合成と代謝

副腎皮質および性腺細胞内に取り込まれたコレステロールは，ミトコンドリアと滑面小胞体に存在する多数の酵素によって次々と変換され，ステロイドホルモンが合成される。ステロイドホルモンは主に肝臓で代謝される。

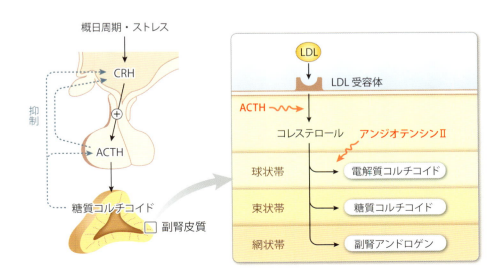

Q176 糖質コルチコイド

◉ 糖新生を促進して血糖値を上げ，ストレスに対処する。

◆ 糖質コルチコイドは血中ではグロブリン（トランスコルチン）やアルブミンと結合している。肝臓でグルクロン酸抱合を受け，尿中に排泄される。

◆ 生理作用
① 抗ストレス作用：感染，高熱，外傷，出血，寒冷などのストレスに対して，エネルギー源であるグルコースや脂肪酸を動員（供給）する。
② カテコールアミンやグルカゴンなどに対する許容作用：カテコールアミン（気管支拡張，血管収縮など）やグルカゴン（糖新生促進など）が作用するときに，糖質コルチコイドが微量でも必要である。糖質コルチコイドは，細胞のcAMP diphosphoesterase 活性を抑制し，cAMPが増加する。
③ 抗炎症作用：リソソーム膜の安定化により，炎症性蛋白分解酵素の放出を抑制する。毛細血管透過性の低下により，血漿の漏出低下，白血球の遊走抑制がもたらされる（マクロファージや線維芽細胞も抑制されるらしい）。また，T細胞や好酸球の抑制により，炎症が抑制される。大量のコルチゾールはリンパ組織を萎縮させ，T細胞や抗体が減少する。
④ 肝臓では，糖新生が亢進し血糖が増加する。また，蛋白質合成が亢進し血漿蛋白質が増加する。肝臓以外の組織では，糖の取り込み・利用が抑制され血糖値は上昇する。また，蛋白質合成が抑制され，アミノ酸が血中に遊離される。脂肪組織からは，グリセロールと脂肪酸が血中に遊離される。
⑤ 食欲および胃酸分泌が亢進する。
⑥ エリスロポエチン分泌が増加し，赤血球が増加する。
⑦ 骨芽細胞の分化・増殖が抑制され，骨量が減少する。
⑧ 嗅覚，聴覚，味覚に影響する。欠乏すると，敏感になる。

許容作用
あるホルモンが他のホルモンの効果発現に必要である場合に，許容作用を持つという。

抗炎症作用
アラキドン酸を生成するホスホリパーゼ A_2 が阻害され，プロスタグランジンやロイコトリエンなどのアラキドン酸カスケードが抑制される。☞ Q83

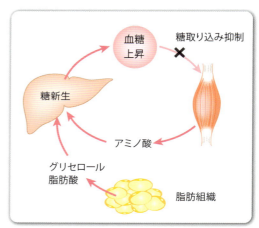

Q177 電解質コルチコイド（アルドステロン）

◉ レニン・アンジオテンシン・アルドステロン系は腎臓での Na^+ 再吸収を調節し，循環血液量を維持している。

◆ アルドステロンは強い電解質コルチコイド活性を持ち，腎集合管での Na^+，水の再吸収を促進する。その結果，循環血液量，血圧が維持される。☞ Q133
◆ アルドステロンの分泌は，レニン・アンジオテンシン・アルドステロン系によるフィードバック機構によって調節されている。レニン分泌は，糸球体血圧の低下，糸球体濾過流量の減少，交感神経の興奮によって増加する。また，血中 K^+ の上昇でも，アルドステロン分泌は増加する。☞ Q133

高 K^+ 血症によるアルドステロン分泌亢進
副腎皮質の球状帯細胞には，細胞外液の K^+ 濃度に応答し，膜電位に脱分極を起こさせ，電位依存性 Ca^{2+} チャネルを開口させる仕組みがあるらしい。この細胞内 Ca^{2+} の増加により，アルドステロンの合成・分泌が促進される。

Q178 抗利尿ホルモン（バゾプレッシン）

● ADH は体液の浸透圧を正常範囲に維持している。

◆ **抗利尿ホルモン** antidiuretic hormone；**ADH** は 9 個のアミノ酸からなる環状のペプチドで，分子量 1,084，血中半減期 8〜18 分である。**ADH 分泌ニューロンの細胞体は視床下部にあり**，軸索は下垂体後葉まで伸びる。ADH は下垂体後葉から血中に分泌される。

◆ ADH は腎集合管に作用して，**水の再吸収を促進し，尿量を減少させる**。高濃度では血管を収縮させ，血圧を上げる作用があり，**バゾプレッシン** vasopressin とも呼ばれる。

◆ **作用機序**：ADH が 10^{-11} mol では，集合管の主細胞の側底膜にある **V_2 受容体**に結合し，Gs 蛋白を介して cAMP が産生され，プロテインキナーゼ A が活性化される。これにより，**水チャネル**である**アクアポリン**（AQP2）の管腔膜への輸送とリン酸化（活性化）が進み，水の再吸収が促進される。ADH が 10^{-8} mol では，**V_1 受容体**により IP_3-Ca^{2+} 系を介してプロテインキナーゼ C が活性化され，V_2 受容体による反応は抑制される。

◆ **分泌調節**：
① 視床下部の前方にある**終板脈絡器官**と呼ばれる部位は**浸透圧受容器**である。血漿浸透圧が 285 mOsm/L 以上に高まると，ADH 分泌ニューロンにインパルスを送り ADH の分泌を増加させる。
② 循環血液量の減少が**低圧受容器**や**動脈圧受容器**に感知されると，ADH 分泌は増加する。通常，ADH 分泌ニューロンは，孤束核からの A1 ニューロンを介して抑制されている。循環血液量の減少により低圧受容器や動脈圧受容器からのインパルスが減少すると，その抑制が弱くなる。
③ **アンジオテンシン II** は脳室周囲器官を介して視床下部を刺激し，ADH 分泌を増加させる。また，ADH の分泌は，交感神経の興奮により亢進し（尿量減少），寒冷やアルコールにより抑制される（尿量増加）。

Vasopressin

ヒトでは arginine vasopressin；AVP であるが，ブタでは lysine vasopressin。

中枢性尿崩症

ADH が合成・分泌されないため，著しい多尿（低張尿）が一日中続く。

高齢者の夜間多尿

高齢者では，血中 ADH 濃度は昼間に比べて夜間に低くなり，夜間の尿量が多くなる。

腎性尿崩症

集合管細胞が ADH に反応しない病態であり，受容体・細胞内シグナル伝達系の異常と，水チャネルの異常がある。AQP2 の欠損は腎性尿崩症（常染色体劣性遺伝，まれに優性遺伝）をきたす。

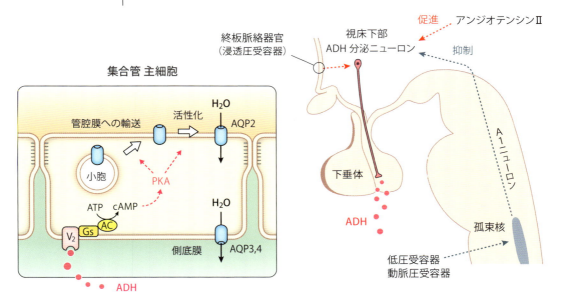

Q179 女性ホルモンと性周期

- ◉ 性腺刺激ホルモンは卵胞を成長させ，排卵を引き起こす。
- ◉ FSH ⇒ エストロゲン ⇒ 子宮内膜の増殖
- ◉ LH ⇒ プロゲステロン ⇒ 子宮内膜を分泌型へ

性周期

- ◆ 子宮内膜の示す周期的変化を月経周期（概ね28日）といい，月経の最初の日を第1日目として数える。
- ◆ 原始卵胞が成長し成熟卵胞になると，顆粒膜細胞がエストロゲンを分泌する（卵巣：卵胞期）。エストロゲンにより子宮内膜は増殖し，厚みを増す（子宮内膜：増殖期）。約2週間で卵胞は破裂し，排卵が起こる。
- ◆ 破裂した卵胞の出血巣は吸収され，黄体が形成される（卵巣：黄体期）。黄体細胞にはLH受容体が発現し，主にプロゲステロン（エストロゲンも）を産生する。プロゲステロンにより子宮腺は分泌液を出し，子宮内膜は浮腫状になり，受精卵が着床するための準備が整えられる（子宮内膜：分泌期）。
- ◆ 受精しなかった場合には，黄体は退縮し白体となる。プロゲステロン分泌がなくなり，らせん動脈の収縮により子宮内膜は壊死・脱落し，月経となる。受精した場合には，胎盤がホルモン産生を開始するまで，黄体はホルモンを産生し続ける。
- ◆ 分泌期は14日と一定であり，月経周期の変動は増殖期の長さによる。

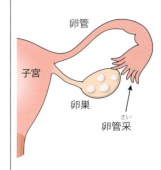

排卵時，卵管の先端部（卵管采）が卵巣を取り囲むため，卵子は腹腔内に落ちずに卵管内に取り込まれる。

月経血にはフィブリン溶解酵素が含まれており，通常，凝血塊はない。

頸管粘液

子宮頸管の分泌液の量と粘稠度は劇的に変化する。分泌量は排卵直前に最大となり，粘稠度が低下する。排卵後はプロゲステロンの作用により粘稠度が増し，頸管の入口をふさぐようになる。

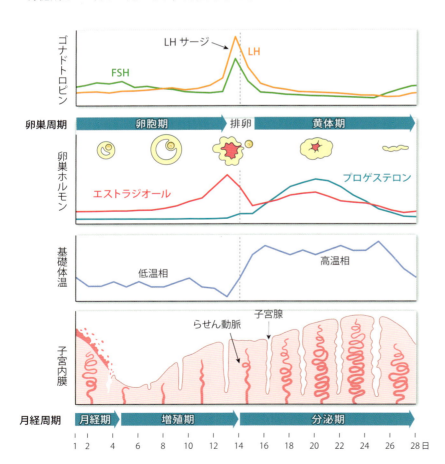

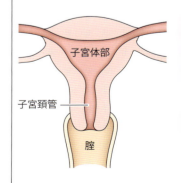

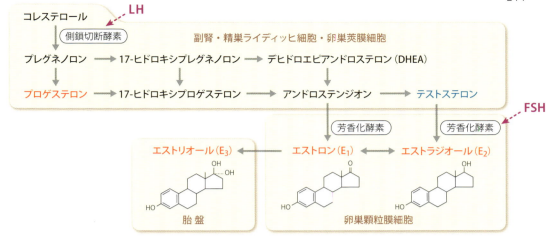

エストロゲン（女性ホルモン）の種類

活性の強い順に**エストラジオール**（E_2），**エストロン**（E_1），**エストリオール**（E_3）がある。数字は水酸基（OH）の数を表している。エストラジオールの生物活性はエストロンの10倍である。男性でもアロマターゼ（副腎皮質，脂肪組織，骨芽細胞に発現する）によりテストステロンからE_2が合成されている。

ゴナドトロピン

性腺刺激ホルモン。具体的にはFSHとLHをさす。

LH-RH

luteinizing hormone-releasing hormone。GnRHの別名。

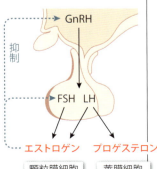

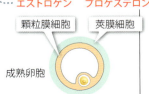

エストロゲン ➡ 二次性徴の発現，排卵のLHサージ

- **生合成**：コレステロールを原料に，プレグネノロン，テストステロンを経て合成される。副腎皮質や精巣のアンドロゲン合成経路と一部共通であるが，テストステロンをエストロゲンに変換する**芳香化酵素（アロマターゼ）**は卵巣に存在する。
- **生理作用**：①卵胞の発育促進。②子宮内膜の増殖，子宮血流の増加，頸管粘液の分泌促進，**オキシトシン感受性の亢進**。③二次性徴の発現，乳腺（乳管）の発達，皮下脂肪の蓄積。

プロゲステロン ➡ 受精卵の着床，妊娠の維持

- エストロゲンと同様に，プレグネノロンを経て合成される。肝臓でプレグナンジオールに変化し，グルクロン酸抱合を受け，尿中に排泄される。
- **生理作用**：①**基礎体温**の上昇，②子宮内膜を分泌型に変える，③頸管粘液の粘稠度を増加，④オキシトシン感受性の低下，⑤乳腺（腺房）の発達。

分泌調節

- **ゴナドトロピン放出ホルモン** gonadotropin releasing hormone；**GnRH**は10個のアミノ酸からなるペプチドで，視床下部から分泌され，下垂体門脈を通って下垂体前葉に達する。血中半減期が2～3分と短く，パルス状に分泌され，その分泌頻度でFSHとLHの分泌を調節している。
- 下垂体のゴナドトロピン分泌細胞はGnRHに応じて，**卵胞刺激ホルモン** follicle stimulating hormone；**FSH**（分子量35,000，血中半減期3時間）と**黄体形成ホルモン** luteinizing hormone；**LH**（分子量29,000，血中半減期30分）を分泌している。
- FSHは卵胞の発育を促し，LHとともに卵胞を成熟させ，エストロゲン分泌を促進する。卵胞の顆粒膜細胞では，FSHにより活性化された芳香化酵素が，テストステロン（LHが作用して莢膜細胞で産生される）をエストロゲンに変換する。一方，エストロゲンは顆粒膜細胞のFSH受容体を増加させる。インヒビンは顆粒膜細胞から分泌され，下垂体のFSH分泌を抑制する。
- GnRHの分泌は，通常はエストロゲンとプロゲステロンによる負のフィードバックにより制御されている。しかし，**高濃度のエストロゲンが長時間作用すると正のフィードバックに切り替わり**，GnRHサージを生じ，**LHサージ**が引き起こされる。LHサージによりプロゲステロンが増加し，卵胞壁が融解・菲薄化し，排卵となる。

Q180 妊娠・分娩に関わるホルモン

● 妊娠の維持・継続には，エストロゲンとプロゲステロンが必要である。
● 妊娠初期は黄体から，その後は胎盤から分泌される。

妊娠

◆ 受精卵が着床すると，約3ヵ月にわたって胎盤から**ヒト絨毛性ゴナドトロピン** human chorionic gonadotropin；**hCG** が分泌される。hCG は LH と同様に黄体形成作用をもち，黄体を消退させずにプロゲステロン，エストロゲンを産生させる。

◆ hCG は胎児の精巣に作用し，アンドロゲン分泌を高める。アンドロゲンは外生殖器の分化（男性化）を誘導する。

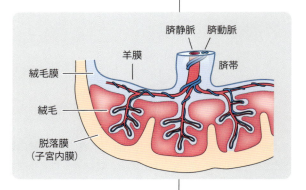

◆ 妊娠3ヵ月をすぎると，エストロゲン，プロゲステロンは胎盤から分泌されるようになり，その分泌は分娩直前まで増大する。特に**エストリオール**は**胎児・胎盤系**によって大量（妊娠前の約1,000倍）に産生される。胎盤で産生されたプレグネノロンは胎児に移行し，DHEA-S，さらに 16α-OH-DHEA-S に変換される。これが胎盤に戻り，エストリオールに変換され，母体血中に放出される。エストロン，エストラジオールは胎盤で DHEA-S から産生される。

◆ **ヒト胎盤性ラクトゲン** human placental lactogen；**hPL** は成長ホルモンやプロラクチンと同様の作用を持ち，脂肪分解を促進し遊離脂肪酸を血中へ放出させる。また，抗インスリン作用により母体の糖利用を制限し，胎児への糖供給を高める。

DHEA-S

dehydroepiandrosterone sulfate。デヒドロエピアンドロステロンに硫酸塩がついたもの。

尿中エストリオール

母体尿中のエストリオールを測定することにより，胎児・胎盤の状態を推測することができる。妊娠末期の尿中排泄量は非妊娠時の1,000倍になる。

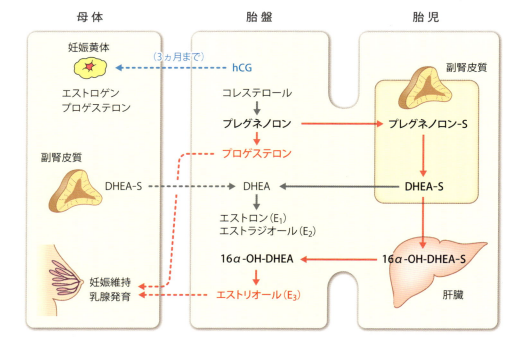

リラキシン
妊娠黄体と胎盤から分泌されるペプチドホルモン。恥骨結合や骨盤の靱帯を緩め分娩を助ける。

閉経
卵胞が反応しなくなり，エストラジオールを分泌し得なくなった状態である。負のフィードバックにより，FSH，LHは増加する。

分娩

- 受精後約270日（最終月経の第1日目から数えて284日）後に分娩が起こる。妊娠末期になると，子宮のオキシトシン感受性が高まる。分娩1～2日前には胎盤からのプロゲステロン分泌量が急激に減少し，下垂体後葉のオキシトシン分泌が高まる。
- オキシトシンは9個のアミノ酸からなる環状のペプチドで，ADHと類似の構造を持つ。分子量1,007，血中半減期1～4分である。視床下部の室傍核，視索上核で産生され，下垂体後葉の神経終末に貯蔵されている。

◆生理作用
①子宮収縮：オキシトシンは子宮筋を収縮させるとともに，脱落膜のプロスタグランジン産生を高める。プロスタグランジンはオキシトシンによる子宮収縮をさらに増強する。子宮のオキシトシン感受性はエストロゲンで高まり（オキシトシン受容体の増加による），プロゲステロンで抑えられる。
②射乳：乳腺周囲の筋上皮細胞を収縮させ，乳汁分泌を生じる。

◆分泌調節：胎児の産道通過の機械的刺激は，神経系を介してオキシトシン分泌を刺激する（正のフィードバック）。また，乳頭への哺乳刺激により分泌される。

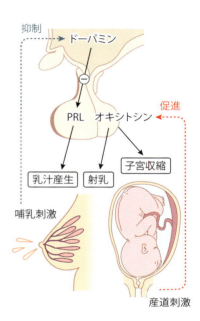

Q181 プロラクチン

● 分娩後，下垂体からプロラクチンが分泌され，乳汁の産生が高まる。

- プロラクチン prolactin；PRLは139個のアミノ酸からなるペプチドで，成長ホルモンと類似の構造を持つ。下垂体前葉から分泌される。

◆生理作用：
①プロラクチンは，エストロゲンやプロゲステロンとともに乳腺を発達させ，乳汁の産生・分泌を促す。妊娠中は，大量のエストロゲンやプロゲステロンが直接的に乳汁の産生を抑制している。
②プロラクチンはGnRH分泌を抑制するとともに，卵巣のFSH，LHに対する反応性を低下させる。そのため授乳中は排卵が抑制される。

◆分泌調節：プロラクチンの分泌は，通常は視床下部からのドーパミンにより常に抑制されている。乳頭への哺乳刺激が神経系を介してドーパミン分泌を抑制することで，プロラクチンの分泌が始まる。プロラクチンは視床下部に対し，負のフィードバックで制御する。

Q182 男性ホルモン（アンドロゲン）

● テストステロンは精子形成や男性の二次性徴を促す。

- 男性ホルモン（アンドロゲン）には，活性の強い順に，**テストステロン，デヒドロエピアンドロステロン**（DHEA），**アンドロステンジオン**がある。精巣から分泌されるアンドロゲンの90％はテストステロンである。
- テストステロンは，精巣の間質細胞（**ライディッヒ細胞**）で産生され，精細管の**セルトリ細胞**に作用する。血中では性ホルモン結合グロブリンやアルブミンと結合している。肝臓で17-ケトステロイドに代謝され，尿中に排泄される（血中半減期90分）。
- **生理作用**：
① 男性の二次性徴（外性器，体毛，声変わり，筋肉）を発現させる。
② 成長ホルモンの存在下で骨端線を閉鎖させる（骨端軟骨が無くなる）。
③ エリスロポエチンの活性を増大させ，骨髄の赤血球産生を高める。
④ **精巣セルトリ細胞の精子形成を維持する**。FSHはセルトリ細胞に作用し，テストステロン結合蛋白の合成，精祖細胞の分裂・増殖，精子細胞から精子への変換を促進する。
- **作用機序**：テストステロンは標的細胞内で5α還元酵素によってジヒドロテストステロンに変換され，アンドロゲン受容体に結合し作用する。
- **分泌調節**：**ライディッヒ細胞からのテストステロンの分泌はLHにより亢進する**。テストステロンは下垂体にフィードバックし，LH分泌を抑制する（FSHの分泌には影響しない）。**インヒビン**（134個のアミノ酸からなるペプチド）はセルトリ細胞や卵胞（顆粒膜細胞）から分泌され，下垂体のFSH分泌を抑制する。

尿中17-ケトステロイド
アンドロゲンの代謝産物。男性15 mg/日（うち1/3は精巣由来），女性10 mg/日（副腎由来）。

精子の成熟
精子は受精能力と遊泳能力を獲得し，成熟精子となる。精子のエネルギー源は，精嚢から分泌されるフルクトースである。

血液精巣関門
精細胞や精子が血液成分と接触しないように，精管内は保護されている。

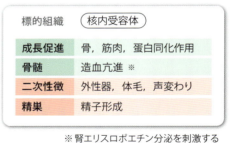

※ 腎エリスロポエチン分泌を刺激する

Q183 アドレナリン

◉ 副腎髄質は交感神経節後線維に相当し，伝達物質を血中に分泌する。
◉ アドレナリンの作用は交感神経興奮時の状態と合致する。

- 副腎髄質は皮質とは発生起源が異なる。髄質を構成する**クロム親和性細胞**は交感神経の節後線維に相当し，節前線維の興奮によって**アドレナリン**や**ノルアドレナリン**を血中に分泌する。分泌量の割合は**アドレナリンが8割**，ノルアドレナリンが2割である。
- カテコールアミンの合成経路は交感神経と共通であるが，副腎髄質ではさらに**N-メチル転移酵素**によってノルアドレナリンがアドレナリンに変換される。この酵素は副腎髄質と脳にのみ存在し，糖質コルチコイドによって誘導される。副腎髄質へ流れる血液は皮質を経由しており，糖質コルチコイドを高濃度に含んでいる。
- 血中のアドレナリンやノルアドレナリンは肝臓で代謝され（血中半減期2分），メタネフリン，ノルメタネフリン，バニリルマンデル酸として尿中に排泄される。
- **アドレナリンは，心拍出量を増し，代謝を亢進させる**。肝臓での糖新生促進とインスリン分泌抑制により**血糖は上昇**し，脂肪組織からの遊離脂肪酸の放出により，組織の好気的代謝が亢進（酸素消費量が増加）し，**熱産生は増加**する。
- ノルアドレナリンは，α受容体により血管が収縮し血圧が上昇するため，心拍出量はあまり増加しない。

クロム親和性細胞
神経細胞が軸索を失い，内分泌細胞に変化したもの。重クロム酸カリウムで黄褐色に染まる。

カテコールアミンの生合成
☞ Q41

エピネフリン
アドレナリンは，1900年に高峰譲吉により結晶単離され名付けられた。米国ではエピネフリンと呼ばれている。

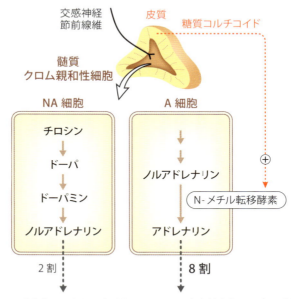

カテコールアミン受容体はαとβに大別され，それぞれ親和性や作用に違いがある。

α受容体（アドレナリン ＝ ノルアドレナリン）
- α₁ 血管収縮，肝のグリコーゲン分解促進，糖新生亢進
- α₂ 血管収縮，膵β細胞のインスリン分泌抑制

β受容体（アドレナリン ＞ ノルアドレナリン）
- β₁ 心収縮力増強，心拍数増加，腎のレニン分泌促進
- β₂ 冠動脈の拡張，骨格筋血管の拡張，気管支拡張，肝・筋のグリコーゲン分解促進，糖新生亢進
- β₃ 脂肪組織の脂肪分解促進

ア

アイントーフェンの三角形　138
アウエルバッハ神経叢　172
アクアポリン　164, 209
アグーチ関連蛋白　197
アクチンフィラメント　24
アシドーシス　159
　代謝性——　191
アスコルビン酸　181
アスピリン　54
　——ジレンマ　109
アセチル CoA　183
　——カルボキシラーゼ　187
アセチルコリン　31, 48
　ニコチン性受容体　33, 85
　ムスカリン性受容体　49
アセチルコリン感受性 K チャネル　136
アテトーゼ　73
アデニル酸シクラーゼ　11
アデノシン　31
アデノシン二リン酸　108, 192
アドレナリン　31, 215
　——作動性線維　48
　——受容体　49, 145, 151
アナフィラトキシン　115
アニオンギャップ　99
アブミ骨　58
アポ蛋白質　185
アポトーシス　113
アマクリン細胞　63, 66
アミノペプチダーゼ　179
アミノ酸　4, 179
アミラーゼ　177, 186
アミン類　85
アラキドン酸代謝　108
アルカローシス　159
アルコール代謝　183
アルドステロン　169, 170, 207
アルブミン　96, 164, 181
　——尿　163
アロマターゼ　211
アンキリン　100
アンジオテンシン II　151, 170, 209
　——受容体　170
アンジオテンシン変換酵素　124, 169
アンチコドン　6
アンチトロンビン　106

アンドロゲン　214
アンドロステンジオン　214
アンフェタミン　87
アンモニア　163, 168
悪性高体温　197
足細胞　160
圧覚　52
圧受容器反射　47, 154
圧脈波　146
圧力の単位　119
圧-容量曲線
　心室の——　142
　肺の——　123
α運動ニューロン　22, 36, 43, 44
α顆粒　105
α受容体　49
　α_1 受容体　145, 215
　α_2 受容体　145, 215
α波　80
αヘリックス　4
暗順応　65
安静時代謝量　195

イ

イオンチャネル　9, 17
　——型受容体　30
イソマルトース　177
イヌリン　163
イノシトールリン脂質　11
インクレチン　191
インスリン
　合成・分泌　189
　作用　187
　——小胞　189
　——抵抗性　191
インスリン受容体　190
　——基質　190
インスリン様成長因子　201
インテグリン　111
イントロン　5
インパルス　20
インヒビン　214
胃液　174
胃回腸反射　172
胃酸　175
胃相　174
胃大腸反射　181
胃抑制ペプチド　175

異化　192
意識レベル　82
遺伝子調節蛋白質　6
遺伝性球状赤血球症　100
閾値　17
I a 線維　22, 37
I a 抑制　39
I b 線維　22, 37
I b 抑制　39
I 音　144
一回換気量　121
一回呼吸 N_2 曲線　122
一回拍出量　143
一酸化炭素中毒　128
一次運動野　71, 77
一次視覚野　67, 71
一次体性感覚野　71
一次聴覚野　71
一次能動輸送　166
一次リンパ組織　112
1 秒率　121
1 秒量　121
陰イオン　99
陰部神経　50
飲作用　7
飲水中枢　79

ウ

ウェーバーの法則　51
ウェーバー・フェヒナーの法則　51
ウェルニッケ野　71
内向き整流 K^+ チャネル　15, 135
内向き電流　17
運動学習　76
運動神経　43
運動前野　71, 77
運動単位　33, 36, 43
運動補正　74
運動野　41

エ

エキソペプチダーゼ　179
エクソサイトーシス　7
エクソン　5
エクリン腺　196
エストラジオール　211
エストリオール　211, 212

エストロゲン　210, 211
エストロン　211
エディンガー・ウェストファル核　68
エネルギー代謝率　195
エネルギーの単位　192
エピネフリン　48, 215
エリスロポエチン　101, 171
エンケファリン　85
エンテロキナーゼ　179
エンドサイトーシス　7
エンドセリン　151
エンドペプチダーゼ　179
エンドルフィン　55, 85
壊死　113
液性調節　148
液性免疫　116
遠位尿細管　161
塩基　98
嚥下中枢　80, 174
嚥下反射　47
延髄　80

オ

オキシトシン　213
オキシヘモグロビン　102, 127
オスモル　96, 97
オータコイド　198
オッディ括約筋　186
オートクリン　198
オートファジー　3
オートレセプター　85
オーバーシュート　17
オピオイド　55, 87
オプソニン作用　115
オリゴデンドログリア　21
オリゴペプチド　179
オレキシン　83
横隔膜　123
横行小管　26
横紋　23
黄体　210
　——形成ホルモン　211
黄疸　186
嘔吐中枢　80
嘔吐反射　47
温度覚　52
　——の伝導路　57
温度眼振　61

カ

カイニン酸受容体　31
カイロミクロン　180, 185
　——レムナント　185
ガス交換　126
ガストリン　172, 174, 175
カスパーゼ　113
カチオン　99
カテコールアミン　48, 215
カハール介在細胞　172
ガラクトース　177
カリウムチャネル
　アセチルコリン感受性——　136
　内向き整流——　135
　遅延整流——　135
カルシウム　204
　——感知受容体　205
カルシウムチャネル　136
カルシトニン　205
カルシトリオール　206
カルシフェロール　181
カルバミノヘモグロビン　129
カルビンディン　206
カルボキシペプチダーゼ　179
カルモジュリン　11, 152
カロリー　192
化学シナプス　30
化学受容器　130, 155
化学走性　111
過換気症候群　131
過分極　17
蝸牛　58
加重　35
下垂体　199
　——前葉ホルモン　199
　——門脈　199
下腹神経　50
可塑性　74
可聴域　59
可変領域　114
顆粒球　110
顆粒細胞　160, 169
顆粒膜細胞　211
開口分泌　7, 30
開始コドン　5
開放回路法　122
介在ニューロン　36
介在板　23

階段現象　28
解糖　183
解剖学的短絡　133
海馬　78
海馬傍回　78
概月周期　196
概日周期　196
外節　63
外側膝状体　67
外側皮質脊髄路　41
外背側被蓋核　83
外有毛細胞　59
咳嗽反射　47
核　1
　——の左方移動　110
核鎖線維　37
核袋線維　37
核内受容体　11, 200
　——スーパーファミリー　206
核膜　1
拡散　7
　——係数　126
　——能　126
拡張期　144
　——血圧　146
拡張末期圧　143
拡張末期容積　143
覚醒　82
隔絶伝導　20
角膜反射　68
学習　90
褐色脂肪組織　197
活性化確率　18
活性型ビタミン D_3　206
活動電位　17
滑面小胞体　3
鎌状赤血球症　102
感音性難聴　59
感覚　51
　——受容器　52
　——神経　43
感覚毛　59
感情　88
換気運動　123
換気血流比　125
換気障害　121
換気量　121
管腔膜　165
還元ヘモグロビン　127

肝循環　157
肝臓　181
　　——における代謝　183
冠循環　157
冠状動脈　157
緩衝価　98
緩衝作用　98
杆状核球　110
杆体　63
間接ビリルビン　186
間脳　80
完全強縮　28
関連痛　44
眼窩前頭皮質　88
眼球運動　68
眼球間転位　90
眼振　68
眼房水　63
γ（ガンマ）アミノ酪酸　31, 85
γ運動ニューロン　22, 37
γループ　37

キ

キヌタ骨　58
キネシン　21
キマーゼ　170
キモトリプシノーゲン　179
キモトリプシン　179
ギャップ結合　29, 137
キャリア　9
キラーT細胞 ☞ 細胞障害性T細胞
ギラン・バレー症候群　20
気圧　131, 119
気管支平滑筋　120
気道粘液　120
気流-容量曲線　122
記憶　78, 90
機械受容器　53, 131
機械受容チャネル　59, 153
機能的合胞体　29
機能的残気量　121
機能的終動脈　157
期外収縮　140
基質　4
基礎体温　211
基礎代謝量　194, 203
基底核　72
　　——疾患　73

基本転写因子　5, 6
企図振戦　75
疑核　80
拮抗筋　23
拮抗支配　47
脚橋被蓋核　82, 83
逆向性健忘　90
逆行性輸送　21
嗅覚　70
嗅球　70
嗅細胞　70
嗅神経　70
嗅内野　70
球形嚢　61
球状帯　207
弓状核　199
急速眼球運動　81
急速血圧調節　154
吸息中枢　80
巨核球　110
許容作用　203, 208
橋　80
橋小脳　74
胸郭コンプライアンス　123
胸管　156
胸腔内圧　123
胸腺　112
胸膜腔　123
強縮　28
狭心症　157
協調運動　74
協力筋　23
共同性眼運動　68
共輸送　9
莢膜細胞　211
凝固因子　107
凝固系　106
凝固阻止　106
凝集原　118
凝集素　118
極興奮の法則　20
局所電位　20
棘波　80
近位尿細管　161
筋原線維　24
筋ジストロフィー　25
筋収縮　28
　　——のエネルギー源　27
筋小胞体　3, 26

　　——カルシウムポンプ　26, 141
筋節　24
筋線維　24
筋層間神経叢　172
筋長　28
筋電図　42
筋紡錘　37
緊張性支配　47

ク

クプラ　61
クモ膜　92
　　——下腔　92
　　——顆粒　93
クラススイッチ　115
クラーレ　33
グランザイム　117
クリアランス　163
グリコーゲン　181, 183
　　——シンターゼ　187
グリコフォリン　100
グリコヘモグロビン　191
グリシン　85
　　——受容体　31
クリューバー・ビュシー症候群　78
グルカゴン　188
グルカゴン様ペプチド　79, 191
グルコキナーゼ　187
グルコース　177
　　再吸収　164, 166
　　取り込み　187
　　——輸送体　177, 190
グルタミン酸　31, 84, 90
　　——受容体　66
クレアチニン　159, 163
クレアチン　27, 183
　　——リン酸　27
グレリン　79, 175
クロージングボリューム　122
クローヌス　38
グロビン蛋白　102
クロマチン　1
クロム親和性細胞　215
クロライドシフト　129
駆出期　142, 144
駆出率　143
屈曲反射　38
屈折力　63

索引

ケ

ケトアシドーシス　191
ケトン体　183, 191
ケノデオキシコール酸　186
ゲンズラーの1秒率　121
下痢　180
頸管粘液　210
頸動脈小体　130, 155
頸動脈洞　154
形質細胞　113
痙縮　42
血圧　146
　——調節神経　154
血液ガス　127
血液型　118
血液凝固　104, 106
　——因子　107
血液精巣関門　214
血液脳関門　93
血液分布　147
血管　146
　局所性調節　153
　収縮・弛緩　151
　神経支配　148
血管運動中枢　80, 153, 155
血管作動性腸ペプチド　85, 172
血管条　59
血小板　105, 108
　——血栓　104
　——第3因子　105
　——第4因子　105
血漿　94
血漿膠質浸透圧　96
血漿蛋白質　96, 181
　——緩衝系　99
血清　94
血清鉄　103
血栓　104
血流量　133
楔状束　56
結節乳頭体核　82, 83
月経周期　210
腱器官　37
嫌気的解糖　27
限界デキストリン　177
限外濾過　162
原尿　161

コ

コカイン　87
コドン　6
ゴナドトロピン　211
　——放出ホルモン　211
コネクソン　137
コネクチン　24
コバラミン　101, 181
コリパーゼ　180
コリンエステラーゼ　33
コリン作動性線維　48
コルサコフ症候群　90
コール酸　186
ゴルジ小胞　3
ゴルジ装置　3
コルチ器　58
コルチコステロン　207
コルチゾール　207, 208
ゴールドマンの式　14
コレカルシフェロール　181
コレシストキニン　85, 175, 186
コレステロール　180
　——エステル　185
　——逆転送　185
コロニー形成単位　110
コロニー刺激因子　110
呼吸筋　123
呼吸鎖　13
呼吸細気管支　120
呼吸商　127, 193
呼吸数　121
呼吸性代償　99
呼吸中枢　130
呼吸調節中枢　80, 130
呼息中枢　80
固視微動　68
固縮　42
固有受容器　52
孤束核　69, 80, 154
古典経路　115
5-HT$_1$受容体　31
5-HT$_3$受容体　31, 85
高アンモニア血症　191
高インスリン血症　191
高血糖　191
高山病　131
高次運動野　77
高体温　197

高トリグリセリド血症　191
好塩基球　110
好気的解糖　27
好酸球　110
好中球　110
抗炎症作用　208
抗凝固薬　106
抗原提示細胞　116
抗ストレス作用　208
抗体　114
抗不整脈薬　137
抗利尿ホルモン　155, 165, 169, 209
交感神経　44, 48
　——性血管拡張線維　148
　——性血管収縮線維　148
交叉性伸展反射　38
交叉適合試験　118
後骨髄球　111
後根神経節　43
後索-内側毛帯路　56
後負荷　143
膠質浸透圧　96, 156
甲状腺刺激ホルモン　202
　——放出ホルモン　202
甲状腺ペルオキシダーゼ　202
甲状腺ホルモン　206
　合成　202
　作用　203
　受容体　206
甲状腺濾胞細胞　203
拘束性換気障害　121
紅潮　54
興奮収縮連関
　骨格筋　26
　心筋　141
　平滑筋　151
興奮性シナプス後電位　35
興奮伝導の法則　20
硬膜　92
肛門括約筋　50
黒質　72
骨塩　204
骨芽細胞　204
骨格筋　24
骨吸収　204
骨形成　204
骨髄芽球　111
骨髄球　111
骨髄系幹細胞　110

骨粗鬆症　204
骨端線　201
骨盤内臓神経　50
骨迷路　58

サ

サイクリック AMP　11
サイズの原理　43
サイトカイン　116, 198
サイレントシナプス　91
サイロキシン　202
　　──結合グロブリン　96, 202
サイログロブリン　202
サーカディアンリズム　196
サクシニルコリン　33
サッケード　68
サーファクタント　124
サブスタンス P　54, 85
サブユニット　4
サラセミア　102
細気管支　120
細胞外液　94
細胞骨格　1, 3
細胞質　1
　　──受容体　11
細胞障害性 T 細胞　112, 116, 117
細胞性免疫　116
細胞内液　94
細胞内消化　3
細胞内小器官　3
細胞膜　1
　　──受容体　11, 200
再吸収　166
再分極　17
最高血圧　146
最後野　80
最大換気量　121
最大酸素消費量
最大酸素摂取量　195
最大短縮速度　142
最低血圧　146
刷子縁　173
酸　98
酸・塩基平衡　98
酸化的リン酸化　13
酸素解離曲線　128
酸素消費量　193
酸素摂取率　157

酸素負債　193
酸素ヘモグロビン　102, 127
酸素飽和度　127
　　──曲線　128
三叉神経　56
三次能動輸送　166
三尖弁　133
残気量　121

シ

シアノコバラミン　181
シアン化合物　13
ジオプトリ　63
ジギタリス　141
シグナル伝達　200
シクロオキシゲナーゼ　108
シス型　65
ジストニー　73
シナプス　29
　　──可塑性　35, 90
　　──間隙　30
　　──後電位　30
　　──後膜　30
　　──小頭　30
　　──小胞　30
　　──前抑制　36
シナプス・アン・パサン　34
シーハン症候群　199
ジヒドロキシコレカルシフェロール　206
ジヒドロピリジン受容体　26, 141
ジペプチド　179
シュワン細胞　21
視蓋脊髄路　41
視覚　63
　　──の伝導路　67
視覚前野　71
視交叉　67
視細胞　63
視索　67
視索上核　199
視床　56
　　──症候群　56
視床下核　72
視床下部　199
　　──外側野　83
　　──弓状核　55
　　──と本能行動　79

　　──ホルモン　199
視神経　67
　　──乳頭　63
視物質　65
視放線　67
視力　63
子宮収縮　213
糸球体　161
糸球体-尿細管バランス　162
糸球体濾過比　162
糸球体濾過量　162
死腔　122
刺激閾　51
刺激伝導系　137
止血機序　104
脂質
　　消化・吸収　180
　　代謝　183
　　輸送　185
脂質二重層　1
脂肪酸　180
脂肪細胞　197
脂溶性ビタミン　181
歯状核　74
自原性抑制　39
自動能　136
自由神経終末　52, 54
自律神経　43
耳小骨　58
　　──筋反射　58
耳石　61
持続性伸張反射　38
色覚　65
　　──異常　65
色素希釈法　133
軸索　21
　　──反射　54
　　──輸送　21
θ（シータ）波　80
膝蓋腱反射　38
室頂核　74
室傍核　199
射乳　213
主膵管　186
樹状細胞　116
樹状突起　21
　　──スパイン　84, 91
受容器電位　52
受容弛緩　174

受容体　11
受容野　52, 67
集合管　161
終止コドン　5
終板　33
　　——電位　33
終板脈絡器官　209
収縮期　144
　　——血圧　146
収縮末期圧　143
収縮末期容積　143
収束　29
重症筋無力症　33
重炭酸緩衝系　99, 168
充満期　143
絨毛　173
循環中枢　155
順向性健忘　90
順行性変性　34
順行性輸送　21
順応　52
蔗糖　177
女性ホルモン　210
徐波　80
　　——睡眠　80
徐脈　136
消化管ホルモン　175
松果体　198
晶質浸透圧　96
小腸上皮細胞　172
小脳　74
　　——性運動失調　75
　　——ループ　77
小胞体　3
小胞輸送　156
省略眼　63
上衣　92
上行性網様体賦活系　82
上室性期外収縮　140
上皮型 Ca^{2+} チャネル　204
上皮型 Na^+ チャネル　166, 170
上皮小体　205
　　——ホルモン　205
情動行動　78
静脈圧　150
静脈還流量　143, 150
常用対数　98
触覚　52
　　——の伝導路　57

食作用　7
食細胞　110
食道下部括約筋　174
侵害受容器　131
侵害受容反射　38
心筋　134
　　活動電位　134
　　興奮収縮連関　141
心筋梗塞　44
心係数　143
心室性期外収縮　140
心周期　144
心臓の神経性調節　145
心臓抑制中枢　80, 155
心電図　138
心拍出量　143
　　——曲線　143
心拍数　145
心房収縮期　144
心房伸展受容器　155
心房性ナトリウム利尿ペプチド　170
神経因性炎症　131
神経栄養因子　34
神経筋接合部　33
神経筋単位　43
神経節細胞　63, 66
神経線維　22
神経伝達物質　30
　　中枢神経系における——　84
神経伝導検査　42
神経伝導速度　22
神経ペプチド　30
親水基　1
伸張反射　38
浸透　7
浸透圧　96
　　——受容器　169, 209
深部感覚　52
　　——の伝導路　57
深部体温　196
腎血漿流量　161
腎循環　161
腎性尿崩症　209
腎不全　163

ス

スカベンジャー受容体　185
スクラーゼ　177

スクロース　177
スタニウスの結紮　136
スターリングの法則
　　心臓　142
　　末梢循環　156
スティーブンスのべき関数の法則　51
ステロイドホルモン　198, 207
　　——受容体　206
ストレス反応　88
スパイン　84, 91
スプライシング　5
スペクトリン　100
膵液　186
膵管　186
膵酵素　179
膵嚢胞性線維症　196
膵 β 細胞　189
錘外筋　22
　　——線維　37
錘内筋　22
　　——線維　37
錐体（延髄の）　40
　　——外路　41, 75
　　——路　41
錐体（視細胞の）　63
水銀柱　146
水晶体　63
水平細胞　63, 66
水溶性ビタミン　181
睡眠　80, 82
随意運動　41
髄液循環　93
髄鞘　20

セ

セクレチン　175, 186
セリエの三徴候　88
セルトリ細胞　214
セルロプラスミン　96
セレクチン　111
セロトニン　31
　　——受容体　31, 85
　　——神経　88
制御性 T 細胞　116
精細管　214
精子　214
静止張力　28, 142
静止膜電位　14, 15

静水圧　156
性周期　210
成人ヘモグロビン　102
成長ホルモン　201
　　——放出ホルモン　201
青斑核　55, 83
生命維持中枢　80
生理活性アミン　198
生理的短絡　125
赤核脊髄路　41, 74
赤筋線維　27, 44
赤血球　100
　　——増多　131
赤色血栓　106
赤色骨髄　101
赤脾髄　103
脊髄視床路　56
脊髄小脳　74
脊髄小脳路　56
脊髄神経　43
　　——節　43
脊髄反射　38
節後線維　44
節前線維　44
摂食中枢　79
接着分子　111
舌咽神経　130, 154, 174
絶対不応期　18
線維素　104
　　——溶解系（線溶系）　106
線条体　72
潜時　17
潜水病　131
潜熱　196
染色質　1
染色体　1
疝痛　44
全か無の法則　17
全血比重　95
前骨髄球　111
前庭頚反射　61
前庭小脳　74
前庭神経核　61
前庭神経節　58
前庭脊髄反射　61
前庭脊髄路　41
前庭動眼反射　61
前頭眼窩皮質　70
前頭前野　88

前頭連合野　71, 77
前皮質脊髄路　41
前負荷　143
前補足運動野　77
前毛細血管括約筋　153
蠕動運動　172

ソ

ソマトスタチン　175, 176, 201
ソマトメジン C　201
組織因子　106
組織間液　94, 156
咀嚼　174
疎水基　1
粗面小胞体　3
双極細胞　63, 66
双極導出法　138
相対不応期　18
相反抑制　38
総胆管　186
層板小体　53
層流　132
僧帽弁　133
造血因子　110
速筋線維　27, 43, 44
速波　80
側坐核　86
側底膜　165
側頭連合野　71
側脳室　92
側抑制　66
足細胞　160
即時記憶　90
束状帯　207
促進性 G 蛋白質　11
促通拡散　9
外向き電流　17

タ

タイチン　24
タイト結合　93, 165
ダイニン　21
ダウンレギュレーション　145, 190
多シナプス反射　38
多尿　191
多能性幹細胞　110
唾液　174

体液　94
　　——浸透圧　96, 169
体温　196
　　——調節中枢　79
体性感覚　43
　　——の伝導路　56
　　——野　56
体性神経　43
体性内臓反射　47
体性反射　38
対光反射　68
胎児循環　158
胎児胎盤系　212
胎児ヘモグロビン　102, 158
代謝型グルタミン酸受容体　66
代謝水　159
代謝性アシドーシス　191
代謝調節型受容体　30
代謝率　194
帯状回　78
帯状皮質運動野　77
苔状線維　74
大動脈弓　154
大動脈小体　130, 155
大動脈弁　133
大脳基底核　72
　　——ループ　77
大脳皮質　71
大脳辺縁系　78
第二経路　115
第三脳室　92
第四脳室　92
脱分極　17
脱ヨード化　203
短期記憶　90
単球　110
単極導出法　138
単シナプス反射　38
単収縮　28
単純拡散　156
単純型細胞　67
単糖　177
炭酸-重炭酸系　99
炭酸脱水酵素　99, 129, 168, 175
炭水化物　177
胆汁　186
　　——酸　180, 186
淡蒼球　72
担体　9

索引

223

――輸送　7
蛋白質　4
　合成　5
　消化・吸収　179
　代謝　183
蛋白尿　163
弾性　123
　――係数　123
　――仕事　123
男性ホルモン　214

チ

チアノーゼ　127
チアミン　181
チェーン・ストークス呼吸　131
チック　73
チャネル　9
　――活性化　18
チロシン　48
チロシンキナーゼ　11, 190, 200
遅延整流 K^+ チャネル　135
遅筋線維　27, 43, 44
緻密斑　161
蓄尿反射　50
中位核　74
中心窩　63
中枢性化学感受野　130
中枢性尿崩症　209
中性脂肪　180
中脳　80
中脳水道　92
中脳中心灰白質　55, 89
中脳皮質路　86
中脳辺縁路　86
虫垂炎　44
聴覚野　58
腸肝循環　186
腸循環　157
腸相　174
長期記憶　90
長期増強　35, 90
長期抑制　76
調節軽鎖　152
調節力　63
超複雑型細胞　67
跳躍伝導　20
張力　28, 142
直行収縮　181

直接ビリルビン　186
陳述記憶　90

ツ

ツチ骨　58
痛覚　54
　――の伝導路　57
　――抑制系　55

テ

ティフノーの1秒率　121
デオキシコール酸　186
デオキシヘモグロビン　102, 127
デシベル　59
テストステロン　214
テタニー　19
デヒドロエピアンドロステロン　211, 214
デールの法則　30
てんかん　81
でんぷん　177
手続き記憶　90
低圧系　146
低圧受容器　155, 209
低酸素性肺血管攣縮　125
低酸素誘導因子　171
低体温症　197
抵抗血管　147
定常領域　114
適刺激　52
鉄　103
δ（デルタ）-アミノレブリン酸　102
δ 波　80
転写　5
　――開始複合体　6
　――領域　5
電位依存性ゲート　135
電位依存性チャネル　9
電解質
　吸収　180
　再吸収　166
　出納　159
電解質コルチコイド　207, 208
電気緊張電位　20
電気軸　138
電気シナプス　29
電子伝達系　13

電流-電圧曲線　18, 135
伝音性難聴　58

ト

トコフェロール　181
トーヌス　47, 149
ドーパ　48
ドーパミン　31, 72, 85
　――神経　86
ドメイン　4
トランス型　65
トランスコバラミン　181
トランスデューシン　65
トランスフェリン　96, 103
　――受容体　102
トランスロケータ　13
トリグリセリド　180
トリプシノーゲン　186
トリプシン　179
トリヨードサイロニン　202
トロポニン　24
トロポミオシン　24
トロンビン　106
トロンボキサン A_2　105, 108
トロンボモジュリン　106
登上線維　74
努力性肺活量　121
投射の法則　56
等尺性収縮　28, 142
等速伝導　20
等張液　96
等張性　96
等張性収縮　28, 142
等容性収縮期　142, 144
等容性弛緩期　143, 144
糖衣　1
糖質
　消化・吸収　177
　代謝　183
糖質コルチコイド　207, 208
糖新生　181, 183, 208
糖尿病　191
　――性昏睡　191
糖輸送体　177, 190
闘争か逃走　88
頭頂連合野　71
逃避反射　38
当量　97

同化　187, 192
動眼神経　68
動脈圧　150
　　——受容器　154, 209
動脈管　158
動脈硬化　106
動毛　61
瞳孔括約筋　68
瞳孔散大筋　68
洞房結節　136, 137
特異的動的作用　194
特殊感覚　43
貪食　110
鈍痛　44

ナ

ナイアシン　181
ナチュラルキラー細胞　116, 117
ナトリウムチャネル　134
ナトリウム利尿ペプチド　170
内因子　181
内因性発熱物質　196
内臓感覚　43
内臓求心性神経　44
内臓体性反射　47
内臓痛　44, 54
内臓内臓反射　47
内臓反射　38
内側前頭前野　88
内側毛帯　56
内尿道括約筋　171
内有毛細胞　59
軟膜　92

ニ

ニコチン酸　181
ニコチン性受容体　31, 33, 85
ニューロペプチドY　197
音　144
群線維　37
2, 3-ジホスホグリセリン酸　128
二次能動輸送　166
二次リンパ組織　112
二重支配　47
二糖類　177
日射病　197
日内周期　196

乳化　180
乳酸　27, 43
乳糖　177
乳頭体　78
尿意　171
尿管　171
尿細管再吸収率　164
尿細管-糸球体フィードバック　162
尿細管周囲毛細血管　161
尿酸　166
　　——トランスポーター　166
尿素　159, 165, 181
　　——回路　183
　　——輸送体　165
尿中エストリオール　212
尿中17-ケトステロイド　214
尿中窒素排泄量　194
尿糖　191
尿道括約筋　50
妊娠　212

ネ

ネフロン　161
ネルンストの式　14
熱産生　162, 203
熱ショック蛋白　206
熱中症　197
熱伝導率　196
熱量価　192
粘液水腫　203
粘性仕事　123
粘度　95
粘膜下神経叢　172

ノ

ノルアドレナリン　31, 48, 215
　　——神経　83
脳幹　80
　　——網様体　82
脳弓　78
脳虚血反射　155
脳室周囲器官　93, 170
脳神経　44
脳性ナトリウム利尿ペプチド　170
脳脊髄液　93
脳相　174
脳波　80

濃染顆粒　105
能動輸送　9, 166

ハ

％VC　121
パーキンソン病　73
バソプレッシン　155, 165, 169, 209
パチニ小体　53
パーフォリン　117
ハプトグロビン　96
パペッツの回路　78
パラアミノ馬尿酸　163, 164
パラクリン　198
パラソルモン　204, 205
バリスム　73
パルスオキシメータ　127
パンクレオザイミン　85, 186
ハンチントン舞踏病　73
バンド3蛋白　100
バンド4.1蛋白　100
バンド4.2蛋白　100
パントテン酸　181
破骨細胞　204
背外側前頭前野　88
肺活量　121
肺換気量　121
肺気量　121
肺コンプライアンス　123
肺循環　125
肺伸展受容器　131, 155
肺動脈弁　133
肺胞　120
　　——換気量　121
　　——上皮細胞　120
　　——蛋白症　124
　　——表面活性物質　124
　　——マクロファージ　120
肺胞管　120
排尿　171
　　——中枢　50, 80
　　——反射　50
排便反射　50, 181
排卵　210
廃用性萎縮　34
白筋線維　27, 44
白色脂肪組織　197
白体　210
薄束　56

麦芽糖　177
発火　36
発汗　196
発散　29
発生張力　28, 142
発熱　196
針筋電図　42
反回抑制　39
反射　38
　　──弓　38
　　──中枢　38
反復刺激後増強　35
半規管　58, 61
半月弁　133
半透膜　96

ヒ

ビオチン　181
ヒス束　137
ヒスタミン　31, 85, 176
ヒストン　1
ビタミンA　181
ビタミンB群　181
ビタミンC　181
ビタミンD　206
　　──受容体　206
ビタミンE　181
ビタミンK　181
　　──依存性凝固因子　106
ヒト絨毛性ゴナドトロピン　212
ヒト胎盤性ラクトーゲン　212
ヒト免疫不全ウイルス　116
ヒドロキシアパタイト　204
ピリドキシン　181
ビリベルジン　103
ビリルビン　181
ピルビン酸　183
被蓋　82
被殻　72
非蛋白性呼吸商　193
皮膚循環　157
肥満細胞　110
肥満度　195
微絨毛　172
微小管　3
微小終板電位　33
尾状核　72
表在感覚　52

表面活性物質　124
表面張力　124
標的器官　198

フ

ふるえ　196
ファーター乳頭　186
フィックの原理　133
フィブリン網　106
フィロキノン　181
フェリチン　103, 180
フェロポーチン　103
フォン ウィルブランド因子　105
プチアリン　174
プライス・ジョーンズ曲線　100
ブラジキニン　54, 108, 151
プラスミン　106
プルキンエ細胞　74
プルキンエ線維　137
フルクトース　177
プレB細胞　112
プレT細胞　112
プレグネノロン　211
プレプロインスリン　189
プロインスリン　189
ブローカ野　71
プログラム細胞死　113
プロゲステロン　210, 211
プロスタグランジン　108
プロスタサイクリン　108, 151
プロスタノイド受容体　108
プロテインC　106
プロテインS　106
プロテインキナーゼA　145
プロトポルフィリン　102
ブロードマンの皮質地図　71
プロトンポンプ　175, 204
フロー・ボリューム曲線　122
プロモーター領域　5
プロラクチン　213
不応期　18, 134
不攪拌層　174
不活性化確率　19
不活性化ゲート　135
不感蒸散　159, 196
不完全強縮　28
不均等分布　125
不減衰伝導　20

不随意運動　73
不整脈　139
不動毛　61
負のフィードバック　199
腹外側視索前核　82
腹腔循環　157
腹側被蓋野　86
複合感覚　52
複雑型細胞　67
副交感神経　44, 48
副甲状腺ホルモン　205
副腎アンドロゲン　207
副腎皮質ホルモン　207
副腎皮質刺激ホルモン　207
　　──放出ホルモン　207
輻輳反射　68
分子シャペロン　4
分節運動　172
分泌顆粒　3
分娩　213
糞便脂肪量　181
糞便窒素量　181

ヘ

べき関数の法則　51
ベイリス効果　153
ベインブリッジ反射　143, 155
ペニシリン　163
ヘパリン　106
ヘプシジン　103
ペプシノーゲン　174
ペプシン　174, 179
ペプチダーゼ　179
ペプチド　179
　　──結合　4
　　──ホルモン　198
　　──輸送体　166
ペプチドYY　79
ヘマトクリット　94
ヘム　102
ヘモグロビン　102
　　──緩衝系　99
　　──酸素解離曲線　128
ヘモグロビンA1c　191
ヘモジデリン　103
ヘリコバクター・ピロリ　175
ヘーリング・ブロイエル反射　131
ベルヌーイの法則　132

ヘルパー T 細胞　112, 117
ベル・マジャンディーの法則　36
ヘンダーソン・ハッセルバルヒの式　98
ペンフィールド　57
ヘンレループ　161
平滑筋　23, 29, 34
　　血管——　151
平均 QRS ベクトル　138
平均血圧　146
平均体循環充満圧　150
平衡覚　61
平衡砂膜　60
平衡斑　61
平行線維　75
閉鎖回路法　122
閉塞性換気障害　121
β（ベータ）エンドルフィン　55, 85
β細胞　189
β酸化　183
βシート　4
β受容体　49
　　$β_1$受容体　145, 215
　　$β_2$受容体　145, 215
　　$β_3$受容体　215
β波　80
βリポ蛋白質　96
扁桃　78, 86
弁別閾　51

ホ

ボーア効果　128
ボイル・シャールの法則　119
ボーマン嚢　161
ボーマン膜　62
ホスホジエステラーゼ　65
ホスホランバン　141, 152
ホスホリパーゼ A_2　179, 186
ホスホリパーゼ C　11
ボツリヌス毒素　33
ホムンクルス　57
ポリ A 配列　5
ポリペプチド　4
ポリモーダル受容器　54
ポーリン　13
ホールデン効果　129
ポルホビリノーゲン　102
ホルモン　198

——感受性リパーゼ　187
ポワズイユの法則　132
ポンプ　9
歩行運動　41
歩調取り電位　136
補足運動野　77
補体　114
——活性化経路　115
芳香化酵素　211
抱合型ビリルビン　186
報酬系　87
縫線核　83
膀胱　171
傍糸球体装置　161
傍濾胞細胞　205
房室結節　136, 137
房室弁　133
房室ブロック　139
膨大部　61
本能行動　78
翻訳　6

マ

マイスナー小体　53
マイスナー神経叢　172
マイネルト核　83
マクロファージ　110
マスト細胞　110
マトリックス　13
マニトール　163
マリオット盲点　63
マルターゼ　177
マルトース　177
膜間腔　13
膜消化　177
膜侵襲複合体　115
膜電位　14
膜迷路　58
膜輸送蛋白　9
末梢気道　122
末梢神経　43
慢性疾患に伴う貧血　103
慢性腎臓病　163
満腹中枢　79

ミ

ミオクローヌス　73

ミオグロビン　27, 128
ミオシン　24
——ホスファターゼ　152
ミオシン軽鎖　29, 152
——キナーゼ　152
ミオシン重鎖　44
ミクロフィラメント　3
ミセル　180
ミトコンドリア　13
——DNA　3
味覚　69
味細胞　69
味蕾　69
右リンパ本幹　156
水
　　吸収　180
　　再吸収　165
　　出納　159
水チャネル　164
水中毒　159
脈圧　146
脈絡叢　93
脈絡膜　63

ム

ムスカリン性受容体　31, 49
　　M_2受容体　145
　　M_3受容体　50, 151
ムチン　174
無髄線維　20

メ

メサンギウム　160
メタ細動脈　153
メタロドプシン　65
メトヘモグロビン　102, 128
メモリー B 細胞　113
メラトニン　84
メラニン凝集ホルモン　83
メラニン細胞刺激ホルモン　197, 207
メルケル盤　53
迷走神経　136, 145, 174
免疫グロブリン　96, 114

モ

モーター蛋白　21

索引

モ

モノアミン　31
　——神経　82
モノカルボン酸輸送体　43, 183
モノグリセリド　180
モル　97
　——濃度　97
モルヒネ　87
燃え上がり効果　78
毛細血管　156
毛包受容器　53
毛様体筋　63
毛様体神経節　68
網状赤血球　101
網状帯　207
網膜　63
網膜電図　66
網様体　82
網様体脊髄路　41, 74

ヤ

ヤコブレフ回路　78, 90

ユ

輸出細動脈　160
輸送体　1, 156
輸入細動脈　160
有効循環血液量　149
有髄線維　20
有毛細胞　59, 61
誘発筋電図　42

ヨ

ヨウ素　203
ヨードチロシン　202
予備吸気量　121
予備呼気量　121
陽イオン　99
溶菌　115
溶血　103, 118
葉酸　101, 181
容量依存性 Ca^{2+} チャネル　151
容量血管　147
抑圧　35
抑制性 G 蛋白質　11
抑制性シナプス後電位　35

ラ

らせん動脈　210
ライソソーム　3
ライディッヒ細胞　214
ラクターゼ　177
ラクトース　177
ラセン神経節　58
ラプラスの法則　124, 132
ランバート・イートン症候群　33
ランビエ絞輪　21
卵円孔　158
卵形嚢　61
卵胞刺激ホルモン　211
乱流　132

リ

リアノジン受容体　26, 141
リガンド　4, 200
　——依存性チャネル　9
リソソーム　3
リトコール酸　186
リパーゼ　180, 186
リボソーム　3
　——RNA　6
リポ蛋白質　183, 185
リボフラビン　181
リラキシン　213
リンの再吸収　167, 205
リン酸カルシウム　205
リン酸緩衝系　99, 168
リン酸輸送体　166
リン脂質　2
リンパ　156
リンパ管　173
リンパ球　112
リンパ系幹細胞　112
リンパ小節　173
梨状葉皮質　70
理想体重　195
隆起核　199
流入期　144
両親媒性　1

ル

ルイ体　72
ルフィニ小体　53

レ

レイノルズ数　132
レギュラトリー T 細胞　116
レクチン経路　115
レチノイン酸受容体　206
レチノール　181
レニン・アンジオテンシン・アルドス
　テロン系　169
レプチン　191, 197
レム睡眠　81
レムナント　185
　——受容体　185
レンズ核　72
冷覚　52
連結橋　25
連合野　71

ロ

ロドプシン　65
ローマン反応　27
ロンベルグ試験　75
濾過　7
濾胞　202
濾胞ヘルパー T 細胞　116

ワ

ワーラー変性　34

A

A キナーゼ　11
ABO 式血液型　118
ACTH　207
ADH　155, 165, 169, 209
ADP　108, 192
A/G 比　96
AIP　170
AMP キナーゼ　190
AMPA 受容体　31, 84, 90
ANP　170
AT_1 受容体　170
AT_2 受容体　170
ATP　192
　——binding cassette　166
　——感受性 K^+ チャネル　135
　——合成　13

——受容体　31
　　——のエネルギー　183
ATPase　9
ATPS　119

B

B 細胞　112, 116
BMI　195
BMR　194
BNP　170
Bombay 型　118
Brodmann の皮質地図　71
BTPS　119
BUN　97

C

C キナーゼ　11
C 細胞　205
C ペプチド　189
C 末端　4
Ca^{2+} ATPase　141
Ca スパイク　17
Ca^{2+} チャネル　17
Ca^{2+} 誘発性 Ca^{2+} 遊離　141
cAMP　11
CCK　85, 175, 186
CD4　113
CD8　113
CETP　184
CFU-E　101, 171
cGMP 依存性チャネル　65
cisAB 型　118
Cl チャネル　175
Cl^-/HCO_3^- 交換輸送体　166
CO 中毒　128
CO_2 解離曲線　129
COX-1　109
COX-2　109
CRH　199, 207
　　ストレスと——　89
CTLA-4　116
CVLM　155

D

Dale の法則　30
dB　59

DHEA　211, 214
DHEA-S　212
2, 3-DPG（2, 3-BPG）　128
DRG　130
dyne　124

E

ECL 細胞　176
Edinger-Westphal 核　68
ENaC　170
enterochromaffin-like cell　176
EPSP　35

F

Fab　114
fast pain　54
Fc　114
FGF23　205
FSH　211

G

G 蛋白質　11, 200
　Gi　11, 200
　Gq　200
　Gs　11, 200
GABA　31, 85
　GABAA 受容体　31, 85
　GABAB 受容体　31, 85
　GABAC 受容体　85
G-CSF　110
GFR　162
GH　201
GIP　174, 175
GLP-1　191
GLUT ; glucose transporter
　GLUT1　177
　GLUT2　177
　GLUT3　177
　GLUT4　177, 190
　GLUT5　177
GnRH　211
GRH　201

H

H 抗原　118

H 波　42
H^+ ATPase　166
H^+/K^+ ATPase　166
HbA　102
HbA1c　191
HbF　102, 158
hCG　212
HDL　185
Henderson-Hasselbalch の式　98
Hess 法　95
HIF　171
HIV　116
HLA　113
HMG-CoA 還元酵素　187
hPL　212
HTGL　184

I

ICAM-1　111
IDL　185
I_f　134
IGF-1　201
immunoglobulin　114
　IgA　114
　IgD　114
　IgE　115
　IgG　114
　IgM　114
IP_3-induced Ca^{2+} release　151, 152
IPSP　35

J

Jak-STAT 系　12, 201

K

K チャネル　175
K^+ の再吸収　166
K^+ リークチャネル　15
$K^+ \cdot Cl^-$ 共輸送体　166
kcal　192
Klüver-Bucy 症候群　78

L

L 型 Ca チャネル　134, 136
LCAT　184

LDL　185
　——受容体　185
LH　211
　——サージ　211
LH-RH　211
LPL　184

M

M 型細胞　66
M 波　42
MAPK　190, 201
mEq　97
METS　195
mGluR 受容体　31
MHC　113
mmHg　146
mol　97
mOsm　97
mRNA　5
MSH　207
MUP　42

N

N 末端　4
N- メチル転移酵素　215
Na^+ チャネル　17
　——の開口確率　134
　——の不活性化　135
Na^+ との共輸送　166
Na^+ の再吸収　166
Na^+・Cl^- 共輸送体　166
Na^+・HCO_3^- 共輸送体　166
Na^+/Ca^{2+} 交換輸送　134, 141
Na^+/K^+ ポンプ　15, 134, 166
NaCl　165
NADH　13
NaPi　166
NK 細胞　116, 117
NMDA 型受容体　31, 84, 90
NO　151

O

off 型細胞　66
on 型細胞　66
osmole　97

P

P 型細胞　66
P 波　138
P 物質　54, 85
$PaCO_2$　126, 127
PAH　164
PaO_2　126, 127
Papez の回路　78
PD-1　116
PDGF　105
PGI_2　108, 151
PI3 キナーゼ　190
pK　98
PQ 時間　138
Price-Jones 曲線　100
PRL　213
PTH　204, 205
PYY　79

Q

QRS 群　138
QT 延長症候群　138
QT 時間　138

R

RANKL　204
Ras-MAPK 系　12, 200
Rh 式血液型　118
　——不適合妊娠　118
RMR　195
RNA ポリメラーゼ　5
ROMK　170
rRNA　3, 6
RVLM　155

S

SGLT　166, 177
　SGLT1　164, 177
　SGLT2　164, 177
slow pain　54
SNAP　42
SR-B1　185
ST 部分　138
STAT　12, 201

Stevens のべき関数の法則　51
STPD　119
Synapse en passant　34

T

T 型 Ca チャネル　134, 136
T 細管　26
T 細胞　112, 116
　——受容体　113
　——レパートリー　113
T 波　138
T_3　202
　——受容体　206
T_4　202
TCA 回路　13, 183
Tfh　116
Th1　116
Th2　116
t-PA　104
Treg　116
TRH　202
tRNA　6
TRP チャネル　54
TSH　202
TXA_2　105, 108

U

URAT1　166
UT-A1　165

V

V_1 受容体　209
V_2 受容体　209
VIP　85, 172
VLDL　185
von Willebrand 因子　105
VRG　130

W

Weber の法則　51
Weber-Fechner の法則　51

Ｑシリーズ　新生理学

定価（本体 3,400 円＋税）

1994 年	4 月 1 日	第 1 版	
1996 年	9 月 20 日	第 2 版	
1997 年	9 月 25 日	第 2 版 2 刷	
1999 年	5 月 10 日	第 3 版	
2000 年	3 月 15 日	第 3 版 2 刷	
2001 年	10 月 25 日	第 3 版 3 刷	
2003 年	10 月 20 日	第 4 版	
2005 年	3 月 1 日	第 4 版 2 刷	
2010 年	5 月 18 日	第 5 版（新装版）	
2012 年	1 月 27 日	第 5 版 2 刷	
2013 年	10 月 31 日	第 5 版 3 刷	
2015 年	4 月 16 日	第 5 版 4 刷	
2015 年	9 月 1 日	第 6 版	
2016 年	9 月 10 日	第 6 版 2 刷	
2018 年	5 月 28 日	第 6 版 3 刷	
2019 年	8 月 23 日	第 7 版	
2021 年	1 月 8 日	第 7 版 2 刷	
2022 年	1 月 14 日	第 7 版 3 刷	
2023 年	5 月 4 日	第 8 版	
2025 年	4 月 12 日	第 8 版 2 刷	

著　者　竹内昭博

発行者　梅澤俊彦

発行所　日本医事新報社　www.jmedj.co.jp
〒101-8718　東京都千代田区神田駿河台 2-9
電話 03-3292-1555（販売）・1557（編集）
振替口座 00100-3-25171

印　刷　ラン印刷社

©2023　Akihiro Takeuchi　Printed in Japan
ISBN978-4-7849-1172-1

イラスト；武村幸代　　装丁；花本浩一

JCOPY ＜（社）出版者著作権管理機構 委託出版物＞

本書の無断複写は著作権法上での例外を除き禁じられています。
複写される場合は，そのつど事前に（社）出版者著作権管理機構
（電話 03-5244-5088，FAX 03-5244-5089，e-mail : info@
jcopy.or.jp）の許諾を得てください。

電子版の閲覧方法

巻末の袋とじに記載されたシリアルナンバーで、本書の電子版を閲覧できます。

手順① 弊社ホームページより会員登録（無料）をお願いします。
（すでに会員登録をしている方は手順②へ）

会員登録はこちら

手順② ログイン後、「マイページ」に移動してください。

手順③ 「電子コンテンツ」欄で、「未登録タイトル（SN登録）」を選択してください。

手順④ 書名を入力して検索し、本書の「SN登録」を選択してください。

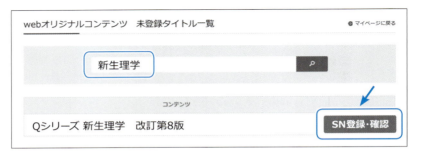

手順⑤ 次の画面でシリアルナンバーを入力すれば登録完了です。
以降は「マイページ」の「登録済みタイトル」から電子版を閲覧できます。